D0773809

Tanya Bishop

DER HEIMLICHE LIEBHABER

Erotischer Roman

Aus dem Englischen von
Joachim Honnef

BASTEI
LÜBBE

BASTEI LÜBBE TASCHENBUCH
Band 15 992

1. Auflage: November 2008

Vollständige Taschenbuchausgabe

Bastei Lübbe Taschenbücher in der Verlagsgruppe Lübbe

Deutsche Erstausgabe

Für die Originalausgabe:
© 1997 by Tanya Bishop
Titel der Originalausgabe: »Silent Seduction«
Published by Arrangement with Virgin Books Ltd., London, UK
Für die deutschsprachige Ausgabe:
© 2008 by Verlagsgruppe Lübbe GmbH & Co. KG, Bergisch Gladbach
Dieses Werk wurde vermittelt durch die Literarische Agentur
Thomas Schlück GmbH, 30827 Garbsen
Titelillustration: Digitalstock
Umschlaggestaltung: Bettina Reubelt
Satz: Urban SatzKonzept, Düsseldorf
Gesetzt aus der Palatino
Druck und Verarbeitung: CPI – Ebner & Spiegel, Ulm
Printed in Germany
ISBN 978-3-404-15992-5

Sie finden uns im Internet unter
www.luebbe.de
Bitte beachten Sie auch: www.lesejury.de

Der Preis dieses Bandes versteht sich einschließlich
der gesetzlichen Mehrwertsteuer.

Erstes Kapitel

»Vielleicht lassen sie dich eine Uniform tragen, Sophie!« Tobys Augen glänzten. »Du weißt schon, eine richtig enge Reithose und schwarze Stiefel.«

»Hör auf, Toby.« Sophie lachte.

»Stiefel bis zu den Oberschenkeln. Glänzende, mit hohen Hacken.« Er neigte sich zu ihr, um ihren Rocksaum hochzuschieben und ihre zarte Haut zu streicheln.

»Toby, sieh auf die Straße«, sagte sie kichernd, »oder die einzige Uniform, die du sehen wirst, ist die einer Krankenschwester!«

»Aber, aber, Miss Ward«, sagte er und runzelte mit ernstem Gesicht die Stirn. »Du weißt, was zu deinen Pflichten gehört. Schnell jetzt, ich hab nicht viel Zeit.«

»Toby, ich werde Pferdepflegerin sein, kein französisches Hausmädchen. Ich brauche keine Uniform zu tragen, und das Bedienen des Hausherrn steht nicht in meiner Jobbeschreibung.« Sie schob seine Hand von ihrem Bein. »Und du zerknitterst meinen besten Rock.«

»Dann zieh ihn aus«, sagte er und grinste anzüglich, während er den Wagen geschickt durch die kühle grüne Landschaft lenkte.

»Oh, gute Idee!« Sophie lachte sarkastisch. »Und würdest du gern meinen neuen Auftraggebern erklären, wie es dazu kam, dass ich wegen Erregung öffentlichen Ärgernisses auf dem Weg zu meinem neuen Job festgenommen worden bin? Und jetzt pass auf, wo du hinfährst.«

»Du würdest vermutlich mit Jobangeboten überhäuft,

wenn sie wüssten, dass du Vorstrafen wegen Exhibitionismus hast«, sagte Toby. »Es könnte der Auslöser für eine große Karriere sein. Du weißt, wie diese Familien der Oberklasse sind.«

»Nein, das weiß ich nicht, und da du es schon erwähnst, du weißt es ebenso wenig.«

»Du wärst überrascht, was ich weiß. Sie sind alle an der Oberfläche respektabel, doch in Wirklichkeit eine brodelnde Brutstätte.«

»Eine brodelnde was? Mein Gott, Toby! Du redest einen Blödsinn.«

»Es stimmt. Nächste Woche wirst du mich anrufen und dich darüber beschweren, dass dein Chef versucht, deine Tugend zu gefährden – vielleicht.«

»Meine Tugend gefährden? Was hast du da gelesen? Ist es das Buch, das die Uni dir geschickt hat, damit du es über den Sommer liest? Schon seit Weihnachten konntest du keine vernünftige Unterhaltung mehr führen.«

Sie lachten jetzt beide, obwohl Sophie dachte, dass viel Wahres im Scherz gesagt wurde. Wie würden die Dinge zwischen ihr und Toby sein, wenn er erst neue Freunde auf der Uni gefunden hatte? Sie bezweifelte, ob sie dem Intellekt der Kommilitonen und Dozenten gewachsen war, um sich mit ihnen auf Augenhöhe zu unterhalten, schließlich hatte sie nur ihr Zertifikat von der »British Horse Society« vorzuweisen.

Sie verdrängte die Gedanken daran, was sein würde. Sie wollte nicht, dass Toby aus einem Pflichtgefühl heraus bei ihr blieb. Der Gedanke daran ließ sie erschauern.

»Ist dir kalt?« Toby war sofort besorgt. »Warte, ich schließe das Fenster.«

»Mir geht's prima.« Sie lächelte, um zu zeigen, dass es ihr ernst war, und er blickte unbehaglich zu ihr.

»War nicht so gemeint, Sophie, ehrlich nicht. Ich bin sicher, dass es dir gut gehen wird. Du bist doch nicht besorgt, oder? Wenn es dir nicht gefällt, ruf mich sofort an. Ich werde kommen und dich abholen, das verspreche ich dir.«

»Ich bin nicht besorgt, wirklich nicht. Es ist immer traurig, wenn sich irgendetwas ändern muss. Es ist alles nur zum Besten für uns.«

»Es muss sich nichts ändern«, sagte Toby weich und ergriff ihre Hand. »Ich wollte nie, dass sich etwas ändert.«

Für einen Augenblick war Sophie versucht, Toby zu erzählen, dass sie einen schrecklichen Fehler begangen hatte, dass sie diesen Job in Wirklichkeit gar nicht wollte und viel lieber heiraten und viele pausbäckige Babys gebären würde. Genau wie ihre Schwestern. Sie dachte daran, wie glücklich Toby und ihre beste Freundin Sara sein würden.

»Nimm dir hier in der Nähe einen Job«, hatte Sara gedrängt. »Toby würde dich morgen heiraten, wenn du es wolltest. Wir könnten eine Doppelhochzeit haben; du und Toby, ich und Paul. Wir könnten zusammen unsere ersten Kinder haben . . .«

Sara war erfreut gewesen, die nächsten paar Jahre zu planen. Sophie war entsetzt gewesen. Ja, Toby würde sie heiraten, vielleicht wünschte er das sogar, aber nur, weil es von ihnen erwartet wurde. Sophie hatte ihn ermuntert, sich für Kurse in der Uni einzuschreiben, hatte selbst die Formulare zur Post gegeben und begierig auf die Antwort gewartet. Und es hatte geklappt. Toby war ausreichend von ihrer Begeisterung angesteckt worden, und als der Brief mit der Aufnahmebestätigung gekommen war, hatten sie gefeiert und zusammen geplant.

Sophie tätschelte Tobys Hand und legte sie zurück aufs Lenkrad.

»Wir haben all dies diskutiert, Toby. Und wir waren einer

Meinung, dass es für alle das Beste ist. Du warst zu gut für diesen lausigen Job, und ich wollte keinen weiteren Tag in diesem Postamt arbeiten. Ich will etwas erreicht haben, bevor ich so alt und schrullig wie Mrs. Cromarty werde. Wenn ich zurück in dieses Dorf gehe, dann nur, weil ich es will und nicht, weil ich muss.«

»Ich weiß, ich weiß. Du hast Recht, Sophie.« Er blies ihr einen Kuss zu.

Tobys Studienplatz hatte eine Last von Sophies Schultern genommen. Jetzt fühlte sie sich frei, ihr eigenes Leben zu führen, etwas Neues, Unbekanntes zu erleben, Leute kennen zu lernen, – sich selbst zu finden. Sie würde nicht mehr die Sophie sein, die neben dem Postamt wohnte, nicht mehr die Sophie, die drei Geschwister hatte und im Dorf während der Ferien arbeitete! Sie würde die geheimnisvolle Sophie sein. Die coole, fähige Sophie. Die sinnliche. Der Tagtraum schickte ihr Schauer über die Wirbelsäule. Toby lächelte sie an.

»Hast du Hunger?«, fragte er.

»Wie ein Bär. Ich könnte ein ganzes Pferd essen.«

»Nun, dann halt mal Ausschau nach einem, denn das ist ungefähr das Einzige, was ich nicht eingepackt habe.«

Sie hielten an einem kleinen Teich. Mit seinen Binsen und Lilien am Rande wirkte er idyllisch.

»Es ist wunderschön hier, Toby. Bist du schon einmal hier gewesen?«

»Da ist ein Feldweg« – Toby wies hin – »der zum Hügel hinaufführt. Ich war hier bei einem Pfadfinderausflug. Wir haben Dachse beobachtet.«

»Oh, welch ein Abenteuer!«, scherzte Sophie. »Ich wette, du hast in Shorts süß ausgesehen.«

»Ich sah blöde aus – ich war damals fünfzehn und einer der Helfer. Hier, nimm diese Decke, ich nehme den Korb. Da ist viel drin, aber für den Fall, dass du ein Pferd essen willst, sieh da rüber.« Ein kleines graues Pony beobachtete sie über einen Zaun. Es schnaubte und schüttelte die dichte Mähne.

Am Ende des Feldwegs kletterten sie über ein Tor und fanden sich auf einem Hügelhang wieder. Sie blickten auf ein Dorf hinab, das wie auf einer Ansichtskarte wirkte, wo Leute, so groß wie Ameisen, ihren Arbeiten nachgingen. Die Mittagssonne brannte heiß auf ihren Rücken, und Sophie breitete die Decke aus. Toby packte das Essen aus. Er hatte eine Flasche Wein in einer Kühlbox mitgebracht, und die Hitze und der Wein machten sie schläfrig und zufrieden.

»Danke, Toby.«

»Wofür?«

»Für das Picknick, den Ort. Es stimmt einfach alles.«

»Das Dumme ist, dass ich eine Weile nicht fahren kann, weil wir den Wein getrunken haben. Was sollen wir machen, bis ich wieder fahrtüchtig bin?« Er schaute sie von der Seite an, legte sich auf die Ellenbogen zurück, und sein langes schwarzes Haar fiel auf den Rand der Decke.

»Ich glaube, ich habe Spielkarten in meinem Gepäck. Gib mir die Wagenschlüssel.«

Sie tat, als wolle sie zum Wagen zurückgehen, und quietschte dann auf, als Toby sie an den Beinen packte und zu sich herabzog. Sie rollte sich lachend auf die Seite, und schon war er über ihr, drückte seinen Mund auf ihren und griff ihr unter den Rock.

»Toby! Nicht hier! Jeder, der vom Dorf zum Hügel blickt, kann uns sehen.«

Das stimmte. Toby sah über seine Schulter zum Dorf unten im Tal, dann zog er ihren Rock unter ihnen beiden fort.

»Keiner kann das sehen«, murmelte er, und seine Hand glitt an ihrem Bein hinauf. Seine Augen weiteten sich vor Überraschung.

»Keine Unterwäsche!« Er blickte schockiert drein, und Sophie musste kichern.

»Das ist nicht zum Lachen, junge Dame.« Toby setzte sich auf und knöpfte langsam ihre Bluse auf. Als der letzte Knopf geöffnet war, öffnete er den weichen Stoff und entblößte ihre Brüste. Ihre Nippel, klein und rosafarben, erhoben sich und wurden hart, als er sie in der sanften Brise spielerisch liebkoste.

»Du wirst Buße tun müssen.« Toby zog sein T-Shirt aus und machte den Reißverschluss seiner Hose auf.

»Komm schon«, sagte er und zog sie hoch. »Auf die Knie mit dir.«

Sie kniete sich zwischen Tobys Oberschenkel. Auch kniend reichte sie kaum bis zu seiner Schulter. Als sie sich hinabneigte, um seinen glatten, harten Penis zu küssen, hörte sie Toby erwartungsvoll aufstöhnen.

Sie ließ ihre Zunge an ihm auf und abschnellen, bis Toby schwer atmete und sie an den Schultern packte. Sie schob ihre Hand unter ihn, umfasste seine prallen Hoden und drückte sie sanft, und als ihm der Atem stockte, neigte sie sich vor und nahm seinen Penis in ihren Mund auf. Sie streichelte ihn mit der Zunge, fühlte ihn hart und stark, als sie saugte. Sie freute sich über seine heftigen Atemzüge, die seine Lust verrieten. Er versuchte, sie sanft hochzuziehen, dann fester, doch Sophie freute sich über den Schwanz ihres Geliebten; sie wollte, dass er so kam, unter ihrer Kontrolle.

Toby wurde jetzt wild, und sie genoss es, dass er in Panik geriet; er würde sie nie blasen lassen, bis es ihm kam. Als sie ihn schließlich freigab, keuchte er.

»Du bist ein verkommenes Mädchen«, grollte er und drehte sie herum. Als sie immer noch auf Händen und Knien vor ihm war, klatschte er ihr auf den nackten Po. Bevor sie reagieren konnte, drang Toby tief in sie ein, füllte sie völlig aus. Seine

Hände hielten ihre Hüften fest, als er seinen pulsierenden Penis in sie gestoßen hatte, jetzt glitten sie um ihre Hüften, über ihr Schambein, und die Finger rieben geschickt ihren Kitzler.

»Kannst du mich fühlen, Schätzchen? Dies ist alles für dich . . . du bist wunderbar . . .«

Sophie kam es fast. Tobys kräftige Stöße ließen jeden Zoll ihres Körpers prickeln. Ein Schrei entfuhr ihr auf dem Höhepunkt, der ihren Körper wie Feuer erfasste, und ihre Muskeln spannten sich so plötzlich an, dass Toby ebenfalls zu kommen begann. Als er die Wellen seines Orgasmus überstanden hatte, legten sie sich hin, Toby immer noch auf ihr, und beide versuchten, zu Atem zu kommen und ihre Fassung wiederzugewinnen.

»Alles in Ordnung?«, fragte Toby, hob ihr blondes Haar und küsste Hals und Ohren.

»Mir geht es prima, ich danke dir, Toby.«

»Meinst du, du wirst mich in Erinnerung behalten?«

»Oh, Toby! Selbstverständlich. Aber wir werden uns immer noch sehen, oder?«

»Ich verlasse mich darauf.«

Plötzlich war Sophie traurig, weil sie das Gefühl hatte, Toby zu verlieren. Doch den Abschied hatten sie gemeinsam geplant, und sie glaubte immer noch, dass ihr Herz Recht hatte. Er hatte so viel zu bieten, was nie in dem Job gewürdigt worden wäre, der wie eine Sackgasse gewesen war und den er endlich aufgegeben hatte. Toby wälzte sich von ihr und nahm ihre Bluse und seine Hose. Sie waren so vertieft darin, sich anzuziehen, dass ein Schnauben vom Zaun sie überrascht aufspringen ließ. Das graue Pony, neugierig geworden über all die Aktivität am Ende seines Felds, beäugte sie. Sie brachen in schuldiges Gelächter aus und stellten schnell die Reste des Picknicks für das Tier zusammen.

»Hier, da ist ein Apfel übrig, aber nur, wenn du für dich behältst, was du soeben gesehen hast«, sagte Toby zu dem Pony, das begierig auf der staubigen Erde scharrte und dann auf dem Feld zurücktrottete. »Ich finde, wir sollten auch weiter«, sagte Toby.

Sophie erschauerte, als die Sonne für einen Augenblick hinter einer Wolke verschwand und sie den Feldweg hinabgingen, um die Fahrt fortzusetzen. Der Rest des Ausflugs kam Sophie angespannt vor. Sie lachten und plauderten wie üblich, doch als sie anhielten, um in einem kleinen Gasthof Pause zu machen, waren sie beide ein wenig besorgt über das, was vor ihnen lag. Sophie erzählte von ihrem Telefongespräch mit den McKinnerneys, ihren neuen Arbeitgebern.

»Die Kinder haben ihre eigenen Ponys, und ihre Mutter macht Geländeritte, so sollte ich ziemlich beschäftigt sein.«

Toby erzählte von den verschiedenen Kursen, auf die er sich freute oder die er fürchtete. »Ich bin so lange aus der Schule, dass ich nur hoffe, ich kann mich noch an alles erinnern!«

»Du wirst hervorragend zurechtkommen, Toby. Dein einziges Problem ist, dass du denkst, andere Leute seien besser als du. Ich habe großes Vertrauen in dich – wenn du nicht der Klassenbeste bist, will ich wissen, warum nicht!«

»Im Ernst, Sophie, ich hätte niemals den Mumm gehabt, das durchzuziehen, wenn du mich nicht gedrängt hättest. Du weißt, wie ich bin. Du wirst mir fehlen.«

»So, jetzt habe ich genug. Wenn du jetzt noch melancholisch wirst, bin ich weg!«

Sie verließen lachend den Gasthof, doch Sophie dachte, dass Toby Recht hatte: sie wusste genau, wie er war. Sie wusste, dass er für immer bei seiner Arbeit geblieben wäre, wenn sie sich nicht eingemischt hätte. Sie hatte ebenfalls einen schleichenden Verdacht, dass sie ihn nicht ganz zu seinem eigenen Nutzen dazu gedrängt hatte, etwas völlig anderes zu versuchen.

Vielleicht, dachte sie, ist es für alle das Beste. Vielleicht wird Toby mir dafür eines Tages danken.

Als sie auf den Zufahrtsweg des Prospect House bogen, sah Sophie zum ersten Mal ihr neues Zuhause, und ein Schauer rann über ihren Rücken.

»Oh, Toby. Es sieht einfach aus wie dieses Haus in *The Omen!* Das Haus, in dem ...«

»... sich das Kindermädchen aufgehängt hat?«, rief Toby und drückte dramatisch ihr Bein.

Sie brachen beide wieder in Gelächter aus, vielleicht ein bisschen zu herzhaft, und Toby fuhr langsamer, als der Wagen sich dem Haus näherte.

Eine ältere Frau tauchte in der Tür auf, ein Baby auf dem Arm, dicht gefolgt von zwei anderen Kindern. Winkend und rufend liefen alle die Steintreppe hinab, um das Paar zu begrüßen, das aus dem Wagen stieg.

»Sophie?«, fragte die Frau lächelnd, »Hallo, meine Liebe, es ist schön, Sie kennen zu lernen. Wir haben uns darauf gefreut, nicht wahr?«

Die Kinder drängelten und schoben weiter und schauten unsicher zu Sophie.

»Lassen Sie uns die Koffer ins Haus bringen, dürfen wir? O ja, du kannst uns bestimmt auch helfen«, sagte die Frau zu dem mittleren Kind, einem Mädchen von etwa drei. »Ich bin übrigens Mr. McKinnerneys Mutter – er ist leider im Augenblick nicht da. Bleibt Ihr Freund zum Tee?« Sie blickte zu Toby. »Sie sind sehr willkommen.«

Toby, verblüfft von all der Aktivität, blickte von panischem Schrecken gepackt zu Sophie. »Oh, ich weiß nicht, ob das geht – ich meine, ich möchte nicht stören ...«

Sophie erlöste ihn. »Toby muss noch ziemlich weit fahren«, erklärte sie. »Ich nehme an, er würde lieber gleich aufbrechen, nicht wahr, Toby?«

»Ja, stimmt«, sagte er dankbar.

»Nun, dann kommt, Kinder. Lassen wir Sophie Abschied nehmen. Wir gehen ins Haus und machen Tee, einverstanden?«

Die Kinder flitzten so schnell ins Haus zurück, wie sie herausgekommen waren. Toby gab vor, sich über die Stirn zu wischen. »Viel Glück, Sophie. Halt die Ohren steif.«

»Oh, mir wird es hier schon gefallen, mach dir keine Sorgen. Danke dir, Toby. Für alles. Ich hoffe, dein Studium geht gut. Schreibe, sobald du kannst, das wirst du doch tun?«

»Selbstverständlich. Und du schreibst mir. Und denk dran, komm zu mir, und besuche mich in meiner neuen Wohnung, wann immer du ein freies Wochenende hast.«

Sie lächelte. »Versprochen. Und jetzt fahr vorsichtig.«

Sie winkte ihm nach, traurig über den Abschied, doch begierig darauf, ihr neues Zuhause zu sehen und sich einzuleben. Sie sah nicht den jungen Mann, der sie von der Seite des Hauses heimlich beobachtete. Sophie hätte ihn auf seine raue Art attraktiv gefunden. Sie wäre überrascht gewesen, wenn sie gewusst hätte, welches Interesse ihre Ankunft geweckt hatte. Es hätte sie amüsiert, welche Aufregung sie verursachte, als sie mit ihren hohen Hacken über den Kiesweg stöckelte. Sie wäre gewiss geschmeichelt gewesen, wie sich der Mann anstrengte, um einen letzten Blick auf sie zu erhaschen, bevor er den Rechen, den er in der Hand hielt, fester packte und sich sein Mund zu einem anerkennenden Lächeln verzog.

Sie verfolgte, wie Toby hinter der Kurve verschwand. Dann wandte sie sich mit einem Seufzen zum Haus, ohne etwas von seiner Anwesenheit zu ahnen.

* * *

14

Das Gepäck war in der Halle abgestellt, die Kinder tranken mit dem Kindermädchen Tee, und Mrs. McKinnerney widmete ihre Aufmerksamkeit Sophie.

»Nun, meine Liebe«, sagte sie, »sollen wir uns Ihre Zimmer oder erst die Ställe ansehen? Eigentlich ist alles im selben Block, und so könnte ich Ihnen alles zusammen zeigen.«

Sie verbrachten die nächste Stunde bei den Pferden, wo Sophie mit ihrem Aufgabenbereich vertraut gemacht wurde. Ein kleines schwarzes Pony beäugte sie, irgendwie berechnend, wie Sophie fand, und versuchte, ihr in die Hand zu beißen, als es erkannte, dass sie nichts zum Naschen dabeihatte.

»Das ist Buzz«, erklärte ihr Mrs. McKinnerney. »Vertrauen Sie ihm keine Minute, er ist ein grässliches Biest. So eine Art Ausbrechkünstler.«

»Welches der Kinder reitet Buzz?«

»Er war Catherines zweites Pony. Ist jetzt sozusagen pensioniert. Das ist sein Problem, die Langeweile. Und auch unser Problem.« Sie lachten beide. »Ich weiß, das hier ist ein ziemlich bunter Mix«, sagte die ältere Frau und wies auf die sonderbare Ansammlung von Pferden und Ponys, »aber glauben Sie, Sie können damit zurechtkommen?«

»Seien Sie unbesorgt, Mrs. McKinnerney, das wird schon klappen«, erwiderte Sophie, »und ich werde dafür sorgen, dass die Kinder sich bald im Sattel wohlfühlen werden. Wir werden bestimmt eine schöne Zeit zusammen haben. Ich habe das doch richtig verstanden, dass Sie nicht hier wohnen?«

»Ganz recht, meine Liebe. James und Catherine haben das hier übernommen, als wir uns zur Ruhe setzten. Wir wohnen ungefähr zwanzig Minuten Fahrt von hier entfernt.« Ihre Augen funkelten. »Nahe genug, um schnell vorbeizuschauen, wenn sie uns brauchen, und weit genug, um uns nicht einzumischen, hoffe ich. Lassen Sie mich Ihnen jetzt Ihre Zimmer zeigen. Ich finde, wir haben uns eine gute Tasse Tee verdient!«

Sophies Wohnung erwies sich als ein kleines Cottage mit separatem Eingang neben den Stallungen. Mrs. McKinnerney hatte aufmerksam einen Karton mit Lebensmitteln auf den Tisch in der Küche gestellt, und als sie Tee und Toast organisiert hatten, ließen sie sich in einer gemütlichen Sitzecke auf den Sesseln nieder.

Als sie ein paar Minuten über dies und das geplaudert hatten, sagte Mrs. McKinnerney, vorsichtig um ihre Wortwahl bemüht: »Sie sind nicht zur leichtesten Zeit zu uns gekommen. Ich glaube, ich sollte Ihnen die Dinge klarer machen, aber dies ist schwierig für mich. Wissen Sie, mein Sohn und seine Frau haben im Moment eine ziemlich heikle Zeit. Catherine ist ein nettes Mädchen, aber, nun, junge Leute halten anscheinend nicht viel davon, zu Hause bei den Kindern zu bleiben. Sie will etwas mehr – eine Karriere, nehme ich an. Oh, meine Liebe, das klingt wohl abfällig für Sie, wenn Sie gekommen sind, um die Kinder zu unterrichten. Ich meine, das Aufziehen von Kindern ist äußerst schwierig und der Job, bei dem man auf der Welt am meisten belohnt wird, aber Catherine sieht das anders. Nicht, dass sie die Arbeit nötig hätte. James kann hervorragend für seine Familie sorgen. Doch Catherine vermisst ihr gesellschaftliches Leben, ihre Arbeit, ihre Freiheit.« Mrs. KcKinnerney seufzte schwer. »Die Dinge waren in letzter Zeit ein bisschen angespannt zwischen den beiden, was auch der Grund war, weshalb ich hier bin; um den Kindern ein wenig Stabilität zu geben, bis sich alles beruhigt hat.«

Sophie nickte mitfühlend. Das erklärte, warum ihr Gespräch mit den Eltern der Kinder so kurzfristig und schnell stattgefunden hatte, und möglicherweise, warum sie nicht hier waren, um sie bei ihrer Ankunft zu begrüßen.

Mrs. McKinnerneys Lächeln war traurig. »Wir alle hätten geschworen, dass James und Catherine diese Probleme bewältigen können. Ihre einzige Verantwortung sind die Pferde. James hat immer anderes Personal gehabt, also werden Sie nicht saubermachen oder Hausmädchen spielen müssen, und Sie werden nur für sich selbst kochen. Aber bitte«, und da legte sie eine Hand auf Sophies Arm, »verzeihen Sie uns, wenn wir Sie im Augenblick ein wenig vernachlässigen. All dies hat James ziemlich mitgenommen, und es kann eine Weile dauern, bis wir wieder normale Verhältnisse haben. Ich hoffe, all dies schreckt Sie nicht zu sehr ab.«

»Ich bin aus hartem Holz geschnitzt«, versicherte Sophie der älteren Frau, »und ich werde alles tun, was ich kann, um zu helfen, machen Sie sich keine Sorgen.«

»Gut. Nun, ich hoffe, es macht Ihnen nichts aus«, sagte Mrs. McKinnerney, »dass ich für später eine kleine Party arrangiert habe, damit Sie unsere Freunde und Nachbarn kennen lernen. Es ist keine förmliche Sache, einige der Gäste sind nicht viel älter als Sie, und es ist lange her, seit ich einige meiner alten Freunde gesehen habe – aber ich weiß, dass Sie jemanden finden werden, mit dem Sie sich nett unterhalten können.«

Sophie, erfreut über die Aussicht, einige neue Gesichter zu sehen, kündigte an, dass sie schnell ihre Koffer auspacken und sich dann duschen und umziehen würde.

»Ich sehe Sie dann in ungefähr anderthalb Stunden«, sagte Mrs. McKinnerney. »Diese Wohnung ist ausschließlich für Sie bestimmt, also fühlen Sie sich ganz wie zu Hause.«

Der Abend begann zu dunkeln, als Sophie die Vorhänge in ihrem Zimmer zuzog. Unten auf dem Rasen, einen Steinwurf von ihrem Fenster entfernt, stellte ein junger Mann sorgfältig Gartengerät an einem Schuppen auf. Sophie verharrte am Fenster und beobachtete seine muskulösen Schultern, die das von Gras befleckte Hemd spannten.

Das ist jemand, den ich gern erkunden möchte, dachte sie. Ja, ich finde, wir beide könnten nett miteinander plaudern.

Als ob er Gedanken lesen könnte, richtete sich der junge Mann auf und blickte zu Sophies Fenster. Er strich sein langes blondes Haar aus dem Gesicht und grinste schief, und ihr wurde klar, wie deutlich er sie sehen konnte, während sie im erhellten Zimmer stand und er in geheimnisvollem Halbdunkel. Sie errötete und spürte, wie sich Hitze in ihr ausbreitete, von den Wangen bis zum Hals, dann in ihrem gesamten Körper. Sie wollte gerade den Vorhang zuziehen, als der junge Mann in den Lampenschein unter ihrem Fenster trat, beide Hände an den Mund legte und ihr einen Kuss hinaufblies.

Sophie musste unwillkürlich lachen. Der Mann grinste von neuem, ein neugieriges und trotzdem wissendes Grinsen – und der Moment war verflogen. Er wandte sich wieder dem Schuppen zu. Sophie zog die Vorhänge zu. Erst als sie Rock und Bluse auszog, dachte sie an Toby und seine Ankunft bei der Uni. Sie hoffte, dass er sich so gut einlebte wie sie hier.

Die Dusche stimulierte und erfrischte sie. Der warme Strahl tat gut nach der langen Fahrt, und Sophie glaubte zu sehen, wie der alte Tag durch den Abfluss gespült wurde, um die neue, kultivierte Sophie auftauchen zu lassen.

Sie seifte ihren Körper ausgiebig ein, genoss die Schlüpfrigkeit ihrer vollen, schweren Brüste und spürte die Härte ihrer Nippel. Sie drückte sie fest und ließ die andere Hand zwischen die blonden Löckchen ihrer Scham gleiten. Sie spürte, wie der Seifenschaum sich einen glitschigen Pfad an ihren langen Beinen hinab bahnte. Die Augen geschlossen, die Lippen leicht geöffnet, streichelte und massierte sie sich. Dann nahm sie den Duschkopf, löste ihn aus der Halterung an der Wand der Duschkabine und ließ den warmen Wasserstrahl über ihr Schambein prasseln, wusch die Seife durch ihren glänzenden blonden Busch. Sie hob ein Bein, um es auf den niedrigen Rand der Duschkabine zu stellen, teilte sanft ihre Schamlippen und ließ den Wasserstrahl auf den inneren Schamlippen spielen und sich von dem Gefühl erregen, bis das Wasser nebensächlich wurde und sie den Duschkopf auf den Boden gleiten ließ.

Das Wasser spritzte aufwärts, unbeachtet, als Sophie ihren Daumen in die Vagina schob und ihre Finger zurückkriechen ließ, um sich am Po zu streicheln. Sie warf den Kopf zurück, und der Knöchel ihres Daumens rieb köstlich über die Klitoris. Sophie spürte, wie sich die Hitze des Verlangens durch ihren Leib ausbreitete und in ihrem gesamten Körper pulsierte, bis der Orgasmus sie erfasste und sie um Atem ringen ließ. Als die Wogen der Lust schließlich nachließen und sie wieder normal atmen konnte, bückte sie sich, um die vergessene Seife aufzuheben.

Was, im Himmel, ist nur mit mir geschehen, fragte sie sich, als sie sich weiter duschte. Denn der Schwanz, den sie sich beim Masturbieren vorgestellt hatte, war nicht der von Toby, sondern der des jungen Gärtners gewesen, der sie zuvor mit den Blicken ausgezogen hatte. Überrascht von ihrer Begierde, schwor sich Sophie, streng mit sich zu sein: Was sie in der Intimsphäre ihrer Wohnung tat, war ihre eigene Sache, aber sie war fest entschlossen, sich in der Öffentlichkeit sehr unter Kontrolle zu halten.

Sie wählte ein tiefblaues Kleid aus Samt für ihr Debüt auf der Party der McKinnerneys. Zuerst war sie nervös gewesen. Zu früh fertig, hatte sie sich gefragt, was sie zu erwarten hatte. Als Mrs. McKinnerney an die Tür klopfte und sie rief, zuckte sie zusammen.

»Sophie? Sophie? Sind Sie bereit, meine Liebe? Soll ich Ihnen zeigen, wohin Sie gehen sollen? Kommen Sie, wir gehen zusammen. Und sagen Sie Helen zu mir. Mrs. McKinnerney klingt so geschraubt, finden Sie nicht auch?« Und so gingen sie los, plaudernd und lachend durch das elegant ausgestattete Haus.

Während Sophie noch die schönen Möbel bewunderte, öffnete Helen die Tür und sagte heiter: »Seien Sie nicht nervös, meine Liebe, keiner der Gäste beißt, soweit ich das weiß.«

Der Raum hatte eine hohe Decke und war elegant eingerichtet. Er hätte kalt wirken können, doch das verhinderten bequeme Sofas mit großen Kissen, schicke bunte Teppichbrücken und weiche rotgelbe Beleuchtung. Ungefähr ein Dutzend Leute war versammelt, sie plauderten, tranken und lachten miteinander.

»Helen!«, rief eine Frau mittleren Alters und blickte vom Kamin herüber. »Wie schön, dich zu sehen! Du hast uns allen so sehr gefehlt.« Die beiden Frauen umarmten sich und tauschten Küsschen, und dann wandte sich Helen Sophie zu.

»Janie, ich möchte dir Sophie vorstellen. Sie ist die tapfere junge Frau, die gekommen ist, um diesen Rowdypferden etwas Disziplin beizubringen. Sophie, dies ist Janie Marshall, unser nächste Nachbarin und meine sehr liebe Freundin.«

Sophie schüttelte ihr die Hand. »Freut mich, Sie kennen zu lernen, Mrs. Marshall.«

»Oh, nennen Sie mich einfach Janie, meine Liebe. Ich muss dir ein Kompliment machen, Helen«, fuhr sie fort und tätschelte Sophies Hand, »du hast einen ausgezeichneten Geschmack, was Pferdepfleger betrifft. Ich hatte keine Ahnung, dass sie heutzutage so zauberhaft sind!«

Sie alle lachten. Helen schüttelte den Kopf und sagte: »Ich befürchte, ich kann die Lorbeeren nicht in Anspruch nehmen, James und Catherine sind diejenigen, die sie verdienen. Wo sind die beiden übrigens?«

»Ich habe sie nicht gesehen. Ich kann mich um Sophie kümmern, wenn du sie ein bisschen zur Eile antreiben willst.«

»Macht es Ihnen was aus, Sophie? Sind Sie damit einverstanden? Also gut, ich sollte vielleicht gehen.« Helen ging wieder, und ihr Gesicht nahm einen strengen Ausdruck an.

Janie hakte sich bei Sophie ein. »Gut, jetzt habe ich Sie ganz für mich. Dennoch nehme ich an, ich sollte Sie mit anderen teilen, nicht wahr? Oh, kommen Sie mit und lernen Sie meinen Mann kennen – er ist ein bisschen wie ein trockener alter Stock, aber wir holen ihn gerne heraus und stauben ihn gelegentlich ab, nicht wahr, Darling?«

Letzterer Teil der Bemerkung war absichtlich in Hörweite eines großen, gut aussehenden Mannes gesagt, den Sophie gut zehn bis fünfzehn Jahre älter als seine Frau schätzte und dessen Figur immer noch beeindruckend war. Sophie sah an der Art, wie Janie und ihr Mann sich anlächelten, dass sie sich trotz ihrer Sticheleien sehr liebten, und sie war gerührt.

»Nick, dies ist Sophie, James neue Pferdepflegerin.«

»Glücklicher James, würde ich sagen!«

»Nein, nein, du Trottel! Nicht James' Pfleger! Eine Pflegerin für seine Pferde! Sophie, dies ist mein Mann. Jeder, der uns kennt, wird Ihnen sagen, dass ich eine Medaille verdiene, weil ich es mit ihm aushalte.«

Sophie gab Nick die Hand. Er neigte sich zu ihr und flüsterte theatralisch: »Wenn ich eine Pferdepflegerin wie Sie gekannt hätte, dann hätte ich darauf bestanden, dass wir eine brauchen. Ich dachte, Pferdepfleger tragen alle Kappen und rauchen Pfeife.«

Sophie lachte. »So ist es bestimmt bei einigen. Wie viele Pferde halten Sie, Mr. Marshall?«

»Nennen Sie mich bitte Nick. Bei Mr. Marshall bekomme ich das Gefühl, so alt zu sein, wie ich bin. Wir haben nur zwei alte Ponys – sie passen zu uns, nicht wahr, Darling? Leider hat mein Sohn nie viel vom Reiten gehalten: vielleicht könnten Sie ihn überzeugen, wie schön das ist. Haben Sie Erfahrung, widerspenstige Zwanzigjährige zu unterrichten?«

»Ich glaube nicht.« Sophie täuschte Bestürzung vor. »Das klingt selbst für mich nach einer zu großen Herausforderung.«

»Ganz recht. Da ist er übrigens. Paul, komm her und begrüße diese reizende junge Dame. Dies ist Sophie. Sie wird die Herrin der Ställe für James und Catherine sein. Sophie, dies ist Paul.«

Sophie schüttelte seine Hand. Der widerspenstige Sohn, dachte sie.

Paul blickte mit zusammengekniffenen Augen in Richtung seines Vaters. »Was hat der alte Narr über mich gesagt?«, zischte er, während Sophie über die kleinen Kabbeleien lächelte. »Kommen Sie hier rüber, und erzählen Sie's mir.« Er zog sie zur Seite.

»Sie brauchen es nur zu sagen«, bot er an, »und ich werde Sie hier wegbringen.« Sie lachten, und Paul füllte ihr Glas aus der Flasche, die er hielt.

»Hier ist nicht viel los für einen jungen Stadtmenschen oder für eine junge Pferdepflegerin aus der Stadt«, fügte er schnell hinzu, »aber ich kann Ihnen die Sehenswürdigkeiten der Gegend in Ihrer Freizeit zeigen – wir brauchen nur zwanzig Minuten.«

Sophie genoss all die Aufmerksamkeit. »Sagen Sie mir, wer die anderen Leute sind«, flüsterte sie. »Ich kenne keinen.«

»Ja, gern.« Paul seufzte theatralisch. »Aber ich bin der Interessanteste hier.« Er wies sie auf verschiedene Freunde und Bekannte hin: den örtlichen Arzt und seine Frau, er sah unaufrichtig und sie hochmütig aus; die Newton-Smiths, beide lustig und laut; Rosie, die gefürchtete Tagesmutter, wie Paul ihr anvertraute; und er informierte sie, dass der lässige junge Mann, der beim Fenster stand, Catherine McKinnerneys Bruder Dominic war.

Sophie kicherte bald über die Bruchstücke von Klatsch, die Paul in seine Erklärungen einfließen ließ, und hoffte, dass niemand die Dinge mithören konnte.

»Ich weiß nicht, wie viel Sie davon erfunden haben.« Sophie lachte, und es wurde ihr bewusst, dass sie sich bei Pauls Plauderei und vom Wein warm und entspannt fühlte.

»Ah, aber das ist der Spaß dabei«, meinte Paul und rief dann dramatisch, als eine junge Frau versuchte, sich vorzustellen. »Ich teile sie mit niemandem, sie gehört jetzt mir!« Die junge Frau, in der Sophie jetzt Rosie, die gefürchtete Tagesmutter, wiedererkannte, bedachte Paul mit einem vernichtenden Blick.

»Du wirst immer schlimmer«, sagte sie und wandte sich an Sophie. »Sie sind Sophie, nicht wahr? Die neue Pferdepflegerin. Freut mich, Sie kennen zu lernen. Belegt Paul Sie mit Beschlag? Das ist ein Kreuz, das wir leider alle zu tragen haben. Nein«, fiel sie Paul ins Wort, als er stören wollte, »sie gehört nicht dir. Du brauchst keine Pferdepflegerin, du brauchst eine Therapie. Ich bin übrigens Rosie. Ich kümmere mich um die Flemmings-Kinder im Ort. Ich bin Tagesmutter, kein Kindermädchen, möchte ich schnell hinzufügen.«

Der Wein perlte, die Unterhaltung war lebhaft, und Sophie dachte, dass ihr dieses Leben sehr gut gefallen würde. Es ist nur eine einmalige Sache, mahnte sie sich, sicherlich ist all dies nur inszeniert, damit ich bleibe, selbst wenn die Dinge zwischen den McKinnerneys wirklich unangenehm werden. Morgen wird alles realistischer sein – vermutlich werden alle mit einem Knall auf die Erde zurückkommen. Doch sie wusste, dass die elegante Umgebung und die liebenswerte Gesellschaft sie faszinierten; sie hing praktisch schon am Angelhaken. Wie kann jemand wünschen, zurück in ein langweiliges Büro gehen, wenn er drei liebe Kinder und ein schönes Haus hat und das Geld nicht braucht?, fragte sich Sophie und dachte an Catherine McKinnerney.

Helen war inzwischen zurückgekehrt und ziemlich durcheinander. Sie vergewisserte sich, dass Sophie in den Kreis der Partygäste aufgenommen worden war und sich nicht langweilte, und danach ging sie noch einmal fort, was Janie veranlasste, heimlich mit Sophie zu tuscheln: »Die arme Helen. Sie sollte nicht rumlaufen müssen. Menschen können so egoistisch sein.« Sophie nickte, dann führte Paul sie zu drei anderen Gästen, die bei der offenen Terrassentür standen.

Die Frau, nicht viel älter als Sophie, jedoch mit verblüffendem Selbstbewusstsein, musterte sie von Kopf bis Fuß und rümpfte die Nase, als sei sie von Sophies Anblick nicht gerade begeistert.

»Ich wusste nicht, dass James Personal einstellt«, sagte sie, als Paul sie vorstellte. »Nichts für ungut«, sagte sie zu Sophie.

»Hallo, Sophie. Freut mich, Sie kennen zu lernen.« Ein Mann (den Sophie als einen der Ärzte wiedererkannte) streckte ihr die Hand hin. »Sie müssen meine Frau entschuldigen. Marcie kann manchmal grob sein, ohne dass sie das will. Ich heiße übrigens Alex Carver. Lassen Sie uns jetzt ihrer spitzen Zunge entkommen und Ihnen was zu trinken holen.«

Er führte Sophie fort, füllte ihr Glas, obwohl sie protestierte und setzte sich auf eines der kleinen Sofas in der Ecke. Sophie nahm neben ihm Platz. Sie sagte sich gerade, dass sie den ersten Tag ihrer Arbeit nicht mit einem Kater verbringen würde, als sie Helen mit einer schönen, schmollend ausse- henden Frau den Raum betreten sah.

»Aha«, rief Alex, »unsere Gastgeberin ist endlich einge- troffen.«

Sophie erhob sich. Widerwillig ließ sich die junge Frau von Helen vorwärtsziehen.

»Sophie!«, sagte Helen. »Tut mir leid, dass ich Sie verlassen musste. Ich hoffe, Alex hat sich benommen. Dies ist meine Schwiegertochter Catherine. Catherine, dies ist Sophie.«

Catherine war blass und abgespannt. Ihre Augen waren gerötet, als hätte sie kurz vorher noch geweint. Sonst war sie eine prächtige Frau. Ihr langes kastanienbraunes Haar glänzte, und obwohl sie zerbrechlich wie Porzellan wirkte, blitzte etwas Hartes in ihren haselnussbraunen Augen.

»Sophie, es tut mir so leid, dass ich Sie allein gelassen habe. Aber die Dinge sind im Moment ein bisschen durch- einander. Hoffentlich haben Sie sich amüsiert. Ich werde Sie jetzt nicht mit Details über Ihren Job langweilen – dafür wer- den wir noch genügend Zeit haben.«

Sophie blieb kaum Zeit zu lächeln, da eilte Catherine bereits zu Alex Carver, griff seine Hand, zog ihn zur Seite und erklärte, dass sie etwas sagen müsste, das sie nur mit einem Arzt besprechen könnte.

Helen runzelte die Stirn. »Verzeihung, Sophie. Probleme, nur Probleme. Nichts kann James überreden, zur Party zu kommen. Ich fürchte um das Paar. Mache mir ernsthafte Sor- gen.«

Die Party schien in vollem Gang zu sein. Verschiedene Neuankömmlinge waren Sophie vorgestellt worden, und sie hatte ihre Namen sofort vergessen. Alex und Catherine flirteten offensichtlich in einer Ecke, während Helen herumwirbelte, plauderte, Gäste einander vorstellte und frische Flaschen schwang. In Sophie stieg das Gefühl auf, dass die Party außer Kontrolle geriet.

Sie unterhielt sich mit Rosie und Joanne, die im Ort als Kindermädchen arbeitete und gerade herausfand, wohin sie hier ausgehen und was sie unternehmen konnte.

»Ich hoffe, sie werden bald gehen«, sagte Joanne missmutig und wies auf ein Paar in der Mitte des Raums. Der Mann war korpulent und hatte ein rotes Gesicht, vermutlich von zu viel Alkohol. Die Frau, die dauernd wiehernd lachte, war nur unwesentlich weniger korpulent als ihr Mann. Die Newton-Smiths, erinnerte sich Sophie.

»Ich weiß, dass sie mich bitten werden, sie zu fahren«, stöhnte Joanne, »aber wenn ich den Wagen brauche, um die Kinder zum Schwimmen zu fahren, dann murren sie. Du hast Recht, als Tagesmutter zu arbeiten statt als Kindermädchen«, sagte sie zu Rosie. »Wenn Sie mit im Haushalt leben, läuft es darauf hinaus, dass Sie alles tun müssen.«

»Jos Familie ist wirklich schrecklich zu ihr«, vertraute Rosie Sophie an.

»Ich werde für die Wochenenden nicht bezahlt«, sagte Jo seufzend, »aber weil ich nun mal hier bin, erwarten sie, dass ich für sie da bin. Da hat man keine Privatsphäre. Wenn einem die Kinder nicht auf den Wecker gehen, dann ist es dieser fette Fiesling.«

Sophie blickte alarmiert drein, und Rosie lachte. »So schlimm sind sie nicht, aber ich kann dir sagen, Sophie, wenn du einen freien Tag hast, fahr so weit wie möglich fort, sonst haben sie immer einen ›kleinen Job‹ für dich zu erledigen.«

Sophie erzählte ihnen von Toby und ihren Plänen, sich an den Wochenenden zu treffen, wenn es möglich war. Als

Sophie über Toby sprach, fehlte er ihr, und sie saß still da, ließ die Unterhaltung an sich vorbeiplätschern und fragte sich, was Toby in diesem Moment tat.

»Hey, Schwerhörige«, stieß Jo sie an, »ich habe gefragt, ob du die anderen Bediensteten schon kennen gelernt hast, die sie hier haben. Besonders ...« – sie und Rosie verdrehten die Augen, als würden sie in Ohnmacht fallen – »den Gärtner!«

Sophie errötete, was die Mädchen zu kichern veranlasste.

»Ja, diese Wirkung hat er auf jede«, sagte Rosie. »Der geheimnisvolle Gärtner. Er kann seine Hände jeden Tag an meine Begonien legen!« Und alle drei brachen in geiles Gelächter aus.

»Oh, meine Leute brechen auf«, rief Jo und sprang auf. »War nett, dich kennen zu lernen, Sophie. Wir werden uns an einem Abend draußen bald treffen. Ich hoffe, du kommst gut zurecht.« Und schon hastete sie davon.

Sophie bemerkte, dass Jos Arbeitgeber seine fette Hand über ihren Po schob, als er ihr die Wagenschlüssel überreichte.

»Eigentlich könnte ich mit ihnen fahren, wenn ich mich beeile«, sagte Rosie. »Muss nur aufpassen, dass ich nicht neben Mister Grapschhand sitzen muss.« Rosie zwinkerte Sophie zu und eilte hinter Jo her.

Andere Gäste verabschiedeten sich, und Helen spielte die pflichtgetreue Gastgeberin. Ihre Schwiegertochter glänzte durch Abwesenheit – zusammen mit Alex Carver, wie Sophie bemerkte. Janie und Nick Marshall verließen die Party Hand in Hand und drängten Sophie, bei ihnen vorbeizuschauen, wann immer sie wollte.

Sophie, die sich ziemlich erhitzt fühlte, machte sich auf die Suche nach der Toilette. Das war anscheinend leichter gesagt als getan. Nachdem sie fast zehn Minuten vergebens durch dunkle Gänge geirrt war und sich gerade entschlossen hatte zu warten, bis sie in ihre eigene Wohnung zurückgekehrt war, sah sie eine Tür einen Spalt offen stehen und eilte darauf zu. Als sie die Tür aufschob und sich vorlehnte, um zu sehen, ob sie in den gewünschten Raum führte, packten starke Hände ihre Schultern, zogen sie herein und schlossen die Tür mit einem leisen Klicken.

»Was – wer?« Eine große Hand legte sich über Sophies Mund, und ein harter Männerkörper schob sie gegen die Wand.

Wütend ruckte Sophies Kopf herum, und sie versuchte sich loszureißen, doch es gelang ihr nicht.

»Bleib ruhig«, warnte eine vage vertraute Stimme, »und wer weiß, du könntest mehr Spaß haben, als du erwartest.«

Sophie unterdrückte das Verlangen, über ein solches Melodrama zu lachen – sie fühlte sich zu beschwipst, um Angst zu haben, und kramte in ihrer Erinnerung, um den Besitzer dieser Stimme herauszufinden. Sie tastete zur Seite, um den Lichtschalter zu finden, hatte jedoch keine Ahnung, wo er war.

»Schrei nicht, Sophie.« Der Ton der Stimme hatte sich jetzt verändert. »Ich nehme meine Hand fort, wenn du versprichst, nicht zu schreien.«

Sophie nickte, und die Hand wurde behutsam fortgezogen, doch die Finger krochen über die Wand.

»Was wollen Sie?«, zischte sie. »Wer sind Sie?« Es klang ziemlich komisch, und Sophie musste sich in Erinnerung rufen, dass dies eine sehr ernste Situation war.

»Sophie, du siehst so gut aus.« Sein Mund war an ihrem Hals, und seine Hand war zwischen ihre Körper geglitten und streichelte ihre Brüste. Er war nicht viel größer als Sophie, aber zweifellos stärker, und als er und Sophie ein ungeschicktes Tauziehen mit ihrem Kleid begannen, wurde ihr klar, dass es nur eine Frage der Zeit war, bis sie verlor. Als wieder ein Kichern in ihr aufstieg, nutzte er das aus und zog Sophies Kleid bis zu den Hüften hoch. Sophie wusste, dass sie ihn stoppen konnte, wenn sie das wirklich wollte, doch sie schaffte es anscheinend nicht, klar zu denken. Er fummelte seinen Hosenschlitz auf, zog Sophies Höschen zur Seite, schob seine ganze Hand zwischen ihre Beine und stöhnte auf, als er spürte, wie feucht sie war.

Plötzlich war Sophie nicht mehr zum Kichern zumute, denn sie spürte, wie Verlangen in ihr aufstieg; sie dachte in diesem Moment nur an ihre eigene Befriedigung. Sie spürte, wie die Erektion des Mannes gegen ihren Bauch stieß, und fühlte sich angehoben, sodass sie nur von ihren eigenen Schultern hart gegen die Wand gedrückt und von den starken Händen des Mannes unter ihren Pobacken gehalten wurde. Langsam senkte er sie auf seinen Penis, und Sophie stockte der Atem, als die Schlüpfrigkeit ihrer Vagina und ihr eigenes Gewicht sie hinab auf seinen pulsierenden Penis trugen.

Sie riss ihre Arme aus den Trägern ihres Kleids, ließ ihre Brüste wie reife, schwere Früchte vorwärtsfallen, wie um die Aufmerksamkeit des Mannes im Dunkel zu erheischen. Er schmiegte sein Gesicht zwischen ihre Brüste und suchte mit dem Mund nach ihren Brustwarzen. Sie hielt den Atem an, als er leckte und saugte und dann sanft in sie hineinbiss. Sophie wand sich in der schmerzlichen Lust, wie ein Schmetterling an die Wand genagelt.

»Oh, aber wir sollten nicht . . .«, keuchte sie.

»Pst«, wisperte er und hielt sie leicht, als seine Härte in voller Länge in ihre Vagina ein und aus fuhr.

»Jemand könnte uns finden. Wir sollten das nicht tun, nicht hier.«

Und in diesem Moment fand Sophies tastende Hand den

Lichtschalter. Nach kurzem Zögern drückte sie darauf, und in der folgenden Verwirrung trat ihr geheimnisvoller Liebhaber zurück und ließ sie auf den Boden gleiten. Er bedeckte sein Gesicht mit einer Hand und versuchte mit der anderen seinen schlapp werdenden Penis zurück in die Hose zu stopfen.

»Alex!«, stieß Sophie entsetzt hervor.

In diesem Augenblick wurde die Tür geöffnet, und ein Mann, den Sophie nie zuvor gesehen hatte, blickte in einer Mischung von Verwirrung und Ärger von Alex zu Sophie und zog die Tür weiter auf.

»Geh nach unten, Alex. Deine Frau sucht dich.«

Ohne ein Wort schlüpfte Alex Carver aus der Tür hinaus und hatte kaum noch einen Blick für Sophie übrig, die wacklig auf die Beine kam und deren Augen sich mit Tränen der Verlegenheit füllten.

»Er hat mich hier reingezogen«, sagte sie. »Es war dunkel, und ich . . .«

Der Mann wandte den Blick, als sie ihr Kleid richtete.

»Machen Sie sich keine Sorgen. Ich befürchte, ich kenne Alex Carver seit langem, ich sollte hinzufügen, dass er mehr der Freund meiner Frau ist als meiner. Ich hoffe, er hat Ihnen nicht wehgetan?«

»Nein, nein! Ich glaube nicht. Er war gerade in der Dunkelheit – da hat er . . .«

James nahm sie am Arm und führte sie über den Gang zu einem großen, dunklen Raum voller Bücherregale und Leselampen, von denen er eine anknipste.

»Mein Arbeitszimmer«, erklärte er. »Nehmen Sie bitte Platz.« Er nahm aus einem Schrank einen Schal und legte ihn ihr sanft über die Schultern. Dann schenkte er zwei Schwenker mit Brandy ein. Sophie erzitterte innerlich, als er ihr eines der Gläser reichte. »Es tut mir leid, dass Ihr erster Abend hier so enden musste«, sagte er ernst. »Möchten Sie diesen Zwischenfall weiterverfolgen?«

»O nein! Bitte, können wir ihn nicht einfach vergessen? Mr. Carver war ziemlich betrunken. Ich möchte nicht, dass er irgendwelche Schwierigkeiten bekommt. Und es ist ja kein Schaden entstanden«, fügte sie schnell hinzu und fragte sich, was dieser gelassene und würdevolle Mann denken würde, wenn er wüsste, wie sehr sie dieser Zwischenfall erregt hatte.

Ihr Arbeitgeber schaute sie mit ernsten blauen Augen lange an, und dann, gerade als Sophie dachte, er hätte ihr sündiges Geheimnis erraten, lächelte er, schlug sich auf die Knie und stand auf.

»Okay, Sophie, wie Sie wünschen. Aber wenn Sie noch einmal Probleme mit Alex oder jemandem sonst haben, können Sie immer zu mir kommen. Ich weiß, dass Sie ziemlich fähig sind, auf sich selbst aufzupassen, aber Sie sind unter meinem Dach, und ich fühle mich verantwortlich für Sie.«

»Danke, Mr. McKinnerney.«

»James, bitte. Denken Sie daran, was ich gesagt habe. Wir sehen uns morgen, Sophie. Ich hoffe, Sie schlafen gut.«

Sie ging durch das große Haus zurück zu ihrer kleinen Wohnung. Die kühle Nachtluft schien ihren Kopf klarer zu machen, und der Zwischenfall mit Alex kam ihr wie ein Traum vor. Als sie in dem fremden Bett lag, musste sie kichern, als sie sich an Alex' gekränkte Miene erinnerte, als James ihn fortgeschickt hatte.

Sie hing ihren Gedanken nach. Wenn diese kleine Konfrontation nicht Alex' Glut abgekühlt hatte, dann würde ihn nichts zur Vernunft bringen. Sophie nahm sich vor, keinen weiteren Blödsinn von Alex Carver hinzunehmen, und lenkte ihre Gedanken auf ihren neuen Arbeitgeber. Er konnte Erst Mitte oder Ende dreißig sein, doch er wirkte, als lasteten all die Probleme eines viel älteren Mannes auf seinen Schultern. Kein Wunder, dachte Sophie, bei dem räuberischen Mr. Carver, dem Freund seiner Frau.

Sie lächelte in der Dunkelheit, und erfreute sich an der Erinnerung, wie Alex und sein erschlaffender Penis von James aus dem Bad entfernt worden waren. Vielleicht hatte Toby Recht, vielleicht würde ihre Tugend geschützt werden müssen! Und Sophie bekam wieder einen Kicheranfall, als sie dachte, welch köstliche Ironie darin lag.

Zweites Kapitel

Am folgenden Morgen fühlte sich Sophie groggy und desorientiert. Sie hatte gerade geduscht und sich angekleidet, als es an die Tür klopfte und Helen McKinnerney ihr sagte, wenn sie gleich in den Stall zu den Pferden ginge, würde sie Catherine dort treffen, bevor sie zur Arbeit fuhr.

»Ich werde auch bald zu meinem armen Mann fahren«, sagte Helen, »um sicher zu sein, dass er nicht vergessen hat, wie ich aussehe. Jetzt sage ich auf Wiedersehen, meine Liebe, und ich habe meine Telefonnummer für Sie hinterlassen. Ich bin mir sicher, dass Sie sie nicht brauchen werden, aber benutzen Sie sie bitte, wenn Sie irgendwelche Probleme haben. Viel Glück, meine Liebe, wir werden uns bald wiedersehen.«

Und weg war sie, ließ Sophie allein beim Frühstück und der Frage, ob es richtig gewesen war, die Arbeitsstelle bei den McKinnerneys anzunehmen.

Die gute Stimmung, die sie am gestrigen Abend gehabt hatte, war inzwischen verflogen; Sophie fühlte sich jämmerlich und hatte ein wenig Heimweh. Sie machte ihr Bett und öffnete die Fenster. Vergebens hielt sie draußen Ausschau nach dem Gärtner und gaukelte sich vor, dass sie nur sehen wollte, wie das Wetter war.

Sie überquerte den Hof und schloss den Stall auf. An der Wand hing eine Liste mit Anweisungen, vermutlich für sie bestimmt. Alle Sättel und Zaumzeuge hingen an Haken mit Namensschildern, und sie bemerkte ohne Begeisterung, dass vieles gesäubert werden musste.

Eines nach dem anderen, dachte sie und zog die Tür zum Stallblock auf. Ihre Laune stieg leicht bei den vertrauten Geräuschen und Gerüchen der Pferde. Bei Pferden weiß man, woran man ist, sagte sich Sophie, keine komplizierte Gefühlslage wie bei Menschen. Man füttert sie, tränkt sie, trainiert mit ihnen, und sie sind glücklich. Einfach. Sie tätschelte einem großen Braunen den Hals. Auf seinem Namensschild stand Firefly – James McKinnerneys Pferd, wie sie sich nach der Lektüre der Liste erinnerte. Jenseits des Boxengangs bleckte Buzz seine Zähne über der Boxentür, als wolle er diese nutzlose Frau daran erinnern, dass sie es bereuen würde, wenn sie ihn nicht sehr bald herausholen würde. Sophie lachte ihn aus. Er war kaum groß genug, um sein Kinn auf die Boxentür zu legen, doch sein Verhalten machte es leicht zu vergessen, wie klein er war.

Sie holte Buzz als Ersten aus der Box, wählte dann noch zwei andere kleine Ponys aus und führte sie zur Sattelkammer, füllte Heuraufen und überprüfte Wassertröge. Sie fragte sich gerade, ob sie die größeren Pferde auf die Koppel führen und mit welchen sie zuerst arbeiten sollte, als Catherine McKinnerney sich näherte. Der Kies knirschte unter ihren hohen Absätzen.

»Sophie? Da bin ich! Ich fahre jetzt weg, doch ich bin vermutlich ziemlich früh zurück. Ich habe einen Trainingsplan für die Pferde aufgeschrieben, also halten Sie sich bitte daran. Da Peter nach dem Mittagessen schläft, könnten Sie Ellie eine Reitstunde geben. Keine harte Anstrengung und nur eine halbe Stunde. Und vielleicht eine Stunde für Gina, wenn sie aus der Schule kommt, aber bis dahin sollte ich zurück sein. Keine Probleme? Gut. Dann bin ich weg!«

Sophie starrte ihrer Arbeitgeberin nach, nicht in der Lage, diese Informationen sofort zu verdauen, die auf sie eingeprasselt waren, ohne zu Fragen zu ermuntern. Kein einziges

Mal hatte Catherine dabei gelächelt oder auch nur Sophies Blick gesucht. Es war zu spüren, dass sie begierig darauf war, vom Haus und all ihrer Verantwortlichkeit dafür zu entkommen. Sie hat heute Morgen keinen Kater, dachte Sophie. Das ist eine Frau, die weiß, was sie will.

Also gut, dachte Sophie, wieder an die Arbeit. Sie beobachtete, wie Catherine in den roten Sportwagen sprang, den sie in der Nähe geparkt hatte, und losfuhr. Dann erinnerte Catherine sich plötzlich an etwas und stoppte, lehnte sich aus dem Fenster und winkte Sophie heran.

»Ich möchte auf keinen Fall bei der Arbeit gestört werden«, rief sie Sophie zu. »Das habe ich dem Kindermädchen gesagt, und jetzt sage ich's Ihnen. Wenn Sie irgendwelche Probleme haben, wenden Sie sich an meinen Mann.« Sie schob die Sonnenbrille wieder über die Augen, ließ das Autofenster hochfahren, gab Gas und fuhr über die Zufahrt davon. Sie hinterließ dunkle Reifenabdrücke auf dem hellen Kiesweg.

Sophie schaute ihr nach. Ja, dachte sie, du hast klargemacht, was du willst. Niemand, der seine Sinne beisammen hat, würde deine Pläne durchkreuzen. Vielleicht hätte ich einen Knicks machen sollen!

Am Rest des Morgens war Sophie fleißig. Sie trainierte zwei der größeren Pferde und verbrachte dann langweilige Stunden mit Reinigungsarbeiten im Stall. Am Mittag erschien Ellie mit dem Kindermädchen, das sich als älter entpuppte, als Sophie erwartet hatte.

»Hallo. Ich bin Jean. Tut mir leid, dass ich gestern Abend die Einweisung verpasst habe«, rief sie in den Stall. »Ich hoffe, wir sind nicht zu früh dran, aber wir wollen bereit sein, um Gina um drei von der Schule abzuholen. Es sei denn natürlich«, fügte sie hinzu, »Mama kommt rechtzeitig heim, um sie abzuholen.« Die beiden Erwachsenen tauschten Blicke, und Sophie schickte Ellie in die Sattelkammer, um zu versuchen, einen Sattel und Zaumzeug für ihr Pony auszuwählen.

»Ist Mrs. McKinnerney auch bei Ihnen so kurz und bündig, Jean, oder ist sie das nur bei mir? Man hätte die Atmosphäre mit einem Messer schneiden können, als sie heute Morgen herkam und mir Anweisungen wie Schnellfeuer erteilte. Ich wusste nicht, was ich sagen sollte.«

»Oh, ich weiß, meine Liebe. Ich bin seit dreißig Jahren Kinderschwester, doch auf dieser Stelle bin ich nahe daran gewesen, meine Berufswahl zu bereuen. Das soll aber unter uns bleiben. Aber die Kinder sind süß. Und vielleicht erledigen sich die Dinge im Laufe der Zeit von selbst; wir können nur hoffen.«

»Ich drücke die Daumen«, stimmte Sophie zu und ging, um Ellies kleines scheckiges Pony Jigsaw zu satteln.

Die Unterrichtsstunde verlief gut. Ellie war trotz ihrer Jugend eine selbstbewusste Reiterin. Sophie wollte ihr gerade zeigen, wie sie ihr Pony nach einem Ritt pflegen sollte, als Jigsaw zufällig auf Ellies Fuß trat. Der folgende Aufschrei entstand mehr aus Schock als aus Schmerz, doch statt Ellie in einem solch hysterischen Zustand der Kinderschwester zu übergeben, nahm Sophie sie in ihre kleine Küche mit – was ohnehin näher war –, um den verletzten Fuß zu untersuchen. Sie zog ihr den Stiefel aus und ließ die jetzt ruhigere Ellie sich mit der Socke abmühen, weil das Telefon klingelte. Sie nahm den Hörer ab.

»Hallo? Sophie? Ich bin's, Toby. Wie laufen die Dinge?«

»Ah, Toby, könntest du einen Moment dranbleiben ...«

Kreischende Bremsen kündigten Catherines hektische Rückkehr an, dicht gefolgt vom schrillen Wiehern eines Pferdes. Dann folgte ein Ruf: »Was, zum Teufel, soll das? Wer ist dafür verantwortlich?« Sophie blickte aus dem Fenster und sah, dass Buzz aus dem Stall entwichen war und offenbar nach Jigsaw gesucht hatte. Anscheinend war er vor Catherines Wagen gelaufen und hatte sie zu einer Vollbremsung gezwungen.

Ellie, die die Stimme ihrer Mutter gehört hatte, begann wieder zu heulen, und Catherine McKinnerney erschien auf der Türschwelle der Hütte am Stall, ihr Gesicht dunkel wie eine Gewitterwolke. Ellie schlang ihre Arme um den Hals ihrer Mutter, erfreut, all die Aufmerksamkeit zu bekommen, und Sophie hörte Toby am Telefon fragen: »Sophie? Was ist los?«

»Ich kann jetzt nicht reden. Ich ruf dich später an.« Als sie den Hörer auflegte, wurde Sophie klar, dass sie nicht seine Nummer hatte, aber jetzt war keine Zeit, sich darüber Sorgen zu machen.

»Würden Sie mir erklären, warum ich fast ein Pony überfahren hätte und warum meine Tochter heult, während Sie am Telefon mit Ihren Freunden sprechen? Können Sie mir das erklären?«

»Es – es tut mir leid«, stammelte Sophie. »Es ging alles so schnell. Jigsaw ist auf Ellies Fuß getreten, aber ich bezweifle, dass sie wirklich verletzt ist. Und bei Buzz muss ich vergessen haben, das Stalltor abzuschließen.«

»Ich bringe Ellie jetzt ins Haus. Sie sollten besser dieses Pony einfangen. Wenn die Unterhaltung mit Ihrem Freund nicht dringender ist.« Damit stolzierte Catherine davon, und Ellie humpelte hinter ihr her.

»Nimm mich auf den Arm, Mami, mein Fuß tut weh.«

»Bestimmt nicht. Deine Reithose ist dreckig. Suchen wir Jean. Sie kann dich sauber machen.«

Sophie brachte Jigsaw und Buzz in den Stall und führte sie in ihre Boxen. Dann schloss sie den Stall ab. Sie hatte jetzt ungefähr eine Stunde frei, doch sie wollte nicht in ihre Küche zurückkehren. Stattdessen wanderte sie den Zufahrtsweg hinauf und ging um die Rückseite des Hauses herum, wo sie von ihrem Fenster zwischen akkurat beschnittenen Hecken eine kleine Gartenbank gesehen hatte.

Sophie setzte sich auf den Platz, der vom Haus am weitesten weg war, und hoffte, dass niemand sie sehen konnte. Sie zog ein Taschentuch aus der Tasche und schnäuzte sich. Sie war den Tränen nahe. Sie dachte an Toby, der auf der Uni war und keine Verantwortung hatte, an ihre Familie und Freunde daheim, und sie fragte sich, warum sie jemals ins Prospect House gekommen war. Sie hätte sich als Tobys Frau mit einem bequemen, langweiligen Leben in ihrem alten Dorf niederlassen können. Stattdessen hatte sie sich für diesen Ort in einem Kriegsgebiet entschieden, wurde von einem geilen Arzt belästigt und arbeitete für eine Frau, die nie mit ihr zufrieden sein würde, egal, wie sehr Sophie sich bemühte.

Bevor Sophie es unterdrücken konnte, wurde sie von heftigem Schluchzen geschüttelt. Sie hielt die Hand vor den Mund und hoffte, dass niemand sie hören konnte. Als sie erst einmal mit dem Weinen begonnen hatte, konnte sie nicht damit aufhören. Sosehr sie auch versuchte, sich zusammenzunehmen und unter Kontrolle zu bringen, es gelang ihr nicht, und ihr Körper wurde von Schluchzern geschüttelt wie von gewaltigem Schluckauf. Sie versuchte, die Tränen aus den Augen zu wischen, doch ihr Papiertaschentuch war nass, was sie noch mehr weinen ließ.

Sophie wusste, dass sie Mitleid erregend aussehen musste, aber es machte ihr nichts aus. Sie kramte gerade in den Taschen nach weiteren Papiertaschentüchern, als eine große, raue Hand ihr ein schneeweißes Taschentuch hinhielt. Sophie, die überzeugt gewesen war, allein und unbeobachtet zu sein, fiel mit einem ängstlichen Aufschrei fast von der Bank.

Der junge Gärtner, der ihr freundlich sein Taschentuch

anbot, wich alarmiert zurück. »Bin ich so unheimlich?«, fragte er, offensichtlich gekränkt.

Sophie versuchte trotz ihrer Tränen zu lächeln. »Nein«, schniefte sie, »es tut mir leid, aber ...« Sie verstummte schluchzend, und das veranlasste den jungen Mann, ihr das Taschentuch noch einmal anzubieten.

»Danke«, sagte Sophie und nahm es. »Ich werde es zurückgeben. Sauber«, fügte sie hastig hinzu.

»Das kann man erwarten«, sagte der Gärtner, als sie sich heftig schnäuzte.

Sophie lachte als Antwort.

Er setzte sich neben sie auf die Bank. »Wollen Sie mir erzählen, was das alles zu bedeuten hat? Hat es ein Erdbeben gegeben? Feuer? Eine Flut?«

»Jigsaw ist Ellie auf den Fuß getreten, und Buzz ist aus dem Stall entkommen und auf den Zufahrtsweg gelaufen.«

»Dann ist es ernster, als ich dachte.«

Sophie lachte wieder. Es klang albern, und das Problem waren nicht wirklich die Pferde – es war ihre Besitzerin.

»Es liegt einfach daran, dass ich Mrs. McKinnerney nicht sehr gefalle«, sagte sie. »Ich kann ihr nichts recht machen.«

»Oh, keiner kann ihr alles recht machen. Nehmen Sie es nicht zur Kenntnis. Selbst wenn Sie sich bemühen, hundertprozentig zu sein, wird sie nicht zufrieden sein. Hören Sie zu. Ich habe die Mittagspause in einer halben Stunde, wenn Sie mir Gesellschaft leisten möchten. Nichts Aufregendes, nur ein Sandwich und etwas Kaffee in meinem Quartier – das ist der Schuppen«, fügte er schnell hinzu, als sie zweifelnd blickte. »Haben Sie ein besseres Angebot, Eure Ladyschaft? Nein, ich bezweifle das. Dann kommen Sie mit.«

Er ging voran und schob seine quietschende Schubkarre. Sophie ging dahinter und nutzte die Gelegenheit, die geschmeidigen Bewegungen seines attraktiven Körpers zu beobachten. Er plauderte auf dem ganzen Weg, ohne ihre Blicke wahrzunehmen, doch erfreut darüber, mit dieser tollen Frau sprechen zu können. Sophie schob sein Taschentuch in ihre Tasche und bemerkte den Buchstaben C in der Ecke eingestickt.

»Ich heiße übrigens Sophie«, sagte sie.

»Ich bin nur der Gärtner, Ma'am«, sagte er und zupfte komisch an seiner Stirnlocke.

»Ich wette, Ihr Name beginnt mit C.«

»Woher wissen Sie . . . Ah ja, das Taschentuch. Sehr clever. Fahren Sie fort, clevere Lady, raten Sie, wofür das C steht.«

»Sie sehen aus wie – ich weiß es! Charlie!«

»Oh, vielen Dank. Nein.« Er öffnete die Tür eines großen Schuppens und wischte Staub von einem soliden Tisch, der in der Mitte stand.

»Colin.«

Er verzog das Gesicht. »Gott sei Dank, nein.«

»Cameron.«

»Falsch.« Er schaltete das Licht ein, und im Schuppen wirkte es plötzlich warm und gemütlich. Sophie setzte sich auf einen der Stühle und überlegte angestrengt.

»Cuthbert!«

»Cuthbert?«

»Ist er das?«

»Natürlich nicht!« Er schenkte Kaffee aus einer Thermoskanne ein und reichte ihr die Tasse. Dann wickelte er belegte Brote aus einer Packung und bot sie ihr an.

»Ich weiß es. Es ist Craig!«, rief Sophie, als sie das Sandwich verzehrte. In dieser friedlichen Hütte war ihr Kummer über das Missgeschick völlig vergessen.

»Nein.«

»Christopher?«

»Nein.«

40

»Dann gebe ich's auf. Was ist es?«

»Es ist ziemlich ungewöhnlich.«

Sophie biss in einen Apfel, den er ihr gegeben hatte, und überlegte Namen, die mit C beginnen. »Clarissa!«

Sie brachen beide in Gelächter aus, bis der junge Mann wieder ernst wurde. »Callum. Ich heiße Callum.«

»Das ist ein schöner Name«, sagte Sophie scheu.

»Sophie ist auch schön.« Er hatte den Kopf gesenkt und starrte in seine Kaffeetasse.

»Ein langweiliger Name«, erwiderte Sophie, und sie spürte, dass sich die kameradschaftliche Atmosphäre zu etwas viel Intimerem verändert hatte. »Ich habe mir immer einen beeindruckenden Namen gewünscht.«

»O nein«, sagte er schnell. »Sophie ist ein sehr schöner Name. Überhaupt nicht langweilig. Aufregend. Sexy.« Und bevor Sophie Zeit zum Denken fand, kniete er neben ihr und küsste sie.

»Macht dir das was aus?«, murmelte er.

»Nein«, hauchte sie, »es ist das Beste, was mir heute passiert ist.«

Er nahm sie in die Arme, und Sophie fühlte sich atemlos vor Aufregung. Seine Küsse waren tief und verlangend, mit einem Feuer, das sie nie bei Toby gespürt hatte. Sie spürte an ihrem Bein, wie sein Penis die Arbeitshose spannte, und sie wünschte sich sehnlich, ihn zu befreien und zu spüren, wie er sich nackt anfühlte.

Callum zögerte kurz, bevor er sein Hemd aufknöpfte und ihre Hand in die Wärme darunter führte. Sie konnte seinen schnellen Herzschlag spüren, seine Muskeln, und sie sehnte sich danach, die Kraft zu erleben, die darin lag.

Fast scheu, ständig zu ihr blickend, um ihre Reaktion einzuschätzen, knöpfte Callum ihre Bluse auf und streifte sie über ihre Schultern. Er atmete ihren Duft tief ein, hob eine ihrer Brüste an seinen Mund und nahm ihren aufgerichteten Nippel zwischen die Lippen. Sophie stockte der Atem, als er hart saugte, und sie spürte, wie er den Reißverschluss ihrer Reithose aufzog und sie über ihre Hüften streifte. Sie spürte, wie seine großen, von der Arbeit rauen Hände über ihren sanften Leib streichelten, und dann stand er auf und zog sie hoch, sodass ihre Reithose auf die Knöchel rutschte. Sein Blick glitt bewundernd über ihren Körper.

Er schien sprachlos zu sein, wusste offenbar nicht, was er als Nächstes tun sollte, und so zog Sophie ihren engen Slip aus und trat auf ihn zu. Sie stellte sich auf die Zehenspitzen und küsste ihn. Dann glitt ihr Mund über seine leicht gebräunte Brust hinab über den flachen Bauch. Callum stand wie erstarrt auf der Stelle, die Augen geschlossen, als sie seine Hose öffnete und nach seinem steifen Penis tastete. Sie kniete sich vor ihn und nahm ihn in den Mund, und es machte ihr nichts aus, dass sie mit einem Mann, den sie kaum kannte, in einem Schuppen im Garten ihres Arbeitgebers Sex hatte. Sie wollte einfach die wundervolle Härte seiner Männlichkeit spüren. Sein Schaft war größer, als Sophie erwartet hatte. Zärtlich ließ sie ihre Zunge aufreizend um den purpurfarbenen Kopf kreisen und saugte dann den dicken, steifen Schaft tief in den Mund, spürte, wie er pulsierte und sich erwartungsvoll noch mehr spannte.

Callums Hände waren in ihre langen blonden Haare gekrallt. Er hielt ihr Gesicht zwischen seinen Beinen, und sie nahm seinen irdenen Geruch und salzigen Geschmack wahr. Wärme breitete sich in Sophie aus. Und ein leichtes Schuldgefühl. Wie gut, dass der seriöse Mr. McKinnerney oder seine reizbare Frau sie jetzt nicht sehen konnten, wie sie dem Gärtner in ihrem Schuppen einen blies.

Sophie genoss es, die Kontrolle zu haben. Sie spürte an Callums zuckendem Schaft, dass sie ihn dazu bringen konnte, jeden Augenblick zu kommen, wenn sie es wünschte, doch sie kostete das Gefühl aus, wie er ihren Mund füllte, und genoss es, seinen keuchenden Atem zu hören.

Plötzlich zog sich Callum aus ihrem Mund zurück und half ihr hoch. Ohne große Umstände hob er sie wie eine Stoffpuppe an, bis ihre Pobacken auf dem soliden Holztisch lagen. Er stand zwischen ihren Beinen, und sein Penis ragte aufwärts. Er ließ seinen Blick begierig über sie gleiten, dann teilte er ihre Schenkel und schob seinen Finger in die Spalte.

»Wunderbar«, sagte er. »Zeig mir, dass du es liebst, Sophie. Lass mich das sehen.«

Entzückt von diesem Spiel, tastete Sophie begierig durch die feuchten Löckchen nach ihrer Klitoris. Sie lag mit gespreizten Beinen auf dem kalten Tisch, doch sie spürte eine wachsende Hitze zwischen den Beinen, als sie begann, es sich selbst zu besorgen. Ihre Oberschenkel spannten sich, und ihr Po hob sich auf dem Tisch. Callum beugte sich über sie und betrachtete sie angespannt. Der Gedanke, dass jemand, den sie kaum kannte, ihr zuschaute, während sie sich einen Orgasmus verschaffte, erhöhte den Reiz der Situation.

Sie griff nach Callums Penis und umfasste ihn, begierig darauf, ihn in die Feuchtigkeit zu führen, die ihr Vergnügen verursacht hatte. Sie führte ihn ein, glitschig vom eigenen Saft, schob ihn tief in den blonden Busch und stöhnte auf, als sie spürte, wie er sie ausfüllte.

»Liebe mich, Callum, bitte, lass mich kommen.«

Callum brauchte keine weitere Aufforderung. Er legte sich auf der harten Tischplatte auf sie, die Arme über ihrem Kopf und stieß sie härter und tiefer, als sie es jemals erlebt hatte. Er schien ihr Herz zu erreichen, und Sophie holte alles aus ihm heraus, als er rhythmisch in sie hineinstieß.

Trotz seiner vorherigen Scheu war Callum erfahren, und als es ihr kam, stemmte sie sich ihm entgegen und richtete sich auf, aber er schob sie auf den Tisch zurück, sodass ihr Gefühl, bisher die Kontrolle zu haben, sich veränderte. Glücklich gab sie sich dieser unerwarteten Ekstase hin.

Bevor sich die Spannung tief in ihr löste, kam Callum mit einem letzten Stoß und ergoss sich auf spektakuläre Weise in ihr. Sophie spürte sein heißes Sperma und sank befriedigt auf den Tisch.

Callum, plötzlich sachlich, suchte nach seiner hastig abgelegten Kleidung.

»Meinst du, sie sucht nach dir?«, fragte er beiläufig. Sophie blickte zur Seite und erschrak, als sie ein kleines Fenster in der Wand des Schuppens bemerkte. Als sie hinausschaute, hatte sie einen perfekten Blick auf die Rückseite des Hauses, und Catherine McKinnerney trat soeben aus einer Tür.

Sophie sprang vom Tisch und tastete nach ihren Sachen. Sie konnte Catherines Schritte hören, die lauter und lauter auf dem Kies knirschten. Sie versteckte sich, noch halb bekleidet, hinter der Schuppentür.

»Erzähl ihr nicht, dass du mich gesehen hast«, zischte sie. Callum lachte, und im nächsten Augenblick wurde die Schuppentür weit geöffnet.

»Callum, hast du Sophie bei deinen Arbeiten gesehen? Sie ist die neue Pferdepflegerin. Wenn du sie siehst, sage ihr, dass ich in zehn Minuten losfahre, um Gina abzuholen – ich möchte, dass sie mitkommt.« Die Schritte entfernten sich auf dem Kiesweg, und Callum schloss die Tür.

»Meinst du, sie wusste, dass ich hier bin?«

»Wen juckt das? Was du in deiner Freizeit machst, bestimmst du ganz allein. Aber ich würde mich an deiner Stelle beeilen, sie ist offenbar auf dem Kriegspfad.«

»Ich kann jetzt nicht mitfahren, um Gina abzuholen – ich rieche nach Sex!«

44

»Du duftest großartig. Außerdem ist sie kaum diejenige, die das verurteilen kann. Wenn sie nicht so gereizt gewesen wäre, dann hättest du keinen Trost gebraucht.« Callum grinste Sophie lüstern an. »Besuch mich bald in meiner Hütte, wenn du es wieder brauchst.«

Sophie eilte zum Herrenhaus zurück. Sie parfümierte sich schnell und holte Catherine auf dem Zufahrtsweg ein.

»Da sind Sie ja. Ich hatte gedacht, Sie wären bereits fortgelaufen! Kommen Sie, ich möchte mit Ihnen reden, und da ich zuerst Gina abholen muss, könnten Sie mir Gesellschaft leisten.« Die anderen beiden Kinder waren bereits im Wagen, als er mit kreischenden Reifen über den Zufahrtsweg davonfuhr.

»Ich glaube, ich muss mich bei Ihnen entschuldigen«, sagte Catherine. »Ich hätte nicht so hart zu Ihnen sein sollen. Der Himmel weiß, dass ausgerechnet ich anderen Leuten keine Predigten halten kann, was sie zu tun und zu lassen haben! Entschuldigung angenommen?«

»Ist schon vergessen«, sagte Sophie lächelnd. Sie fragte sich, ob Catherine McKinnerney ihr auch verziehen hätte, wenn sie gewusst hätte, was sie an diesem Mittag noch getrieben hatte. Schuldbewusst blickte sie aus dem Fenster, damit ihre Arbeitgeberin nicht sah, wie sich die Röte auf ihrem Gesicht ausbreitete, als sie an Callums Schuppen dachte. Wer würde denken, dass ein solcher Platz der Lust von außen so unscheinbar aussah? Sophie fragte sich, wie lange sie warten musste, bevor sie wieder hingehen und diese Freuden von neuem genießen würde.

Als sie die Schule erreichten, war Catherine wie üblich hochnäsig und machte keinen Versuch, sich mit den anderen wartenden Müttern zu unterhalten. Sophie hatte Mitleid mit Gina, die vom Spielplatz kam – sie wirkte wie eine kleine einsame Insel in einer See von Freunden.

Sophie winkte Joanne zu, die anscheinend versuchte, auf der anderen Seite des Schulhofs verschiedene kleine Kinder einzusammeln. Und dann waren sie wieder im Wagen, und Gina erzählte aufgeregt von ihrem neuen Lesebuch.

»Soll ich dir daraus vorlesen, Mami? Wenn wir zu Hause sind?«

»Lies deinem Papi vor«, sagte Catherine. »Er ist der Einzige, der an Büchern interessiert ist.« Sie lachte und blickte zu Sophie, als hätte sie einen guten Scherz gemacht. Sophie war entsetzt.

»Du kannst mir vorlesen«, sagte sie ruhig zu Gina. »Ich liebe Bücher. Ich habe so viele gelesen, als ich klein war, dass meine Mami mich ›Bücherwurm‹ nannte.«

Die Kinder brüllten vor Gelächter, und Catherine presste die Lippen aufeinander, wütend darüber, dass der beabsichtigte Seitenhieb auf ihren Mann ignoriert worden war.

Als sie daheim ankamen, schloss Catherine den Wagen ab und stolzierte dann wortlos ins Haus, überließ Sophie das Baby und gab Jean verschiedene Jacken und Ginas Schulranzen.

»Was nun?«, flüsterte das Kindermädchen Sophie zu. »Ich kann ihre miese Laune nicht mehr ertragen.«

»Mein Fehler, glaube ich, tut mir leid, Jean. Oh, Gina hat übrigens ein neues Lesebuch und braucht jemanden, dem sie daraus vorlesen kann. Könnten Sie ...?«

»Natürlich, meine Liebe. Machen Sie sich keine Sorgen, es kann nur besser werden – das sage ich mir ohnehin dauernd!«

Sophie machte sich daran, die Pferde für den Abend zu versorgen, füllte Heuraufen und Wassertröge. Es sah gewiss nicht danach aus, als könne sie Gina heute eine Reitstunde geben. Vermutlich habe ich mich bei Catherine nach dem

Fiasko mit Buzz als untauglich erwiesen, ihre Kinder im Reiten zu unterrichten, dachte Sophie, und sie stellte fest, dass ihr das nicht viel ausmachte.

Sie versuchte sich gerade zu entscheiden, ob sie in ihrem Zimmer den kleinen Fernseher anmachen oder früh schlafen gehen sollte, als das Telefon klingelte. Sie nahm den Hörer ab und meldete sich. Es war Toby.

»Hallo, Soph. Wie stehen die Dinge? Entschuldige, dass ich zu einer schlechten Zeit angerufen habe. Ist jetzt alles wieder in Ordnung?«

»O ja, die Pferde sind jetzt alle versorgt – es war nur ein sonderbarer erster Tag, das ist alles.«

Sie plauderten: er über seinen Kurs, und sie über die Ereignisse, die zu Catherines Ausbruch geführt hatten. Sophie erwähnte, dass sie schon bereut hatte, bei den McKinnerneys zu arbeiten. Aber jetzt war sie entschlossen zu bleiben.

»Und was hat dich dazu bewogen, deine Meinung zu ändern?«, fragte Toby.

Sophie glaubte für einen Moment, Callum vor ihrem geistigen Auge zu sehen, dem eine blonde Haarsträhne über ein Auge fiel, als er langsam den Reißverschluss seiner Jeans aufzog.

»Nun, du weißt ja, die Dinge sind zuerst immer fremd, nicht wahr?« Sie versuchte, gleichgültig zu klingen. »Aber das gibt sich. Ich meine, es entwickelt sich, ach, du weißt schon ... die Dinge verändern sich«, endete sie lahm.

»Ist alles in Ordnung, Sophie?« Tobys Stimme klang besorgt. »Ich wollte hören, ob du am Wochenende kommen willst, aber wenn du früher kommen willst ...«

»O nein. Mir geht es gut, Toby. Und ich kann nicht vor dem Wochenende kommen, weil ich keinen freien Tag habe.«

»Das trifft sich gut, denn ich habe einen vollen Terminplan. Aber am Samstagabend ist eine Studentenparty in einem der Wohnheime; es würde dir die Chance geben, die Jungs kennen zu lernen, wenn du magst.«

»Das gefällt mir, danke, Toby.«

»Und die Mädchen«, fügte Toby hinzu. »Da gibt es einige.«

»Tatsächlich? Mädchen?«, scherzte sie. »Hm, wie ungewöhnlich. Ich hoffe, du hast nicht zu viele Mädchen bemerkt.«

»Ich habe nur Augen für dich.« Toby lachte, aber Sophie war nicht überzeugt. Nicht, dass sie etwas dagegen haben konnte, das wäre scheinheilig angesichts der Tatsache, was sie von Callum ›bemerkt‹ hatte!

»Vermisst du mich sehr?«, fragte Toby plötzlich.

»Und wie!«, log Sophie.

»Wo bist du?«

»In meinem Zimmer. Warum?«

»Steht da ein Bett?«

»Natürlich.«

»Dann leg dich darauf.«

»Was?«

»Leg dich aufs Bett, Sophie. Na los, mach mir einfach den Spaß. Was hast du an?«

»Nur ein einfaches Kleid. Aber warum fragst du?«

»Zieh es aus.«

Sophie zog das Kleid aus und legte sich nackt aufs Bett. Sie war froh, dass sie daran gedacht hatte, die Küchentür zu verriegeln.

»Bist du nackt?«

»Ja«, wisperte sie. »Aber Toby, wo bist du?«

»In einer Telefonzelle.«

»Toby!«

»Es ist hier sehr abgelegen. Niemand kann mich sehen. Und rate mal, Sophie. Ich habe etwas für dich.«

»Was? Was ist es?« Doch sie wusste es bereits, und ein prickelnder Schauer lief durch ihren Körper.

»Es ist mein Schwanz, Sophie. Ich halte ihn und denke an dich.«

Sophie stockte der Atem.

»Schließe die Augen, Sophie. Mach sie richtig zu. Jetzt stelle ich mir vor, ich wäre bei dir. Ich halte meinen Schwanz bereit für dich, Sophie, groß und hart, genau wie er dir gefällt. Was würde ich damit tun, wenn ich dort wäre, Sophie? Sag es mir.«

»Streichle mich«, murmelte sie. »Ich möchte, dass du mich streichelst.«

»Tu es, Sophie, streichle dich. Wo willst du von mir gestreichelt werden?«

»Am Hals, an den Armen und meine Brüste«, hauchte sie und berührte die harten rosafarbenen Knospen. In ihrem ganzen Körper prickelte es vor Erwartung.

»Deine Brüste, Sophie. O ja, ich möchte sie streicheln. Sie drücken und lecken. Ich möchte mit der Zunge von deinen Nippeln an abwärts lecken. Sind deine Nippel hart, Sophie?«

»Sehr hart.« Sie kniff eine der Brustwarzen, und eine Mischung aus Lust und Schmerz schoss ihren Körper hinab.

»Von deinen Nippeln hinab, wohin, Sophie?« Tobys Stimme klang erregt. »Wo möchtest du jetzt meine Zunge spüren?«

»Das weißt du.« Sophies Stimme war kaum hörbar.

»Wo, Sophie? Sag es mir.«

»An meiner Klit. Ich mag deine Zunge an meiner Klitoris.« Ihre Hand bewegte sich ihren Körper hinab, begierig darauf, die Lust zu spüren und nicht nur davon zu sprechen.

»Hm. Ja, ich mag das auch. Dieser geile Geschmack – dein Geschmack, Sophie. Wie Honig, klebrig und süß. Sophie, machst du es dir selbst? Besorg es dir, bis ich es selbst tun kann. Mach dich geil fertig.«

Ihr Atem war jetzt heftig, keuchend, und ihre einzige Antwort war ein Stöhnen, als sie ihre Finger tief in sich bohrte und sich vorstellte, es sei Tobys glatter Schaft, der in sie stoße. Toby atmete jetzt auch heftiger.

»Weißt du, was ich tue, Sophie? Ich stelle mir vor, wie ich tief in dich gleite. Ich fühle, wie ich dich Stück für Stück ausfülle. Kommst du, Sophie?«

Sophie spürte, dass es ihr gleich kommen würde, doch sie wollte mehr. Das Gefühl war gut, aber es reichte noch nicht. Verzweifelt, die drängende Sehnsucht zu befriedigen, tastete sie blindlings zum Nachttisch. Ihre Finger, glitschig von ihrem Saft, schlossen sich um eine Plastikflasche. Es war eine Deodorantflasche mit einer verlockend runden Kappe ... Ohne zu denken, nahm Sophie die Plastikflasche und schob sie über ihre Klitoris und erschauerte vor Lust, als sie sich vorstellte, es sei ein Schwanz. Sie hörte Tobys Stimme im Telefonhörer. Schob das gerundete Ende in ihre Vagina. Und riss die Augen auf, als sie die plötzliche Kühle und Dicke spürte. Indem sie das Ende der Plastikflasche senkte, konnte sie den Druck der gerundeten Kappe bewegen: vorwärts, rückwärts – das war erregend – und aufwärts. Sie ließ die Plastikflasche für sich arbeiten, schob sie so weit rein, wie sie es wagte, und genoss ihre unaufhörliche Bewegung.

Am Telefon verriet Tobys Stöhnen, dass er sich dem Höhepunkt näherte, doch erst bei seinem letzten Aufstöhnen setzte sich Sophie auf und fühlte sich schuldig, weil sie das Telefon vergessen hatte. Als sie sich auf die Seite wälzte, schmiegte sich die Plastikflasche perfekt gegen ihren Kitzler, und sie kam ebenfalls.

»Sophie? Sophie, alles in Ordnung?«

Langsam nahm sie den Telefonhörer, der ihr beim Höhepunkt entglitten war, und klemmte ihn zwischen Schulter und Kopf ein. »Alles in Ordnung. Ja, mir geht es prima. Und dir?«

»Großartig! Telefonsex, wie?« Er klang erschöpft. »Ein bisschen verkommen.«

Sophie war froh, dass er nicht wusste, wie es ihr gekommen war, und sie fragte sich, ob er schockiert sein würde, wenn er es wüsste. Was passierte nur im Augenblick mit ihr?

»Meinst du, wir werden es eine Weile so aushalten?«, fragte sie ihn, und ihre Stimme klang selbst in ihren eigenen Ohren schläfrig und sexy. Sollte sie Toby erzählen, was sie gerade getan hatte? Sie entschloss sich, darauf zu verzichten; er könnte es für sonderbar halten. Vielleicht sogar für pervers.

Sie plauderte noch eine Weile mit Toby, doch ihre Gedanken waren bei anderen Dingen. Ich bin immer ein so gutes Mädchen gewesen, dachte sie; die Plastikflasche passte nicht zu ihr. Aber die Perversität war Teil der Lust gewesen, die sie empfunden hatte, das konnte sie nicht leugnen.

Sie verabschiedeten sich liebevoll, und Sophie versprach an diesem Wochenende zu Toby zu fahren und vielleicht sogar Rosie mitzunehmen. Sie legte den Hörer auf und fühlte sich unruhig und sonderbar nervös, als sie schnell duschen ging. Ihre Aufregung ließ den ganzen Abend nicht nach, und sie lief in ihrem Zimmer auf und ab wie eine Löwin im Käfig. Sie schaltete den Fernseher ein, fand auf keinem Kanal etwas Interessantes und schaltete ihn gereizt wieder aus. An diesem Abend reichte ihre Konzentration nicht aus, um etwas zu lesen, und nachdem sie vergebens versucht hatte, zu Hause anzurufen, gab sie es auf und zog ihre Freizeitkleidung an. Das Herrenhaus war ruhig, obwohl sie noch Licht im Fenster von James McKinnerneys Arbeitszimmer sehen konnte. Sie wollte James nicht stören, und sie war außer Dienst, was die Pferde anbetraf, und verdiente ein bisschen Freiheit.

Sie überquerte den Hof vor dem Stall und genoss die kühle Herbstnacht. Der Zufahrtsweg, der sich zur Straße wand, war gut beleuchtet, doch die Gartenanlagen lagen im Dunkel; nur die Außenlampe brannte am Haus, umschwirrt von desorientierten Nachtfaltern.

Sie atmete tief den Geruch von feuchter Erde ein, der in der dunstigen Luft hing. Sophie zog ihre Jacke fester um sich zusammen und schritt auf den Schuppen zu, den Schauplatz ihres abenteuerlichen Stelldicheins mit Callum. Wie erwartet, war die Tür mit einem Vorhängeschloss abgeschlossen, so ging sie schnell zu der Holzbank, wo sie mit Callum gesessen hatte.

Sie setzte sich auf die Bank, umgeben von den Geräuschen der Nacht, lauschte auf den Schrei einer Eule jenseits des Hauses und fragte sich, was mit ihr geschah. Ich habe mir eine Änderung meines Lebens gewünscht, dachte sie, aber dies ist nicht ganz das, was ich erwartet habe.

Sie dachte an Callum, Alex Carver und an Tobys Telefonanruf. Tobys Anruf hatte Spaß gemacht, war schlüpfrig und verwegen gewesen – aber was hatte sie veranlasst, diese Flasche zu benutzen? Sie hatte das Gefühl, dass es unpassend gewesen war. Sie war stets zu Spielen mit Toby bereit gewesen, doch sie hatte nie Verlangen nach irgendwelchen Sexspielzeugen oder den Wunsch gehabt, etwas außerhalb der Normalität zu tun.

Sophie erinnerte sich an Callums ursprüngliche Scheuheit und wie sie davon erregt worden war, wie sie gewünscht hatte, ihm ihren Willen aufzuzwingen, und sie dachte an das Gefühl der milden Enttäuschung, als er wieder die Kontrolle über die Situation übernommen hatte.

Das ist es, sagte sie sich, nur eine Nacht von zu Hause weg, und ich bin pervers geworden. Sie saß noch eine Weile länger da und ließ in Gedanken die jüngsten Ereignisse Revue passieren, und dann, nachdem sie sich die Möglichkeiten durch den Kopf gehen ließ, die sich ihr durch ihre neugefundene sexuelle Freiheit boten, ging sie langsam über den Rasen zurück und freute sich, wieder in die Wärme zu gelangen. Sie schaute noch mal nach den Pferden, betrat dann die Hütte mit ihrer Wohnung, brühte sich einen Tee auf und legte sich ins Bett. Ihre Gedanken beschäftigten sich immer noch mit der Vorstellung, eine Verführerin zu sein, die sich ohne Furcht nahm, was sie wollte. Sophie lag lange wach, und als sie endlich vom Schlaf übermannt wurde, waren ihre Träume sinnlich, unheimlich und ziemlich erschöpfend.

Irgendwann in den frühen Morgenstunden wachte sie auf, schlaftrunken und beunruhigt. Sicherlich war sie von irgendetwas aus dem Schlaf geschreckt worden; ihr Schlaf war zu tief gewesen, um von einer Lappalie gestört zu werden.

Nicht gewillt, ihren Schlaf noch mehr zu stören, indem sie die Lampe auf dem Nachttisch einschaltete, lag sie reglos da und lauschte angespannt. War es eines der Pferde gewesen, das gestampft oder gewiehert hatte? Aber nein, sie konnte die Pferde kaum hören, wenn sie schnaubten; die Stallgebäude waren alt und hatten dicke Wände. War das Geräusch vielleicht im Hof gewesen? Sie hatte das Gefühl, dass es näher gewesen war.

Das Licht reichte gerade aus, um die Umrisse der Möbel in ihrem Zimmer zu erkennen: den Kleiderschrank, die Frisierkommode und die kleine Couch, auf die sie ihr Kleid geworfen hatte. Die Tür, die in ihr kleines Badezimmer führte, war so weit zurückgesetzt, dass sie in völliger Dunkelheit lag.

Das Badezimmer jenseits davon war ein Geheimnis. Sophie überlegte. Konnte sie einen Albtraum gehabt haben? So gern sie diese Erklärung akzeptiert hätte, sie war immer noch überzeugt, dass sie von etwas außerhalb der Wohnung geweckt worden war.

Und dann fiel Sophie ein, was sie getan hatte, bevor sie ins Bett gegangen war. Sie hatte die Kleidung für morgen – heute – auf einen Haken an die Tür zwischen Bade- und Schlafzimmer gehängt. Dann hatte sie die Tür geschlossen. Ihr Puls begann zu rasen, und ihr Herzschlag schien lauter zu werden, als Sophie mit weit aufgerissenen Augen zu der Tür starrte: Sie stand jetzt offen.

Sie griff nach der Nachttischlampe, ohne die Tür aus dem Auge zu lassen. Sophie begann zu zittern. Sie wusste, dass sie die Tür geschlossen hatte. Dann kam der zweite Schock – ihre Nachttischlampe war fort. Sofort durchflutete sie Erleichterung. Einbrecher, dachte sie. Doch dann wurde ihr klar, dass das Haus voller wertvoller Gemälde, Silber und Antiquitäten war, und Einbrecher würden sich kaum die Mühe machen, Nachttischlampen in den Anbauten zu stehlen!

Als sie wie erstarrt im Bett saß, jede Faser ihres Körpers darauf eingestellt, den leichtesten Geruch, das kleinste Geräusch oder den Anblick von etwas Unnormalem wahrzunehmen, fragte sie sich, ob sie zur Tür auf den Gang rennen sollte. Aber sie musste an der Badezimmertür vorbei, wenn sie zu dieser Tür gelangen wollte. Sie hatte das Gefühl, dass ihre Beine von Gips eingehüllt waren, und ihre Furcht war so groß, dass sie glaubte, sich nicht bewegen zu können.

Sie war fast schon überzeugt, dass sie sich das Geräusch nur eingebildet hatte, dass sie sich mit der Annahme irrte und die Badezimmertür aufgelassen hatte, als ein kurzer

Laut aus dem Bad kam und ihr einen gewaltigen Schrecken einjagte. Es hätte ein schleichender Schritt oder das Schaben einer Hand gegen Kleidung oder ein Füßescharren sein können. Sophie wusste es nicht, und unwillkürlich schrie sie auf.

»Wer ist da? Bist du's, Callum? Catherine? Wer ist es?« Und in dem Moment, als sie es rief, war sie sicher, dass es eine der Hauskatzen gewesen war.

Doch der Schatten, den sie auf der Türschwelle sah, war kein Tierschatten; er war groß, entschlossen und anonym. Die Gestalt zögerte nur kurz, bevor Sophie Luft holen konnte, um zu schreien, dann sprang sie auf sie zu, und eine behandschuhte Hand war über ihrem Mund, und ein dicker, weicher Knebel brach den Schrei ab, den sie ausstoßen wollte. Dann warf er ihr noch eine Steppdecke über den Kopf.

Trotz ihres Herzrasens versuchte Sophie, klar zu denken. Wenn dies ein weiteres von Alex Carvers Spielchen war, würde er diesmal einen Schock bekommen. Kommt nicht in Frage, dass der schleimige Lustmolch sich noch einmal auf meine Kosten einen Kitzel verschafft, sagte sie sich. Allein bei dem Gedanken stieg heißer Zorn in Sophie auf.

Die Decke war immer noch über Sophie, und die Gestalt hielt sie fest. Warte, dachte sie. In dem Augenblick, in dem du mich loslässt, kannst du dich auf etwas gefasst machen …

Der Mann (so viel gab die Größe und Stärke der Gestalt preis) neigte sich über sie, um zu überprüfen, dass der Knebel nicht ihre Nase verdeckte und ihr die Luft abschnürte, und sie entspannte sich ein bisschen. Seine langsamen, bedächtigen Bewegungen passten nicht zu Alex; vielleicht stimmte ihre erste Vermutung, und der Mann war doch ein Einbrecher.

Sie versuchte, ruhig zu denken, nach irgendwelchen Hinweisen zu suchen, die später bei der Polizei bei der Identifizierung des Täters helfen konnten. Es war nicht leicht: von der Form seines Kopfes, glatt und rund, schloss sie, dass er irgendeine Maske trug, und sie musste gegen die aufsteigende Hysterie ankämpfen – ihr Leben konnte davon abhängen, wie sie jetzt reagierte. Sie durfte keinen Fehler machen.

Der Eindringling schien zu zögern, nachdem sie geknebelt war. Er griff in die Tasche seiner Jacke und zog ein paar Schals hervor, dann drückte er Sophies Kopf aufs Kissen.

Okay, dachte sie jetzt viel ruhiger, soll er mich fesseln. Je eher er ans Klauen kommt, desto schneller wird er wieder verschwinden.

Sie wehrte sich nicht, als die dunkle Gestalt den weichen Schal um ihr Handgelenk band und dann überprüfte, dass er fest saß, dann schnappte sie überrascht nach Luft, als er ihren Arm nach hinten zog, um ihn geschickt an den Bettpfosten zu binden. Plötzlich begriff sie, was los war, und als er ihre andere Hand ebenfalls festband, begann sie sich heftig zu wehren, doch es war vergebens.

Ein Einbrecher hätte keine Zeit verschwendet und beide Handgelenke einzeln festgebunden. Nein, dieser Eindringling hatte etwas anderes im Sinn, und sie ballte vor Zorn die Hand und wollte mit der Faust ins Gesicht des Mannes schlagen. Es war zu spät. Der zweite Strick war bereits um den Bettpfosten gewunden, und Sophies verhinderter Schlag sorgte nur dafür, dass sich der Knoten an ihrem Handgelenk spannte.

Die dunkel gekleidete Gestalt, die zurückgezuckt war, um Sophies Schlag zu entgehen, stand jetzt am Fuße des Betts und blickte auf sie hinab. Dann schritt sie zum Fenster und zog die Vorhänge auf. Ein bleicher Streifen Mondschein fiel durchs Fenster, und Sophie blinzelte erschreckt und versuchte sich aufzusetzen.

Die Gestalt trat vom Fenster zurück und stellte sich neben sie. Sophie, deren Herz hämmerte, als der Mann sich zu ihr neigte, war überzeugt, dass ihre früheren Befürchtungen berechtigt waren, als er die behandschuhte Hand ausstreckte und über ihr Haar streichelte. Sophie war verwirrt. Die Freundlichkeit und Sanftheit seines Verhaltens passten nicht zu einem Einbrecher.

Seine Bewegungen waren zögernd, und Sophie fragte sich, warum er ihre Hände gefesselt hatte. Obwohl der geheimnisvolle Eindringling offensichtlich nervös war, zeigte er keine Aggressivität. Sophie, deren Vorstellungskraft auf Hochtouren arbeitete, dachte an die Möglichkeit, dass der Mann kein Fremder war. Aber wer würde dies tun? Sie war überzeugt davon, dass Alex Carver weder die Fantasie noch die Selbstkontrolle hatte. Wer sonst kam in Frage?

Sophie dachte angestrengt nach. Callum? Sie wusste, dass er auf dem Grundstück des Prospect House wohnte. So brauchte er sich nicht heimlich auf das Gelände zu schleichen, um die Tat zu begehen. Aber warum? Abgesehen davon, dass er keinen triftigen Grund dafür hatte, konnte sich Sophie einfach nicht vorstellen, dass er so etwas tat. Er hatte eine offene und ehrliche Art; er wirkte nicht wie ein Mann, der in den Schatten herumschlich.

Aber dann dachte Sophie: was weiß ich wirklich über ihn? Er könnte glatt ein Massenmörder sein, und ich hätte keine Ahnung davon! Sie hatte gerade gedacht, dass selbst die schlimmsten Despoten manchmal für ziemlich harmlos gehalten wurden, als die Gestalt vortrat, den Rand der Decke packte und daran zog.

Sophie schnappte nach Luft, da sie sofort unbedeckt war. Der Mondschein fiel auf ihre elfenbeinweißen Brüste und die langen, wohlgeformten Beine. Der Fremde stand wie gebannt vor Ehrfurcht da und nahm den Anblick in sich auf, und selbst Sophie, so aufgeregt sie auch war, musste zugeben, dass es ein verlockendes Bild war. Das sanfte Licht betonte die Konturen ihres Körpers und brachte ihre Reize zur Geltung. Ihre verräterischen Nippel standen steif von ihren Brüsten, ein stummes Bekenntnis der wachsenden Erregung, die sie gegen ihren Willen zu empfinden begann.

Die Gestalt stand ein paar Sekunden fasziniert da. Sophie war darüber hinaus, sich durch die Situation bedroht zu fühlen; sie fragte sich, wie sich diese glatten, warmen Lederhandschuhe auf ihrer nackten Haut anfühlen würden.

Bevor sie weiter ihren Fantasien nachhängen konnte, ließ die Gestalt die Ecke der Decke fallen und wandte sich halb von Sophie ab. Mit einem Schock erkannte sie, dass der Mann den Reißverschluss seiner Hose aufzog, und als er sich ihr wieder zuwandte, sah sie, dass er seinen massiven erigierten Penis aus der Hose geholt hatte. Sophies Sorgen waren plötzlich vergessen, doch der Fremde blieb, wo er war, und seine harte Männlichkeit schob sich drängend auf sie zu. Es war ein schöner Penis, und in Sophie stieg heißes Verlangen auf. Sie wollte ihn in sich spüren. Der Penis stand im blassen Mondschein ab, als sei er besonders für sie geschaffen, und sie spürte, wie sich eine süße Feuchtigkeit zwischen ihren Schenkeln ausbreitete.

Mit einem leisen Seufzen nahm der Mann den Penis in die Hand und stellte die Füße ein wenig weiter auseinander. Dann begann er seine Erektion heftig zu reiben, und Sophie stöhnte durch den Knebel auf. Ihre Gedanken rasten. War es Callums Penis? Es war schwer zu sagen. Sie wünschte, sie hätte sich im Schuppen nicht so gehen lassen und ihn aufmerksamer beobachtet. Und was war mit Alex? Es war im Bad dunkel gewesen, und als sie schließlich einen Blick darauf erhascht hatte, war er schon nicht mehr so steif gewesen!

Um Himmels willen, schalt Sophie sich, warum lässt er diese wunderbare Erektion ungenutzt? Sie wollte sie unbedingt in sich spüren, es war so unfair ...

Sie spreizte die Beine weit, hob ihre Hüften an, lud den Fremden ein, doch er keuchte nur und rieb sich weiter, während er zum Fuß des Bettes ging, um einen besseren Blick auf sie zu haben. Er rieb jetzt wild. Sophie konnte sich nur vorstellen, wie sie aus seinem Blickwinkel aussehen musste, doch er atmete heftig und keuchend und machte sie noch wütender auf das, was sie sah, weil sie sich ausgeschlossen fühlte.

Als er mit einem leisen Aufstöhnen kam, sprühte er den Samen aufs Bett, und Sophie fühlte sich verzweifelt und enttäuscht. Sie lag da, ärgerlich und irgendwie verschmäht, ihre Klitoris eine harte heiße Knospe, und sehnte sich nach Erfüllung. Der geheimnisvolle Besucher schob seinen Penis in die schwarze Hose zurück, ging ums Fußende herum und blieb an der Seite stehen. Sophie drehte frustriert den Kopf zur Seite, versuchte ihren Ärger über seinen Egoismus zu verbergen, als eine Bewegung neben dem Bett ihr verriet, dass der Mann sich neben sie setzte. Plötzlich, ohne Vorwarnung, breitete er ihre Schenkel aus und schob eine immer noch behandschuhte Hand dazwischen. Das Resultat war elektrisierend. Sophie bäumte ihren Körper in unerwarteter Lust auf. Der Fremde hielt sie fest und steckte erst einen, dann zwei und schließlich, sehr vorsichtig, drei behandschuhte Finger in ihre pulsierende Vagina. Er bewegte die Finger fest und geschickt, und Sophie vergaß alle Befürchtungen, die sie gehabt haben mochte, und spreizte die Beine weit, um es zu genießen.

Allein seine Anwesenheit, die Gestalt, die dunkel über ihr aufragte, war erregend an sich; das Geheimnisvolle, verkörpert durch einen maskierten Liebhaber, und all die Gefahr, die im Spiel war, trieb Sophie ekstatisch zum Höhepunkt. Mit einem letzten, gewaltigen Zucken kam sie, die Augen geschlossen, ihr Körper verlor allmählich die Starrheit, und sie spürte wie in einem Traum, dass eine Hand losgebunden wurde, dann die andere.

Als sie die Augen öffnete, war sie allein im Zimmer. Eine Rose, die Dornen vom Stiel entfernt, lag neben ihr, aber sie sah kein Anzeichen auf den dunklen, geheimnisvollen Fremden.

Drittes Kapitel

»Du willst einfach nicht, dass ich arbeite! Du gönnst mir kein eigenes Leben! Ich habe immer alles – alles – getan, was du gewollt hast! Jetzt bin ich an der Reihe, zu tun, was ich will!«

»Catherine, bitte! Die Kinder werden das hören.«

»Komm mir nicht damit, ›Catherine, die Kinder werden das hören‹! Es sind auch meine Kinder. Ich habe sie geboren – mit sehr wenig Hilfe von dir, möchte ich hinzufügen.«

»Nun, ich habe . . .«

»Ich bin noch nicht fertig! Ich habe die Kinder geboren: Ich habe alles für sie getan.Ich habe Kinderdinge getan, bis mein Gehirn weich wurde! Jetzt reicht es!«

»Ich habe nur gefragt, ob . . .«

Der Streit ging weiter. Sophie, Jean und eine gelassene Gina lauschten hinter der Küchentür. Sophies Gefühl für das Unreale wurde heute noch vertieft – war irgendwas normal in diesem Haus?

»Ich habe nur gefragt, wer Gina heimbringt.«

»Nun, ich kann es nicht tun. Sorg du für ihre Fahrt. Oder such jemand anderen aus. Ich muss zu meiner Arbeit, erinnerst du dich?«

»Ich wollte nur wissen, ob du irgendwelche andere Abmachungen hast, das war alles; sodass ich nicht hinuntergehen und feststellen muss . . .«

»Du hast angenommen, ich mache es, weil ich es immer gemacht habe; aber damit ist Schluss. Ich habe jahrelang für die Kinder gesorgt . . .«

»Du hattest immer Kinderschwestern!«

»Ich hoffe, du willst nicht andeuten, dass es diesen Haushalt leichter macht, wenn man Kinderschwestern hat, denn das stimmt nicht. Die Hälfte der Zeit machen sie mehr Probleme als die Kinder. Und außerdem bin ich eine praktische Mutter – das bin ich immer gewesen.«

Jetzt schnaubte Gina sarkastisch, und Jean blickte zu Sophie und verdrehte die Augen. Sophies Hauptsorge war, dass sie in Gefahr waren, beim Lauschen ertappt zu werden; aber Jean hatte schon gesagt, dass sie im Stall sein müssten, um diesen Krach nicht zu hören.

»Dies kann ewig so weitergehen«, raunte Jean seufzend.

»Und ich komme zu spät zur Schule«, zischte Gina. »Wieder mal.«

»Okay, nur die Ruhe. Ich habe einen Plan. Bleib hier.« Sophie flitzte durch die Küche, zur Hintertür hinaus und um die Ecke des Hauses. Sie versuchte sich zu sammeln – dies musste natürlich aussehen – schlüpfte durch die Wäschekammer ins Haus und rannte geradenwegs gegen Catherines Bruder Dominic, der offenbar einen Platz zum Lauschen gesucht hatte.

»Sophie!« Wenigstens hatte er so viel Anstand, verlegen zu wirken, wenn auch nur kurz.

»Ich bin gerade gekommen, um Mr. McKinnerney zu sehen«, stammelte sie. »Ich will schnell mit ihm reden.«

»Tatsächlich?« Dominic gab sich sofort wieder reserviert. »Da fliegen im Augenblick ein paar harte Worte herum. Vielleicht kann ich helfen?«

»Nein, danke«, sagte Sophie.

Sie und Dominic verharrten zögernd bei der Tür zur Halle. Keiner von beiden wollte die erhitzte Debatte stören. Dominics Blick – er hatte so bemerkenswert haselnussbraune Augen wie Catherine – nahm Sophies Anblick genüsslich in sich auf.

»Schöne Reithose«, murmelte er und schob sich näher.

Sophie eilte durch die Tür in die Eingangshalle, so aufgeregt, als wäre sie den ganzen Weg gerannt. Vom Regen in die Traufe, dachte sie, als James und Catherine sich umwandten, um sie anzustarren.

»Guten Morgen, Sophie«, sagte James, so höflich wie immer.

»Willkommen im glücklichen Haus«, schnarrte Catherine. Dann zu James gewandt: »Ich bin weg. Du sorgst dafür, dass Gina abgeholt wird. Ich setze sie ab. Verstanden? Damit habe ich meinen Teil getan. Gina!«

James blickte ihr nach, dann wandte er sich Sophie zu.

»Ich könnte arrangieren, dass Rosie Gina abholt und nach Hause bringt«, sagte Sophie, begierig darauf, aus der Schusslinie zu sein, falls Catherine zurückkehrte. »Ich wollte sie ohnehin sehen. Rosie, meine ich.«

»Ja. Gute Idee, danke, Sophie.«

Catherine kam zurück und zerrte eine verdrossene Gina hinter sich her. »Beweg dich, Gina, oder wir kommen beide zu spät.«

»Sophie hat vorgeschlagen, Rosie zu bitten, Gina von der Schule abzuholen, Catherine.«

»Wie nett«, fauchte Catherine. »Sie sind wirklich ein kleiner Schatz, Sophie!« Dann war sie durch die Tür hinaus und hinterließ eine unbehagliche Stille.

»Ich möchte mich entschuldigen, Sophie.« James seufzte. »Es gibt keine Entschuldigung, dass Sie da hineingezogen werden. Ich werde heute Abend mit meiner Frau sprechen.« James ging in Richtung seines Arbeitszimmers davon; sein Gang war langsam und gemessen wie der eines alten Mannes. Er tat Sophie leid.

»Also?« Dominics plötzliche Nähe erschreckte sie, und sie fuhr herum, entschlossen, sich nicht noch einmal von ihm überraschen zu lassen.

»Also was?«, fuhr sie ihn an.

»Worüber wollten Sie mit James sprechen?«

Sophie war ins Haus gegangen, um zu sehen, ob dort ein Einbrecher gewesen war oder nicht, doch sie hatte nicht vor, das zuzugeben. Was hatte sie sich als Vorwand zum Besuch des Hauses ausgedacht? Es fiel ihr nicht ein.

»Ich weiß nicht ... ich bin nicht ... ich wollte ...«

»Kommen Sie schon, mir können Sie's erzählen.«

»Ich kann mich nicht erinnern. O ja, da fällt's mir wieder ein. Ich wollte herausfinden, ob sie mich am Wochenende brauchen.«

»Ist das alles?« Er wirkte enttäuscht.

»Nun, ich muss es wissen. Ich möchte am Samstag ausgehen.«

»Irgendwohin, wo es nett ist?« Er grinste anzüglich.

Sophie starrte ihn wütend an. Bei Dominics Arroganz und Catherines Grobheit hatte Sophie das Gefühl, dass Bruder und Schwester nicht gerade mit Charme gesegnet waren.

»Ich finde, das ist meine Sache.«

»Okay, halten Sie die Reithose an! War nur eine Frage. Ich werde mit James sprechen, soll ich? Es sei denn, Sie wollen es selbst tun.«

Sophie, die sich gerade gewünscht hatte, von diesem Irrenhaus – so nannte sie es allmählich – wegzukommen, schüttelte den Kopf. »Reden Sie mit ihm. Danke.«

»Also dann. Und ich komme später bei den Ställen vorbei und lasse Sie wissen, was dabei herausgekommen ist.« Er schob sich an sie heran und ließ seine Hand über ihre Hüfte gleiten, um sie dann am Po zu betatschen.

»Wagen Sie es nicht!« Sie schlug seine Hand weg und sah ihn böse an. »Hinterlassen Sie eine Botschaft bei Jean; sie wird sie mir geben.«

Damit marschierte sie zur Küche, knallte die Tür hinter

sich zu und lehnte sich dagegen. Jean, die immer noch den beiden Kleinen ihr Frühstück gab, blickte sie mitfühlend an.

»Sind hier wirklich alle verrückt, Jean, oder bin nur ich das?«

Jean zeigte ihr mit einer Geste zu Ellie an, dass sie sich nicht dazu äußern wollte, doch das Mädchen hatte die Worte bereits gehört.

»Alle verrückt hier«, krähte sie glücklich, »verrückt! Verrückt! Verrückt!«

»Iss jetzt den Toast, Ellie«, ermahnte Jean das Kind ernst. »Nimm dir ein Beispiel an Peter. Sieh doch, wie brav er isst.«

Die beiden Frauen wandten sich von den neugierigen Kindern ab, und Sophie berichtete im Flüsterton, was soeben mit Dominic vorgefallen war.

»Eigentlich bin ich hergekommen, um herauszufinden«, sagte Sophie, sprach weiter leise und wählte ihre Worte sorgfältig, »ob in der vergangenen Nacht hier eingebrochen worden ist.«

Jean blickte alarmiert drein. »O nein, meine Liebe. Nicht, dass ich wüsste, und mir würde man es sicher erzählen. Hatten sie ein Problem mit Einbrechern bei der Hütte?«

»Nun, eigentlich mehr mit einem Herumtreiber.« Sophie konnte Jean nicht von ihrem seltsamen Erlebnis erzählen. Das brachte sie einfach nicht fertig.

»Füchse!«, sagte Jean erleichtert. »Wir haben eine Menge Füchse, die des Nachts ins Haus kommen, besonders, wenn das Wetter kälter wird.«

»Füchse, ach so. Nun, danke, Jean. Da können wir ja beruhigt sein.« Sophie lächelte beruhigend. »Jedenfalls schaue ich später noch mal vorbei, um herauszufinden, wie die Antwort von James zu meinem Wochenende lautet. Ich glaube, ich werde doch abwarten, was Dominic mit James besprochen hat.«

»Oh, er ist ein lockerer Vogel«, vertraute Jean ihr an. »Ich an deiner Stelle würde ihm aus dem Weg gehen.«

»Ja, vor lockeren Vögeln und Füchsen soll man sich in Acht nehmen.«

Sophie lachte mit Jean, und dann machte sie sich auf den weg zurück zu den Ställen, erleichtert, aus dem Haus zu sein.

Nun, das war nicht gerade ein Erfolg, dachte sie. Keine Anzeichen auf irgendetwas Ungewöhnliches im Irrenhaus – wütender Ehekrach war anscheinend die Regel – und Jean tat ihren Sittenstrolch als Fuchs ab. Irgendetwas Sonderbares ging hier vor, und es war nicht auf das Prospect House beschränkt. Vielleicht hatte es Einbrecher gegeben, doch bei all der Aufregung an diesem Morgen hatte es noch niemand bemerkt.

Sophie entschied sich, ihre Geschichte im Augenblick für sich zu behalten. Wem konnte sie auch davon erzählen? Jean würde geschockt sein. Catherine teilnahmslos. Und Callum würde denken, sie sei verrückt wie die anderen.

Sophie überlegte angestrengt. Rosie! Sie konnte mit Rosie reden.

Plötzlich sehnte sie sich nach dem Wochenende. Für eine Nacht wegzukommen. In die Welt außerhalb vom Prospect House zurückzukehren. Mit jemandem reden können. Rosie würde wissen, was zu tun war; sie würde mitfühlend sein.

Sophie arbeitete den ganzen Morgen durch, und ihre Gedanken jagten in alle Richtungen. Als sie Rosie zur Mittagszeit anrief, um mit ihr Ginas Transport von der Schule abzusprechen, hatte sie sich entschlossen, ihr nicht zu erzählen, was sie mit dem Sittenstrolch erlebt hatte. Am Ende würde Rosie noch wissen wollen, warum sie es nicht bei der Polizei gemeldet hatte; und für Sophie war es nicht leicht, das für sich selbst zu beantworten. Schlimmstenfalls würde Rosie denken, sie hätte die Geschichte erfunden. Sophie konnte es nicht ertragen, für eine Lügnerin gehalten zu werden.

Sophie schaffte es gut, am Telefon ihre Fassung zu bewahren, bis sie abgesprochen hatten, dass Rosie Gina abholen würde. Jetzt legten sie Einzelheiten fürs Wochenende fest.

»Das wird prima, Sophie. Danke, dass du mich gefragt hast. Bist du sicher, dass du nicht mit Toby allein sein willst?«

»Nein, ich freue mich, wenn du mitkommst«, sagte Sophie ein bisschen zu hastig. »Wir haben einiges zu besprechen, das stimmt: aber was ich wirklich brauche, ist moralische Unterstützung.«

»Kein Problem. Ich freue mich darauf. Hast du ein bisschen Bammel, ihn wiederzusehen?«

»Ja, ein wenig. Warum?«

»Du klingst so. Ist sonst etwas nicht in Ordnung?«

»Nun, ja, das kann man sagen. Aber ich möchte jetzt nicht darüber reden. Ich habe bisher nichts davon gesagt, aber ...«

»Mach dir keine Sorgen. Wir können auf der Fahrt zu Toby darüber reden. Ich werde meinen Wagen nehmen; wir können uns beim Fahren abwechseln. Ich bin sicher, es gibt kein Problem, das wir nicht lösen können.«

»Danke, Rosie. Bestimmt hast du Recht. Bis dann.«

Es ist albern, dass ich mich Rosie nicht anvertrauen will, sagte sie sich. Es wäre gut, mit jemandem darüber zu sprechen. Rosie würde vielleicht etwas Licht in das geheimnisvolle Dunkel bringen können. Sie würde ihr, Sophie, nicht die Schuld daran geben und verstehen, dass sie nichts dafür gekonnt hatte. Sophie erschauerte vor Erregung, als sie an das Erlebnis in der Nacht dachte.

Hör auf, schalt sie sich, ärgerlich darüber, dass sie erregt wurde und ihr Körper das Problem nicht wahrhaben wollte. Sie überlegte angestrengt, wie sie Rosie die Wahrheit erzählen sollte, ohne sich selbst als zu bereitwillige Mittäterin darzustellen. Um auf andere Gedanken zu kommen, lenkte sie sich weiter mit Arbeit bei den Pferden ab.

Die Arbeit half nicht viel, klarer über die vergangene Nacht zu denken. Sie war unkonzentriert und arbeitete planlos. In ihrer Aufregung fütterte sie Buzz fast zweimal, aber sie bemerkte es gerade noch rechtzeitig. Als Jean ihr die Nachricht weitergab, dass sie am Samstag frei hatte, fühlte sich Sophie erleichtert – und erschöpft.

»Du siehst ziemlich geschafft aus«, sagte Rosie, als sie Gina von der Fahrt nach der Schule absetzte. »Geh um Himmels willen früh schlafen und hör auf, dir Sorgen zu machen, so schlimm kann es nicht sein, was immer es auch ist. Wir werden in ein paar Tagen darüber reden.«

Sophie machte ihre üblichen Runden, überprüfte die Stalltüren und füllte Heuraufen, und ihre Gedanken kreisten unaufhörlich um das gleiche Problem. Sie bemerkte, dass die Abenddämmerung jetzt jeden Tag schneller hereinbrach. Als sie müde zurück zu ihrem Cottage ging, dachte sie traurig daran, dass der Sommer seinen Abschied nahm.

Verloren in melancholischen Gedanken, erschrak sie, als eine dunkle Gestalt aus den Schatten an der Seite des Hauses trat. Sie schrie entsetzt auf.

»Ich bin's, Callum!«

»Du hast mich erschreckt, Callum! Was tust du mir an? Warum schleichst du so herum?«

»Entschuldige. Ich wollte dich sehen.«

»Machen wir es das nächste Mal beim Tageslicht, okay?« Jetzt, da er näher war und sie erkannt hatte, dass es Callum war, hatte sie sich beruhigt. Es herrschte ein Halbdunkel, doch selbst in der Dunkelheit würde sie die Kurven seiner muskulösen Schultern und seinen irdenen Moschusgeruch wahrnehmen.

Sie bemühte sich sehr, die maskierte Gestalt nicht mit ihm

zu vergleichen. So durfte sie nicht denken; es grenzte an Verfolgungswahn.

Es folgte ein kurzes, verlegenes Schweigen, als sie beide sich ihr letztes Zusammensein in Erinnerung riefen, und Sophie war froh, dass er ihr Erröten nicht sehen konnte.

»Ich wollte nur . . .«

»Ich dachte . . .«

Sie sprachen beide gleichzeitig. Dann mussten sie lachen.

»Du zuerst.«

»Ich hoffe, du bist nicht in Schwierigkeiten geraten.«

»In Schwierigkeiten?« Sie wusste nicht, was er meinte.

»Gestern. Im Schuppen.«

»0h, nein, nein! Mrs. McKinnerney hat nicht gewusst, dass ich dort gewesen bin. Sie hat jedenfalls nichts gesagt.«

»Das ist gut.«

Sophie suchte verwirrt nach Worten, doch plötzlich kehrten ihre Gedanken zu der vergangenen Nacht und dem Sittenstrolch zurück. »Hat es irgendwelche Einbrüche gegeben, Callum? Im Haus? Oder Zwischenfälle mit Sittenstrolchen? Irgendetwas in dieser Art?«

»Einbrüche? Nein, das bezweifle ich. Hat jedenfalls keiner erwähnt. Ich hätte heute Fenster reparieren müssen, wenn das der Fall gewesen wäre. Warum fragst du?«

»Oh, aus keinem besonderen Grund. Kam mir nur so in den Sinn.«

»Ich habe ihnen gesagt, dass ein richtiges Schloss an deine Tür angebracht werden sollte. Bist du belästigt worden?«

»Nein, nein. Vermutlich sind nur Füchse herumgeschlichen.«

»Füchse brechen für gewöhnlich nicht ein.«

Sie lachten beide, und dann sagte Callum plötzlich: »Ich will nicht, dass du denkst, ich mache das immer.«

Sophies Gedanken jagten sich. Was meinte er damit? Was machte er nicht immer? Er war doch nicht der Sittenstrolch? Nicht Callum! Er konnte es nicht gewesen sein, oder?

»Was meinst du mit ›immer machen‹, Callum?«

»Du weißt schon ...«

Sie war angespannt und hatte plötzlich Angst, doch ihre Stimme klang ruhig. »Ich bin mir nicht sicher, was du meinst.«

»Das von gestern.«

»Das warst du?« Sie hätte fast geschrien und ihn angefleht, ihr eine Lüge zu erzählen, statt die schreckliche Wahrheit zu sagen.

»Natürlich war ich das.« Er klang stolz, und sie hätte ihn am liebsten geschlagen.

»Bist du dir dessen sicher?« Sie spielte auf Zeit, bereitete sich darauf vor, durch die Tür zu gelangen und sie ihm vor der Nase zuzuknallen.

»Natürlich bin ich mir sicher. Ich glaube, das kann ich nicht vergessen. Erinnerst du dich nicht mehr daran? Fühlst du dich gut, Sophie?«

»Ja, prima! Du. Gestern. Natürlich.« Ihre Hand spannte sich um den Türknauf. Sie hatte nur eine Chance, ihm zu entkommen; das durfte sie nicht vermasseln.

»Im Schuppen«, sagte er glücklich.

»Im Schuppen? Sie verharrte abrupt. »Was meinst du mit ›im Schuppen‹?«

»Hast du das schon vergessen? Wir beide gestern im Schuppen?«

Es dämmerte ihr. Erleichterung durchflutete sie; sie hatten über zwei verschiedene Dinge gesprochen. »Oh, ja. Es tut mir leid, Callum. Es war ein schrecklicher Tag. Der Schuppen. Was war damit?«

»Ich möchte nicht, dass du denkst, ich mache das immer.«

Er klang unsicher. »Ist wirklich alles in Ordnung mit dir, Sophie? Möchtest du, dass ich mit reinkomme und dir einen Kaffee oder Tee mache?«

»Nein, es ist alles okay, danke. Es tut mir leid, Callum. Ich bin nur so müde. Vielleicht ein anderes Mal. Danke.«

»Dann gehe ich. Gib auf dich Acht, Sophie.«

»Gute Nacht. Oh, und Callum ...«, rief sie der Gestalt nach. »... Ich mache es auch nicht immer. In Schuppen. Mit fremden Männern.«

»Wie schade«, rief er zurück.

»Sophie!« Der Wagen schleuderte gefährlich, und Sophie dachte, dass es ein Fehler gewesen war, Rosie die Wahrheit zu erzählen. Der Fahrer auf der anderen Spur hupte, und Rosie – eine gute Fahrerin, schaute sich den entgegenkommenden Fahrer an, zeigte ihm den Mittelfinger und – schnitt eine Grimasse.

»Sei vorsichtig, Rosie! Ich hätte es dir während der Fahrt nie erzählen sollen.«

»Mach dir wegen mir keine Sorgen. Ich kann fahren, eine Straßenkarte lesen und Kinder trennen, wenn sie auf dem Rücksitz kämpfen. Aber du! Nun, du willst mir doch nicht weismachen, dass du ein unbeschriebenes Blatt bist!«

»Ich hatte nicht vor, dir dein Leben zu würzen, Rosie.«

»Warum hast du mir das nicht schon eher erzählt? Warum keinem anderen?«

»Ich weiß es nicht, ehrlich. Ich wusste nicht, was oder wem ich es erzählen sollte.«

»Mir zum Beispiel. James. Catherine. Der Polizei.«

»Nein, das konnte ich nicht. James hatte mir bereits aus einer heiklen Situation herausgeholfen. Ich wollte ihn nicht mit einer weiteren behelligen. Es hätte den Anschein erweckt, dass ich die Probleme förmlich heraufbeschwöre. Catherine hasst mich; sie hätte angenommen, dass ich es erfunden habe. Und als ich an die Polizei gedacht habe, hielt ich es bereits für zu spät.«

»Es ist nicht zu spät«, sagte Rosie, »das heißt, wenn du wirklich darüber sprechen willst.«

»Ja. Nein, das ist es eigentlich nicht.« Sophies Wangen glühten. »Ich könnte nicht all die Fragen ertragen. Und außerdem ...« Sie dachte plötzlich daran, wie sie auf dem Bett die Hüften angehoben hatte, um den geheimnisvollen Mann zu locken. Wie konnte sie der Polizei oder sonst jemandem erzählen, welche Rolle sie gespielt hatte?

»Außerdem – was?«

»Außerdem war es nicht so schlimm.«

»Nicht?«

»Nun, er hat mir nicht wehgetan oder so.«

Rosie musterte sie von der Seite, und in ihren Augen funkelte es. »Dann ist ja alles in Ordnung. Welch eine Erleichterung! Ich habe einen Augenblick lang gedacht, er hätte was getan, was du nicht wolltest.«

Wer A sagt, muss auch B sagen, dachte Sophie. »Nein«, sagte sie ruhig, »er hat nichts getan, was ich nicht wollte.«

Der Wagen machte wieder einen Schlenker, und der nachfolgende Fahrer hupte wütend.

»Sophie!«

»Hör auf, vorwurfsvoll ›Sophie‹ zu sagen. Ich bin schon so verwirrt genug, da brauchst du meine Schuldgefühle nicht noch zu verstärken.«

Eine Weile fuhren sie schweigend, Rosie blickte verstohlen zu Sophie, deren Kopf gesenkt war, sodass ihr das blonde Haar ins Gesicht fiel.

»Hat es dir Spaß gemacht?«, fragte Rosie schließlich. Sie konnte Sophies gemurmelte Antwort nicht verstehen, und so neigte sie sich zu ihr und strich ihr das Haar aus dem Gesicht. »Nun?«

»Ja!« Sophies Augen glänzten, und sie errötete. »Es war das Aufregendste, was ich je erlebt habe, Rosie! Findest du das schrecklich? Hältst du mich für pervers? Was hättest du denn getan? Hilf mir, Rosie, ich weiß nicht, was mit mir geschehen ist.«

Rosie johlte vor Lachen und versetzte den Wagen absichtlich in Slalombewegungen.

»Hör auf, Rosie! Es ist nicht zum Lachen! Du wirst uns noch umbringen!«

»Ah, komm schon«, sagte Rosie, »ich will Einzelheiten hören!«

Sophie erzählte die ganze Geschichte, und es machte ihr jetzt nichts mehr aus, ihr zu offenbaren, wie sehr sie mitgespielt hatte, sie war nur erleichtert, dass sie mit jemandem darüber sprechen konnte.

»Und das war's«, endete sie. »Ich nehme an, dass es an sich kein Problem ist; ich bin nicht beunruhigt oder verängstigt oder was. Ich weiß nur nicht, was ich denken soll. Ich meine, war ich einfach zur falschen Zeit am falschen Ort?«

»Oder am richtigen Platz zur richtigen Zeit.« Rosie grinste anzüglich. »Natürlich war es so. Was wäre denn die Alternative?«

»Jemand, der mich kennt. Der einen Schlüssel hat.«

»Wie kommst du darauf?«

»Da war kein Anzeichen auf einen Einbruch. Ich bin keine Expertin, aber dann wäre da gebrochenes Glas von der Fensterscheibe oder so was. Wer immer in meine Wohnung gekommen ist, muss einen Schlüssel gehabt haben. Ich hatte den Riegel definitiv vorgeschoben.« Aber, dachte sie plötzlich, war die Tür tatsächlich abgeschlossen? Schließlich war sie auf einen Spaziergang aufgebrochen, nachdem sie mit Toby telefoniert hatte. Vielleicht irrte sie sich.

»Nun?«

»Vielleicht habe ich den Riegel nicht vorgeschoben. Ich habe mich gerade erinnert, dass ich nach dem Telefonat mit Toby weggegangen bin.«

»Da haben wir's. Hör auf, dir Sorgen zu machen. Die Hauptsache ist, dass du jetzt okay bist. Es wird nicht wieder passieren – es sei denn, du lässt deine Tür unverschlossen!«

»Rosie! Du bist schrecklich!«

»Nicht schrecklich – nur frustriert. Ich hoffe, heute Abend auf der Party sind viele Kerle im Angebot. Bei deiner Geschichte ist mir heiß geworden!«

»Halte hier an. Ich fahre jetzt.«

»Nur, wenn du versprichst, mir die Geschichte noch mal von Anfang bis zum Ende zu erzählen.«

Sie fuhren und plauderten, lachten über Rosies witzige Bemerkungen. Sophie hatte das Gefühl, Rosie schon seit Jahren zu kennen wie eine alte Freundin, und sie war froh, dass sie sich an sie wenden konnte. Die Unterhaltung ließ Sophie die Angst vergessen, die sie hatte, wenn sie überlegte, was sie Toby erzählen musste. Als sie vor dem Pub hielten und ihn und seine Freunde gleich treffen würden, meldete sich ihr Angstgefühl wieder.

»Geh du rein, und trink schon was«, sagte sie. »Ich mache noch eine Runde um den Block, um einen klaren Kopf zu bekommen.« Sie spürte den Beginn von Kopfschmerzen und war entschlossen, sich dadurch nicht den Abend verderben zu lassen.

Als sie später die dunkle, rauchgeschwängerte Atmosphäre des Pubs betrat, plauderte Rosie angeregt mit einem Mann an der Bar.

»Da ist sie!«, rief Rosie. »Sophie, komm und lern meinen

neuen Freund Harold kennen. Die Party findet in seinem Haus statt.«

Sophie nahm auf dem leeren Barhocker neben Rosie Platz und neigte sich zu Harold, um ihm die Hand zu schütteln. Er war ein großer, freundlich aussehender Mann, der gern lächelte und wissende blaue Augen hatte. Er hob Sophies Hand an seine Lippen und hauchte ihr einen Kuss darauf, woraufhin sie befangen lachte.

»Freut mich, Sie kennen zu lernen, Sophie.« Sein tiefer amerikanischer Akzent ließ Rosie vor Freude strahlen.

»Ist er nicht nett? Ich bin erst zehn Minuten hier und habe schon einen Lecker gefunden!«

»Ich glaube, Sie meinen Lektor. Ich bin Dozent für Rechts-wissenschaft.« Er lächelte Sophie an.

»Ich weiß genau, was ich gemeint habe!«, johlte Rosie.

Sophie lachte; Rosie war anscheinend entschlossen, sich zu amüsieren. Und warum auch nicht, dachte Sophie. Sie spähte zu den anderen Leuten im Pub; hauptsächlich Stu-denten, nahm sie an, doch noch kein Anzeichen auf Toby.

»Ich geh mal – wie nennt ihr Amerikaner das? – die Nase pudern?« Rosie, die Drinks getrunken hatte, als gäbe es kein Morgen, stand schwankend auf.

Sophies Kopfschmerzen meldeten sich wieder, als wollten sie sich rächen. Als ihre Freundin zu den Toiletten trippelte, wurde ihr bewusst, dass Harolds Aufmerksamkeit nun ihr galt.

»Wen suchen Sie, schöne Dame? Wer ist der Glückliche?«

Sophie lächelte ihn an. »Mein Freund Toby.«

»Toby? Ich glaube, den kenne ich.« Er nickte nachdenk-lich. »Sie sehen nicht aus, als wären Sie übermäßig erregt wegen dieses Treffens, wenn ich das sagen darf.«

Harold hatte ein sympathisches Gesicht, er war der Typ, der Vertrauen einflößte. Sophie plauderte mit ihm über Toby und ihre derzeitige Trennung. Harold nickte bedächtig und nippte an seinem Drink.

»Und jetzt«, hörte sich Sophie im Tonfall eines gereizten Kindes sagen, »habe ich Kopfschmerzen.«

»Hey, da machen Sie sich mal keine Sorgen! Sie haben es anscheinend mit diesem Toby richtig gemacht. Und was die Kopfschmerzen anbetrifft, die kann ich im Nu heilen!« Er schnipste mit den Fingern. »Ich mache gute Massagen, die heilen garantiert Kopfschmerzen.«

Sophie fühlte sich feucht werden, als ihr der Gedanke kam, sich Harolds sinnlichen Händen zu überlassen, doch sie schüttelte den Kopf.

»Nein. Ich muss erst die Dinge mit Toby klären, bevor ich sonst etwas unternehme. Zuerst das Geschäftliche, später das Vergnügen.«

Rosie kehrte zurück und erklärte, dass es einen anderen Raum gegenüber der Bar gab.

»Ist Toby dort?«, fragte Sophie.

»Woher soll ich das wissen, Dummerchen? Ich habe ihn nie kennen gelernt. Du bist auf dich allein gestellt.« Damit stieg Rosie auf den Hocker neben Harold und legte eine Hand auf sein Bein. Er trug eine enge Jeans.

Sophie setzte sich unter dem Vorwand ab, zur Toilette zu gehen. In Wirklichkeit suchte sie die Gruppen und Paare nach Toby ab. Es dauerte nicht lange, bis sie ihn entdeckte. Obwohl die Ecke, in der er beschäftigt war, nicht hell ausgeleuchtet war, zogen er und seine Gefährtin viele Blicke auf sich. Sophie verharrte und ging dann zur Bar zurück und bestellte sich einen Drink. Sie hatte keine Sorge, dass Toby sie entdecken würde, denn er war zu vertieft in die Unterhaltung mit seiner Freundin.

Sophie beobachtete sie fasziniert. Warum zog das Paar so viele Blicke an? Sie waren beide attraktiv, aber nicht mehr als viele der jungen Paare, die ringsum lachten und plauderten.

Plötzlich traf sie die Erkenntnis: sie waren zweifellos verliebt! Sie waren glücklich, und das war nicht zu übersehen; er neigte sich zu ihr, und sein Gesicht glühte, als er ihr irgendetwas erklärte. Sie genoss seine Gesellschaft so sehr, dass ihr Gesicht außergewöhnlich strahlte.

Sophie konnte sich daran erinnern, wie sie und Toby sich zum ersten Mal getroffen hatten, aber sie war bereit, zu wetten, dass sie nie zusammen so ausgesehen hatten. Sie fühlte flüchtige Eifersucht, ein Bedauern, dass Toby sie nie auf diese Weise angesehen hatte, aber das war nur kurz. Wenn sie ehrlich mit sich selbst war, hätte sie von der Stärke von Tobys Gefühlen alarmiert sein müssen; ihre Traurigkeit lag mehr daran, dass niemand sie auf diese Weise angesehen hatte. Nach der kurzen, verwirrenden Überraschung konnte Sophie nur Erleichterung empfinden, nicht mit Toby über Glück gesprochen zu haben. Weil sie ihnen nicht die Freude verderben wollte, trank sie ihr Glas aus und sagte zu Rosie:

»Komm, lass uns jetzt zur Party gehen.«

»Ich dachte, du wolltest zuerst Toby finden.«

»Nein, ich habe mich anders entschieden. Das erkläre ich dir unterwegs.«

Sie gingen durch die kühle Abendluft in Richtung des Hauses, in dem die Party stattfand. Sophie erklärte, dass sie Toby gesehen, aber nicht mit ihm gesprochen hatte, als Harold zu seinem Haus voranging. Auf halbem Weg sank Sophie auf eine Parkbank und legte die Hände an die Schläfen.

»Tut mir leid, lasst mich nur einen Moment verschnaufen. Die Kopfschmerzen bringen mich um. Ich weiß nicht, ob es am Rauch in dem Pub, der Sorge um Toby oder an Rosies Fahrkünsten liegt.«

»Sehr charmant«, schnaubte Rosie. »Es ist vermutlich eine Kombination von vielem. Anspannung.«

»Vermutlich«, stimmte Sophie zu. »Geht nur weiter, ich hole euch gleich ein.«

Doch davon wollten sie nichts hören, und schließlich wurde sie halb gestützt und halb getragen, bis sie bei Harolds großem Haus waren. Die Wärme und der Partylärm schlugen ihnen an der Tür entgegen, und Sophie stöhnte auf. Die hellen Lichter waren wie Blitze, die in ihrem Kopf einschlugen. Sie nahm nur vage wahr, dass sich ihr besorgte Gesichter zuwandten, und Harolds Stimme klang seltsam gedämpft, als sie eine Treppe nach der anderen hinaufgetragen wurde. Ihre letzte Erinnerung war, dass mehr als ein Paar Hände sie in einem abgedunkelten Raum entkleideten. Dann umfingen Kühle und Stille ihren dankbaren Körper, und Sophie fiel benommen in Halbschlaf.

Als sie aufwachte, war Rosie neben ihr. Im Zimmer war es immer noch dunkel, obwohl von einem marmornen Kaminsims Kerzenschein herüberfiel. Es war ein klarer, frischer Duft im Zimmer, und als Sophie sich aufzusetzen versuchte, stellte sie fest, dass die Kopfschmerzen verschwunden waren.

»Sie ist wach!«, rief Rosie über ihre Schulter. Sophie hatte gerade Zeit, sich zu wundern, warum ihre Freundin nur den Morgenrock eines Mannes trug, als Harold erschien, ohne Hemd, aus einem anderen Teil des Zimmers.

»Hallo. Geht es jetzt besser?«

Sophie versuchte zu nicken, doch ihr Hals und ihre Schultern waren steif. Sie zuckte zusammen und legte die Hände hinter den Kopf. Erst jetzt bemerkte sie, dass sie völlig nackt war. Sie hatte weder die Energie noch Lust darauf, sich zu bedecken, es schien unwichtig.

»Steif?« Harold reichte ihr ein Glas Wasser. »Komm her.«

Sie schloss die Augen und fühlte seine großen Hände zärtlich auf ihren Schultern. Zuerst schmerzte es ein wenig, als er sie massierte, doch allmählich wich unter seinen Fingern die Spannung, und sie fühlte, dass ihre Muskeln wie befreit wirkten.

»Danke.« Sie fühlte sich immer noch schwach, auch befangen, doch Rosies Anwesenheit gab ihr Mut. »Das tut gut.«

»Was machen die Kopfschmerzen?« Rosie hob Sophies langes Haar am Nacken an, und Harold massierte an ihrer Wirbelsäule hinab.

»Die sind verschwunden«, seufzte Sophie. »Waren schlimm. Ich hatte noch nie solche Kopfschmerzen. Aber ihr beiden vermisst meinetwegen die Party. Warum geht ihr nicht hinunter? Ich komme dazu, wenn ich mich besser fühle.«

»Es ist noch Zeit genug zum Partyfeiern«, erwiderte Harold mit einem Lächeln, »und außerdem könnten wir uns nicht freuen, wenn wir denken müssten, dass es dir nicht gut geht.«

Sophie sah den Blick, den die beiden tauschten, und nahm an, dass sie sich ohne sie schon sehr amüsiert hatten. Zum zweiten Mal an diesem Abend empfand sie eine Spur von Eifersucht. Glückliche Rosie!

»Er ist Spitze, Rosie«, flüsterte sie, als Harold wegging, um Massageöl zu holen.

»Du weißt nicht, wie toll«, sagte Rosie grinsend, »aber ich bin nicht egoistisch. Ich bin bereit zu teilen. Wie wäre es?«

»Ich ... ich weiß nicht. Ich habe nie ...« Der Gedanke, dass sie, Rosie und Harold es zusammen machten, ließ Sophie vor Aufregung erbeben. »Bist du dir dessen sicher?«

Rosie nickte, und Harold, der mit dem parfümierten Öl zurückkehrte, lächelte, als er die beiden Frauen zusammen kichernd auf seinem Bett sah.

»Das ist ein Anblick, der das Herz eines alten Mannes

wärmt«, sagte er. Er schlüpfte aus seinen Jeans und entkorkte die Sektflasche.

»Du bist nicht alt«, murmelte Rosie und küsste ihn. »Ich wette, du hast die Ausdauer eines Mannes, der nur halb so alt ist.«

Harolds Lachen hallte durchs Zimmer, und er begann das Massageöl auf Sophies Schultern zu verteilen. Er hatte sich hinter sie gesetzt und streichelte erfahren ihren Rücken hinab, während Rosie vom Stuhl neben dem Bett beobachtete.

Obwohl sie sich vorhin noch krank gefühlt hatte, spürte Sophie jetzt, wie gut sich Harolds Hände auf ihrem Körper anfühlten. Er war ein Mann, der Frauen liebte: ihre Formen, den Duft ihrer Haut, sie zu fühlen. Er ließ sich Zeit, und Sophie fühlte sich warm, entspannt und vor allem begehrt; ihr Körper schien bei seiner sichtlichen Freude zu erblühen. Wie mich das anmacht, dachte sie erregt, in den Händen eines Mannes mit solcher Erfahrung und Wertschätzung zu sein.

In Sophies Körper begann es bei seinen lässigen, raffinierten Zärtlichkeiten zu prickeln, und sie sah, dass Rosie sich nicht länger zurückhalten konnte und sich auf das Bett zu ihnen gesellte. Harolds Hände glitten unter Sophies Arme und umfassten ihre Brüste. Ihre Nippel, bereits hart, standen bei seinem festen Griff stramm, und Sophie spürte eine vertraute Hitze in sich aufsteigen.

Sie zog ihn an sich, sodass sie den Rücken gegen seine breite Brust lehnte. Harolds Hand glitt über ihren Bauch hinab und in ihre Schamhaare. Sophie ließ ihn mit den flauschigen Härchen spielen und gab sich ganz dem erregenden Gefühl hin. Die Mischung des parfümierten Öls und Harolds Duft nach Moschus machten Sophie enthemmt und begierig; sie zog sich aus seinem Griff und schaute zu, wie Rosie ihn beanspruchte. Seine starken Arme spannten sich, als er sich zurücklegte, sich auf Kissen abstützte und Rosie auf seinen wartenden Penis hob.

Sophie stockte der Atem, und sie empfand einen Kitzel des Entzückens über das Vergnügen ihrer Freundin. Unwillkürlich waren ihre Finger zu ihrer Klitoris hinabgekrochen, denn sie wollte an dem heißen Sex der beiden teilhaben.

Harold überließ Rosie jetzt die Initiative, sein strahlendes Gesicht war entspannt, und seine bewundernden Blicke waren auf ihren Körper gerichtet. Es überraschte Sophie nicht, dass Rosie so viel seiner Aufmerksamkeit beanspruchte; ihr geschmeidiger Körper glänzte vom Öl. Sophie fand, dass sie wunderbar sexy aussah. Sie fühlte sich fast ausgeschlossen, als Harold sie sanft zu sich zog und sie drängte, die Beine zu spreizen. Sie schnappte nach Luft, als er seine Zunge als Penis gebrauchte. Sie hielt sich am Bettpfosten fest, damit ihr nichts von seinem köstlichen Zungenspiel entging.

Mit dem Rücken zu Rosie, hörte sie das Mädchen kommen. Sie sah und hörte, wie ihre Freundin den Höhepunkt erreichte. Die ekstatischen Schreie erregten Sophie noch mehr, und dann kam Harold auch noch. Sein tiefes Stöhnen schien durch ihren Bauch zu hallen, während er sie weiter mit der Zunge verwöhnte.

Als sie kam, den Kopf zurückwarf und laut in ihrer Ekstase schrie, war sie überzeugt, dass sie ihre beiden Sexpartner alarmierte. Sie war erleichtert zu sehen, dass Rosie erschöpft auf Harold sank, sie jedoch mit Interesse beobachtete; Harolds Lächeln verriet, dass er befriedigt war.

Sophie ließ sich auf die andere Seite von Harold fallen, und als Harold sie in den Arm nahm, lächelte Sophie, als sich ihre Blicke fanden. Die beiden grinsten sich ohne die geringste Verlegenheit verschwörerisch an.

»Das war toll!«, schien Rosie unhörbar mit den Lippen zu formen.

Sophie gab ihr ein Daumen-hoch-Zeichen.

»Was ist denn mit euch beiden?«, ertönte Harolds Stimme über ihnen, und sie kicherten wie zwei Schulmädchen, die bei einem Streich ertappt worden waren.

Wenn irgendjemand auf der Party wusste, was in dem Zimmer oben im Haus los war, erwähnte es keiner, obwohl Harold ein paar neidische Blicke einheimste, als die drei sich schließlich zum Partytreiben gesellten.

In der kleinen Küche, als sie sich etwas zu trinken einschenkte, begegnete Sophie unerwartet Toby.

»Toby! Dich hatte ich ganz vergessen«, rief sie, verwirrte ihn und brachte sich in Verlegenheit.

Er war so nett, eine erfreute Miene aufzusetzen, als er sie ansah, obwohl sie mit leichter Belustigung bemerkte, dass er sich bemühte, ihr nicht zu nahe zu kommen.

»Sophie! Bist du also doch noch gekommen.«

»Und wie!« Sie lachte und gab ihm die Hand. »Komm, lass uns irgendwohin gehen, wo es ruhig ist.«

Er blickte verwirrt, dann resigniert und schließlich von Panik erfüllt. »Ich habe gerade jemandem versprochen . . .«

Sophie wartete draußen auf ihn. Sie lächelte über Tobys missliche Lage in sich hinein, zu entspannt, um etwas Peinliches daran zu empfinden. Toby schloss die Haustür hinter sich und gesellte sich zu ihr.

»Sophie«, begann er sofort. »Ich habe jemanden kennen gelernt.«

Die Geschichte sprudelte förmlich aus ihm heraus, während sie verständnisvoll nickte und mitfühlend lächelte. Armer Toby, dachte sie, ich wette, dass es ihm sehr schwerfällt, den Betrug zu beichten. Aber er hat es mir nicht am Telefon sagen können – dazu ist er zu sehr Gentleman.

Er musste Atem holen und schaute sie an. »Bist du mir böse?«

»Nein, Toby. Ich hoffe, ihr werdet beide sehr glücklich miteinander. Sie sieht süß aus; ich habe euch im Pub gesehen.«

Er wirkte, als sei ihm eine große Last von den Schultern gefallen. »Oh, danke, Sophie. Das bedeutet mir sehr viel – dass wir uns nicht streiten. Ich wollte sagen ›Lass uns Freunde bleiben‹, aber das klingt so abgedroschen, ganz gleich, ob man es ehrlich meint oder nicht. Und es bedeutet auch, dass du frei bist, dir einen anderen zu suchen.« Er errötete leicht. »Jemanden, denn du liebst, nicht nur magst.«

Er ist raffinierter, als ich angenommen habe, dachte Sophie. Und sie gingen zurück zu der Party – zusammen, doch getrennt.

Viertes Kapitel

»Komm schon, Gina! Fersen runter! Kopf hoch! Polly kann auf ihre eigenen Füße aufpassen; du konzentrierst dich aufs Führen. Bring sie hier rüber und – prima!« Sophie beobachtete, wie das Kind das Pony ungeschickt neben ihr anhielt. »Ich glaube, wir müssen mehr mit der Longe üben.«

»Muss das sein?«

»Es sollte sein.«

»Kann ich nicht einfach in deine Wohnung gehen und Kinderfernsehen gucken? Können wir nicht einfach sagen, wir hätten das Springen geübt?«

»Das geht eigentlich nicht. Mami wird bald von ihrem Ausritt zurück sein, und sie wird sehen wollen, was du gelernt hast.«

»Ich wünsche, ich hätte kein Pony. Ich wünsche, ich hätte nur einen Esel.«

»Du wirst nie einen Esel über diese kleinen Hürden springen sehen«, informierte Callum sie vom Rand der Reithalle. Gina lachte.

»Ehrlich, Callum! Wenn du nicht dieses Heu aufschichtest, wirst du dort die ganze Nacht zugange sein.« Sophie hatte genug Probleme mit Gina und konnte auf Callums surrealen Humor verzichten. »Jedenfalls wird die Lady bald zurück sein«, sagte sie, als das Kind mit dem Pony weiter seine Runden drehte, »und du weißt, was sie gesagt hat.«

»Sie sagt viel«, grollte Callum. »Wenn du mich fragst, sollten Frauen gesehen, nicht gehört werden!«

Sophie schleuderte einen Erdklumpen zu seinem grinsenden Gesicht. Genau in diesem Augenblick ritt Catherine McKinnerney in den Hof und fixierte sie mit überheblichem Starren.

»Sind Sie noch nicht mit den Heuballen fertig, Callum? Nein, das habe ich mir gedacht. Vielleicht sollten Sie das jetzt lassen. Ich sehe, dass Sie zu sehr abgelenkt sind. Der Zaun an der kleinen Koppel scheint zusammenzubrechen – er muss unbedingt repariert werden. Nein, nein, Liebling!« Sie hatte soeben Ginas Springversuche gesehen. »Du darfst nicht so mit den Zügeln an ihrem Maul reißen. Halte dich am Sattel fest, wenn du die Hände nicht still halten kannst. Ich werde es dir zeigen.«

Sie ließ ihre prächtige graue Araberstute an Sophie und Callum vorbeitänzeln und blaffte kurz in Sophies Richtung: »Ich bezahle Sie nicht, um mit dem Gärtner zu schwätzen, wissen Sie. Bitte werfen Sie sich ihm in Ihrer eigenen Zeit an den Hals – nicht in meiner!«

Sophies Gesicht war vor Zorn gerötet, als sie die Longe aufhob und zurück zum Rand der Reitfläche trat. Callum folgte ihr, um seine Werkzeuge aus dem Schuppen zu holen.

»Mir reicht es!«, brach es aus Sophie heraus, als sie die Sattelkammer erreichten. »Das brauche ich mir nicht bieten zu lassen! Ich gehe. Ich werde nicht hoch genug bezahlt, um mich beleidigen zu lassen.«

Callum, der am Fenster der Sattelkammer lehnte, schien unbeeindruckt von Catherines Zurechtweisung zu sein. »Verlass mich nicht«, bat er freundlich. »Lass mich nicht mit diesen Verrückten allein.«

»Also wirklich, Callum! ›Werfen Sie sich ihm in Ihrer eigenen Zeit an den Hals!‹ Sie ist so unverschämt.«

»Vielleicht hat sie trotzdem Recht. Wann kannst du dich mir ... an den Hals werfen?«

Sophie lachte, weil er nichts ernst nahm. »Das hängt davon ab«, sagte sie, »ob es der Mühe wert ist oder nicht.«

»In welcher Hinsicht?«

»Ich will nicht, dass du denkst, du brauchst mir nur 'ne Tüte Popcorn zu kaufen und kannst mich in deinem Schuppen vernaschen.«

»Nicht?« Callum tat enttäuscht. »Das ist aber schade. Ich wollte dich gerade fragen, ob du mir hilfst, diese Heuballen umzuschichten, bevor der Regen anfängt.«

»Du weißt einem Mädchen den Kopf zu verdrehen, nicht wahr? Nein, ich will dir nicht mit dem Heu helfen. Und außerdem gehe ich heute Abend mit Rosie aus. Ich werde erst am Wochenende wieder frei haben.«

»Dann am Wochenende. Ich werde mir was Nettes ausdenken, womit wir uns amüsieren können. Lass mich wissen, ob du deine Meinung wegen des Schuppens geändert hast.« Damit verließ er sie, und sein leises Pfeifen übertönte kaum die quietschende Schubkarre.

Sophie musste lächeln. Callum ließ nicht zu, dass Catherine an ihn herankam. Es war leichter für ihn; es wurde schnell offensichtlich, dass Sophie das Hauptziel ihres Giftes war.

Es macht nichts, dachte Sophie. Wenn alles zu unerträglich wurde, konnte sie gehen. Sie lächelte vor sich hin. Jedoch nicht vor diesem Rendezvous am Wochenende.

Sie machte sich daran, Heuraufen für den Abend vorzubereiten. Bei Catherine würde eine Sicherung durchbrennen, wenn sie sah, wie wenig Heuballen Callum angepackt hatte; es sah aus, als würde es ein später Feierabend für ihn werden. In diesem Moment trabten Catherine und Gina in den Hof. Catherine saß ab und warf ihre Zügel in Sophies Richtung.

»Striegeln Sie bitte Jasmine für mich, Sophie. Sie muss gut

abgerieben werden! Es war für sie heute ziemlich harte Arbeit. Sie braucht definitiv mehr Übung. Ich will, dass sie an diesem Wochenende in Form ist. Habe ich das schon erwähnt?«

Sophie verließ der Mut, als sie den schweren Sattel von Jasmines verschwitztem Rücken abnahm. »Am Wochenende?«

Catherine half Gina hinab und warf Pollys Zügel über das Geländer. »Ich dachte, ich hätte Ihnen das gesagt. Die Newton-Smiths geben eine Party in ihrem Wochenendhaus. Sie haben einen ziemlich feinen Geländeritt-Parcours, den ich liebend gern ausprobieren möchte, sodass wir Pferde, Kinder und die ganze Gruppe mitnehmen. Sie haben einen überdachten Reitplatz, und ich erwarte eine Verbesserung von Ginas Sprüngen. Jedenfalls brauchen wir Sie, damit Sie sich um die Pferde kümmern, sie auf der Reise begleiten, alles Drum und Dran. Wir fahren am Freitag und kommen am Sonntag zurück. Meinen Sie, Sie können das schaffen?«

»Ich glaube schon, es ist nur, dass ...«

»Tut mir leid, wenn Sie Pläne für das Wochenende hatten, aber in Ihrer Jobbeschreibung stand, dass gelegentlich ein Wochenende zu Ihrer Arbeitszeit zählt.«

»Ja«, sagte Sophie und knirschte mit den Zähnen, »das steht drin. Kein Problem. Ich werde den Pferdetransporter für morgen bereit machen.«

»Ich will auch das Sattelzeug gesäubert haben«, fügte Catherine beiläufig hinzu. »Wir wollen einen guten Eindruck machen, nicht wahr?«

»Natürlich«, war alles, was Sophie hervorbrachte.

»Verdammte Frau!«, sagte Sophie später zu Rosie im Pub des Ortes. » Verdammtes widerliches Weib!«

»Wen kannst du damit meinen, Sophie? Sicherlich nicht unsere freundliche Arbeitgeberin, oder?«

»Ehrlich, Rosie, sie ist unmöglich! Ich befürchte, dass sie dies absichtlich macht.«

»Jetzt wirst du aber paranoid«, meinte Rosie. »Dieses Wochenende ist seit Jahren geplant. Ich weiß das, weil Jo als Kinderschwester für ungefähr ein Dutzend Kinder verpflichtet worden ist – ohne Zusatzprämie natürlich.«

»Die arme Jo. Was kann man mit so vielen Kindern an einem ganzen Wochenende machen?«

»Ich weiß, was ich mit ihnen machen würde«, sagte Rosie finster. »Aber ich bezweifle, dass es gut für meine Karriere sein würde.«

»Fahren deine Kinder mit?«

»Glaube ich nicht. Und selbst wenn sie fahren, würde ich nicht dabei sein. Ich arbeite nicht an Wochenenden. Das habe ich vom ersten Tag an klargemacht.« Rosie lächelte selbstgefällig. »Nein, ich habe meine Unterhaltung am Wochenende geplant. Duftkerzen, Massageöl und eine Flasche Wein.«

»Oh, Rosie! Du wirst Harold sehen, nicht wahr? Ich hoffe, du amüsierst dich großartig, wirklich. Grüß Harold lieb von mir, wirst du das tun?«

»Nein, das kommt nicht in Frage. Er gehört von jetzt an ganz allein mir.« Rosie betrachtete das düstere Gesicht ihrer Freundin. »Ach, sei nicht so traurig, Sophie. Dein Wochenende kann unmöglich so schlecht werden! Es werden noch andere Verabredungen mit Callum folgen. Jedenfalls könnte dort auch jemand Interessantes sein – genug Leute fahren hin. Du weißt, wie die Newton-Smiths sind: Wenn du es hast, protze damit.«

»Wer sonst fährt denn hin? Heitere mich auf!«

»Die Carvers!«

»O nein! Ich sprach von ›aufheitern‹. Das treibt mich wahrscheinlich dazu, mich zu besaufen.«

Rosie schaute sie sonderbar an. »Warum das denn?«

»Aus keinem besonderen Grund. Wer sonst?«

»Die Marshalls. Du hast sie kennen gelernt, nicht wahr? Auf der Party.«

»O ja, ich erinnere mich.«

»Die Fields. Kennst du sie? Sie haben unzählige abscheuliche Kinder. Wenn du sie kennen gelernt hast, wirst du sie nie vergessen, glaube mir. Die Edwards fahren auch hin, nehme ich an.«

Sie plauderten weiter, Rosie sehr selbstzufrieden in dem Wissen, dass sie sicher und glücklich in Harolds Armen liegen würde, viele Meilen entfernt.

Sophie ärgerte sich. Für das Wochenende hatte sie sich zum ersten Mal richtig mit Callum verabreden wollen; stattdessen würde sie Zaumzeug säubern und verschwitzte Pferde striegeln. Sie versuchte sich damit zu trösten, dass es noch viele andere Verabredungen mit Callum geben würde, und wenn Callum scharf darauf war, würde er sie wieder fragen; doch das half nicht.

Sie nippte an ihrem Drink, während Rosie glücklich von ihren Plänen plapperte. Im Pub war heute Abend wenig los. Der angekündigte Regen hatte in großen Tropfen begonnen, als die beiden Frauen eingetroffen waren. Er prasselte jetzt gegen die kleinen dunklen Fenster und hielt andere Gäste ab.

Sophie hörte ihrer Freundin nur mit halbem Ohr zu. Das Wetter passte zu ihrer Stimmung. Draußen drehten sich die letzten durchnässten Blumenampeln trostlos im zunehmenden Wind.

»Du hast kein Wort von dem gehört, was ich gesagt habe, nicht wahr?« Rosie verlor bei Sophies melancholischer Stimmung die Geduld. »Ich werde dir sagen, was wir tun werden. Wenn du am Wochenende arbeiten musst, steht dir an den Wochentagen ein freier Tag zu.«

»Das geht nicht«, meinte Sophie mürrisch. »Callum arbeitet die ganze Woche.«

»Du denkst nur an Callum! Wenn du einen Tag in der Woche frei bekommst, kannst du in die Stadt gehen, dich umsehen und so weiter. Was hältst du davon?«

»Okay. Ja, ich kann einen Tag frei bekommen.«

»Toll! Weiter so, Sophie. Jetzt hast du fast Begeisterung gezeigt. Ich werde am Donnerstag bezahlt, sagen wir also Donnerstag oder Freitag – so kann ich richtig einen draufmachen. Ich hab diese Woche nur das Baby. Ich werde es mitbringen. Ich zahle sogar das Mittagessen. Klingt das gut?«

»Ja, es wird großartig werden.« Sophie lächelte ihre Freundin an. »Danke, Rosie.« Sophie versuchte heiterer auszusehen, als sie sich fühlte.

Hör auf, Trübsal zu blasen, sagte sie sich. Denk mal zur Abwechslung an was anderes, zum Beispiel an die arme Jo: Die muss am Wochenende all diese Kinder beaufsichtigen. Und ein Ausflug mit Rosie in die Stadt wäre gut! Es gab ein paar Dinge, die sie brauchte. Vielleicht konnte sie Catherine überreden, sie eine neue Reithose für Gina kaufen zu lassen, die gejammert hatte, dass die alte abgenutzt war.

Und ich könnte an mich denken und mir neue Reitstiefel kaufen. Ihr Lieblingspaar war arg verschrammt worden, als Buzz ihr auf den Fuß getreten war.

Als sie Rosie durch die dunkle, nasse Nacht heimfuhr, fühlte Sophie sich begeisterter über ihren Ausflug.

»Sprich mit Catherine«, rief Rosie über die Schulter, als sie zu ihrer Haustür flitzte. »Donnerstag oder Freitag – sag mir Bescheid. Sag ihr, du musst einfach frei haben.«

Sophie fuhr vorsichtig nach Hause. Sie kannte diese Straßen nicht sehr gut, sie fuhr das Auto auch selten; Jean nutzte es am meisten. Mit Schwimmstunden, Spielgruppen, Tanzschulen und Partys brauchte Jean ein Transportmittel für die Kinder.

Sie haben ein aufregenderes Gesellschaftsleben als ich, dachte Sophie. Das Einzige, was ihnen fehlt und wonach sie sich sehnen, ist der mangelnde Kontakt mit ihren Eltern.

Sophie war froh, dass sie es mit Pferden, statt mit Kindern zu tun hatte, sie beneidete Jo nicht um ihren Job. Vielleicht konnte sie Jo am Wochenende etwas helfen. Als sie auf den Zufahrtsweg bog und um die Seite des Hauses herumfuhr, wunderte sie sich, Licht in ihrem Cottage zu sehen.

Ich bin mir sicher, dass ich das Licht nicht angelassen habe, dachte sie und fuhr auf Jeans Parkplatz. Sie quetschte den Mini zwischen Catherines kleinen Sportwagen und Dominics alten Rover.

Die Lichter vom Prospect House schimmerten in den Pfützen auf dem Zufahrtsweg, als Sophie durch den Regen zum Cottage rannte. Sie fummelte an der Tür herum. Abgeschlossen. Also konnte nur sie das Licht angelassen haben ...

Sie öffnete die Tür, schlüpfte aus dem Regen in ihre Wohnung und schaute sich nervös in der Küche um. Alles schien in Ordnung zu sein. Sie durchquerte die Küche und schaltete den Wasserkocher an, und dann roch sie einen schwachen, jedoch vertrauten Duft: den Geruch von weichem, teurem Leder. Ihr Herz begann heftig zu schlagen.

Sie zog die Schuhe aus und schlich leise und mit unbehaglichem Gefühl zur Flurtür. Sie schaltete das Licht an und überprüfte schnell das Wohnzimmer – leer. Dann ging sie zum Schlafzimmer.

Der Geruch war zwar immer noch schwach, aber hier am besten wahrzunehmen, und Sophie musste schlucken, bevor sie den Lichtschalter neben der Tür ertastete. Mit Erleichterung stellte sie fest, dass niemand im Schlafzimmer war. Mit einem schnellen Blick ins Badezimmer vergewisserte sie sich, dass sie allein im Cottage war.

Aber jemand ist hier gewesen, dachte Sophie, und ich weiß, dass er diesmal einen Schlüssel benutzt hat. Sie schloss die Badezimmertür, ging durch das Schlafzimmer und verharrte plötzlich abrupt. Etwas war anders, nicht so, wie sie die Wohnung verlassen hatte. Sophie versuchte die Quelle ihres Unbehagens zu finden. Schließlich fiel ihr suchender Blick auf ein Kuvert, das auf der Frisierkommode lag.

Sie nahm es und sah auf der Vorderseite ihren Namen in Blockbuchstaben. Sie setzte sich aufs Bett und öffnete den Umschlag mit nervösen, steifen Fingern.

Der Inhalt quoll heraus: weicher, hauchdünner Stoff in schillernden Farben. Es war ein Seidenschal, zart und glänzend. Als sie ihn umdrehte, tanzten die Farben wie Schmetterlinge vor ihren Augen: pink, blau, silbern, grün. Sie legte den Seidenschal um ihren Hals und nahm wieder den schwachen Duft von teurem Leder wahr. Trotz ihrer vorherigen Besorgnis war Sophie bezaubert.

Aber warum war das Geschenk nicht einfach in den Briefkasten geworfen worden? Der hauchdünne Stoff war leicht genug, um ihn in ein Kuvert zu stecken, so hätte er auch gut per Post geschickt werden können. Plötzlich erkannte sie mit einem Schock den Grund: Ich soll wissen, dass er während meiner Abwesenheit hier gewesen war, in meinem Zimmer.

Sie setzte sich und starrte eine Weile auf den Seidenschal. Dann nahm sie das Kuvert und suchte nach irgendwelchen Hinweisen auf den Absender. Ein Blatt Papier fiel heraus, und Sophie hob es auf und bemerkte dieselbe Handschrift wie auf dem Kuvert. Sie las:

Meine schöne Sophie,
bitte nimm dieses kleine Geschenk als Beweis meiner Bewunde-
rung für Dich. Ich möchte, dass Du es auf der Haut trägst und
an mich denkst. Ich werde Dich beobachten und auf eine Zeit
warten, an der wir wieder zusammen sein können. Ich kann Dir
nicht meinen Namen nennen. Aber ich versichere Dir, dass ich
dir nichts Böses antun werde. Ich werde sehr bald ein Treffen
vorbereiten. Trage bis dahin, prächtiges Geschöpf, den Schal,
und denk immer an mich.

Es gab keine Unterschrift, keinen Hinweis darauf, von wem der kurze Brief stammte.

Wer konnte den Schlüssel zum Cottage haben? Catherine und James natürlich. Aber wer sonst? Callum? Vielleicht; sie würde es herausfinden müssen. Wer konnte sich sonst den Schlüssel beschafft haben?

Sophie las den Brief noch einmal. Er klang ziemlich förmlich, fast als seien sie und der Schreiber gut bekannt und wollten eine harmlose Verabredung zum Abendessen treffen!

»Ich werde dich beobachten«, klang ziemlich unheimlich, aber »Ich werde auf eine Zeit warten, an der wir wieder zusammen sein können« weckte Erinnerungen an ein altmodisches Hofmachen. Und warum konnte er nicht seinen Namen angeben? Dachte er, sie würde ihm eine Abfuhr erteilen? Würde sein Name ihr nichts sagen, weil er ein Fremder war? Oder war er verheiratet? Konnte er seinen Job verlieren, wenn herauskam, dass er in sie vernarrt war?

Sophie saß auf dem Bett, atmete schwer, und in ihrem Kopf jagten sich die Gedanken. Was war das Geheimnis dieses Mannes? Sollte sie jemandem von der Sache erzählen? Doch das würde bedeuten, dass sie Einzelheiten über das erste Treffen preisgeben musste. Und das brachte sie nicht über sich. Sie konnte Rosie davon erzählen, aber nicht am Telefon – wenn sie sich zum Essen treffen würden.

Sie stand auf, und ihr Herz hämmerte immer noch nach dem Schock.

Was wäre passiert, wenn sie an diesem Abend in der Wohnung gewesen wäre? Ein Gedanke drängte sich ihr auf: Hatte er gewusst, dass sie wegfahren und nicht daheim sein würde? Ihr stockte der Atem. Beobachtete er sie?

Unwillkürlich blickte sie zu den offenen Vorhängen und bemerkte die anonyme Schwärze draußen.

Beobachtet er mich jetzt?, fragte sie sich, und plötzlich stieg Ärger in ihr auf. Sophie eilte durch die Wohnung, zog ihre Stiefel an, entschlossen, ihre Furcht zu besiegen. Draußen im Hof wurde ihr plötzlich bewusst, dass es regnete. Sie verharrte und schaute sich nervös um.

Was, wenn er noch hier war? Was würde sie tun, wenn sie jemanden in den Schatten lauern sah? Ihn ansprechen? Ihn beschuldigen, ihr ein teures Geschenk gemacht zu haben?

Nein, dachte sie, ich würde ihn mitnehmen und eine Erklärung verlangen. Eine innere Stimme meldete sich in ihrem Kopf: Warum willst du ihn ins Cottage mitnehmen? Du könntest auch hier im Hof eine Erklärung verlangen. Sei ehrlich, Sophie, fuhr die Stimme fort. Du willst ihn wiedersehen. Du freust dich darauf. Die Vorstellung, von einem geheimnisvollen Mann geliebt zu werden, erregt dich ungemein.

Sophie fühlte sich durcheinander und zittrig. Es stimmt, dachte sie, die Situation erregt mich. Ich bin nicht hier hinausgegangen, um ihn zur Rede zu stellen; ich bin hier, weil ich enttäuscht bin, weil ich bei seinem Besuch nicht da war.

Der Regen durchnässte ihr Haar und ihre Bluse. Ich will

ihn, dachte sie. Ich will die Gefahr, das leidenschaftliche Verlangen, die Erregung.

Ein Geräusch von der Seite des Stalles erschreckte Sophie. In Vorfreude beschleunigte sich ihr Puls, und sie begann an der hölzernen Stallwand entlang zu schleichen.

Im schwachen Schein einer Glühbirne, hoch am Dach des Stalls, konnte sie Werkzeuge und eine Schubkarre sehen. Daneben stand ein halbes Dutzend Heuballen abgeschirmt mit einer Plastikdecke und wartete darauf, sicher im Stall aufgeschobert zu werden.

Während sie beobachtete, zerrte der Wind an der Plastikplane und verursachte das Geräusch, das Sophie zuvor gehört hatte. Callum, dessen langes Haar ihm feucht ins Gesicht hing, kam in Sicht. Er pfiff immer noch leise, trotz des eintönigen Jobs zu dieser späten Stunde. Sein T-Shirt klebte nass an seiner Brust, die Muskeln, von harter Arbeit aufgepumpt, sahen aus wie aus Holz geschnitzt.

Nicht ganz aus Holz, dachte Sophie, Holz ist zu unnachgiebig, zu kalt und tot. Wenn ich ihn jetzt berühren könnte, würden sich die Muskeln warm, fest und sehr lebendig anfühlen. Ich will ihn berühren.

Sie beobachtete das Spiel seine Armmuskulatur, als er einen weiteren Ballen Heu in den Stall trug, und musste daran denken, wie mühelos er sie auf den Tisch in seinem Schuppen gehoben hatte. Dann, kurz bevor er aus der Sicht verschwand – und fast, als ob er Sophies Verlangen weiter entflammen wollte –, zog er das nasse T-Shirt über den Kopf.

Sein blondes Haar, dunkler vom Regen, fiel strähnig auf seine Schulten, und er benutzte das T-Shirt, um die Schweißtropfen von seiner Brust zu wischen. Dann warf er das nasse T-Shirt in die Schubkarre und ging davon, um seinen Job im Stall zu erledigen.

Sophie blickte sich verstohlen auf dem Hof um; er lag verlassen da.

Das ist typisch, dachte sie. In einer solchen Nacht lassen sie Callum alles Winterfutter für ihre Tiere lagern, während sie drinnen im Warmen hocken.

Sie sagte sich, dass sie nur das Beste für Callum im Sinn hatte, und schlich leise zur Stalltür. Als sie hineinschlüpfte, hörte sie Callum, hoch oben auf den Stapeln Heu, leise vor sich hinpfeifen. Er hat eine Belohnung verdient, dachte sie und kicherte in sich hinein. Dieser sündhafte Gedanke veranlasste sie plötzlich, unartig zu sein, und sie zog schnell die Stiefel, Socken, Jeans und Bluse aus. Nach kurzem Zögern entledigte sie sich auch ihrer Unterwäsche und stand zitternd in der kalten Nacht.

Sophie konnte immer noch Callums leises Pfeifen von oben hören, und es wurde ihr klar, je länger sie dort stand, desto größer wurde die Wahrscheinlichkeit, dass jemand sie sehen würde, und so warf sie sich Callums Mantel über, der neben den Heuballen lag, und machte sich auf die Suche nach dem Mann. Eine Leiter führte zum Heuboden des Stalls. Sophie stieg schnell die glatten Sprossen hinauf und spähte über den Rand.

Callum stand mit dem Rücken zu ihr und machte Platz für die letzten neuen Heuballen. Sophie zog sich hoch, warf den Mantel ab und sagte leise: »Überraschung!«

Callum sprang vor Schreck fast in die Luft und fuhr herum. Als er Sophies Nacktheit sah, klaffte sein Mund auf, und er stolperte zurück. Sie schaffte es noch gerade, ihn davor zu bewahren, dass er von den Heuballen fiel, indem sie einen seiner Halt suchenden Arme packte.

Er sank auf die relativ sichere Plattform von Heuballen, und Sophie barg ihren Kopf an seiner Brust.

»Es tut mir leid«, sagte sie und pflückte ihm getrocknete

Halme vom Rücken. Wenigstens fühlte sie sich jetzt warm, geschützt vom Wind und durch Callums Körper. »Jetzt weißt du, wie man sich dabei fühlt«, konnte sie sich nicht verkneifen, beiläufig zu sagen.

»Was, wenn man sich erschreckt?«, murmelte er glücklich zwischen ihren Brüsten.

»Nein, ich meine, wenn sich Leute heranschleichen.«

»Du könntest dich jederzeit an mich heranschleichen. Wo sind übrigens deine Sachen?«

»Unten. Ich wollte dich überraschen!«

»Mich überraschen? Du hättest mich fast umgebracht!«

»Nun, jedenfalls wärst du glücklich gestorben.«

»Nicht sehr glücklich, weil ich gewusst hätte, dass ich eine Gelegenheit verpasst habe, eine schöne Frau zu befriedigen.«

Sophie löste sich von ihm, setzte sich auf seinen Mantel und posierte aufreizend. »Nun, dann befriedige mich jetzt. Für den Fall, dass du in den nächsten Minuten einen Herztod erleidest!«

Callum kroch auf Händen und Knien zu ihr. Sein Haar hing in feuchten Strähnen um sein Gesicht, und Sophie bemerkte, dass er einen goldenen Ring im Ohr trug, was ihn wie ein Pirat wirken ließ. Er setzte sich mit gespreizten Beinen vor sie hin, den Kopf gesenkt, die Hände auf ihren Handgelenken, und schaute sie unter gesenkten Lidern an.

»Ich sollte mich rächen für diesen kleinen Trick«, sagte er, während Sophie Gleichgültigkeit vortäuschte. Und dann knurrte er unheilvoll wie ein großer, gefährlicher Hund und senkte den Kopf, als wollte er zubeißen.

Sophie quietschte auf und zappelte, als er sich auf sie stürzte, als sein Mund ihre empfindsamsten Stellen fand, sich jedoch auf kurzen Kontakt beschränkte. Sie war atemlos und erregt, als sich sein Mund auf ihre Lippen legte. Es war nur ein verspielter Kuss, der den Wunsch auf mehr weckte.

Er tauchte den Kopf zwischen ihre Beine, und ihr stockte der Atem, als er zu lecken begann. Sie versuchte, ihn von sich zu schieben, doch er hielt seinen Kopf fest an seinem Platz eingeklemmt, barg sein Gesicht in ihrem blonden Busch.

Sophie hatte das Gefühl, eine Frucht zu sein, die von ihrem Liebhaber gepflückt und verschlungen wurde. Sie konnte nur stöhnen und seinen Kopf halten und sich zu ihm aufbäumen, damit er ein Verlangen stillen und die saftige süße Frucht kosten konnte.

Sophie genoss das wundervolle Gefühl. Sie entspannte sich völlig und legte sich zurück. Sie fühlte sich sicher und zufrieden im warmen, duftenden Heu. Draußen rüttelte der Regen an den Stallwänden; drinnen beobachtete Sophie, wie Callums langes Haar über ihre Oberschenkel glitt, und sie spürte, wie ein wachsendes und starkes Verlangen in ihr aufstieg.

Dieses Mal, dachte sie, werde ich ihn spüren lassen, wie sehr ich ihn begehre. Es war schließlich meine Idee; ich habe das Sagen.

Mit Mühe entzog sie sich Callums schleckendem Mund. Er stöhnte auf und versuchte sie zurückzuziehen, doch sie widerstand und öffnete seinen Gürtel. Glücklich zog er den Reißverschluss auf und streifte Hose und Slip hinab. Als sein Penis entblößt war, schob Sophie Callum aufs Heu hinab und kletterte auf ihn. Er versuchte ziemlich halbherzig, sich aufzusetzen, doch Sophie küsste seine Lippen, die noch von seiner Schleckerei glänzten, und nutzte ihr Gewicht, um ihn dort zu halten, wo sie ihn wünschte. Callums Blick glitt bewundernd über Sophies pralle Brüste, die schmale Taille und die honigblonde Haarfülle, die sie ungeduldig aus dem Gesicht schüttelte. Sie grinste ihn frech an, obwohl sie nicht sicher war, wie er darauf reagierte, dass sie die Initiative übernahm. Sein Lächeln ermunterte sie.

Sie neigte sich über seine zitternde Erektion. Als Callum die Hüften zu ihr aufbäumte, begierig darauf, in diesem dunklen, geheimnisvollen Paradies zu sein, lächelte Sophie wieder, sie ließ sich langsam auf den Penis sinken und schloss zufrieden die Augen.

Callum stöhnte auf und stieß so weit hoch, wie er in ihre Wärme gelangen konnte, doch Sophie entzog sich ihm, neckte ihn, wollte ihn so früh nicht ganz in sich aufnehmen, und das veranlasste ihn, von neuem aufzustöhnen.

Sophies Gesicht war eine Maske der Konzentration, als sie darum kämpfte, das Gleichgewicht zu behalten. Callums Muskeln waren angespannt und hart, und sein Penis blieb beharrlich, doch immer noch spielte Sophie mit ihm, ließ ihn nie so tief in sich hinein, wie er es wünschte. Sie lächelte vor sich hin, denn sie wusste, dass sie diesmal sein Vergnügen so gut beherrschte wie ihr eigenes. Es war ein gutes Gefühl, einen starken Mann wie Callum ihrer Gnade auszusetzen.

Nicht, dass sie nicht auf ihre Kosten kam – im Gegenteil! Sie war dem Höhepunkt nahe und konnte sich jederzeit gehen lassen, doch sie wollte ihre Dominanz noch ein bisschen länger auskosten. Sie lehnte sich zurück und tastete hinter sich nach Callums Oberschenkeln. Sie schob eine Hand zwischen seine Beine und war begierig darauf, die Stelle zu finden, an der sie so perfekt zusammenpassten.

Callum reagierte sofort; er bockte wie ein temperamentvolles Pferd, riss die Augen weit auf und versuchte ihre Hand wegzuziehen.

»Sophie, nicht! Dann komme ich zu schnell!«

Sie verstärkte den Druck mit ihren Knien instinktiv, wie sie es gelernt hatte, um sich auf einem Pferd zu halten, wenn es sie abwerfen wollte. Sie lächelte in sich hinein, als er sich unter ihr wieder entspannte, und dann, bevor er weitere Einwände erheben konnte, wappnete sie sich auf alle möglichen Reaktionen und schob eine kühle Hand fest um seine Hoden.

»Sophie! Nein, tu das nicht!«

Doch sie erfreute sich selbst, genoss die Macht über ihn und die Tatsache, dass jede seiner Bewegungen ihn tiefer in sie hineinstieß. Sophie verschränkte ihre Hände unter ihm und ignorierte sein Stöhnen. Sie bewegten sich jetzt gleichzeitig, Callum hob sich so hoch wie möglich vom Heu, um so tief wie möglich in sie hineinzutauchen. Sophie spürte die Härte zwischen den Schenkeln, das süße Kribbbeln in ihrem Unterleib, und sie wollte Callum für immer dort haben, in und unter ihr.

Er kam jetzt und entlud sich in gewaltigen Stößen, die Augen geöffnet, jedoch ohne etwas wahrzunehmen. Er stöhnte ihren Namen, doch sie machte weiter, war entschlossen, die letzten Momente seiner Härte zu genießen. Sie umschloss ihn, ihr eigener Höhepunkt kam in Wellen fast unerträglicher Lust, bis sie auf seine Brust hinabsank. Ein Seufzen entfuhr ihnen fast gleichzeitig, und sie mussten lachen.

Es fühlte sich gut an, Callums Arme zu spüren, dachte Sophie; sie fühlte sich gut, auf seiner starken Brust zu ruhen. Seine andere Hand streichelte nachdenklich über ihr Haar und veranlasste sie, zu ihm aufzublicken.

»Alles in Ordnung?«

»Ja, klar. Mir geht es prima. Ich war nur ein bisschen überrascht.«

»Es hat dir doch nichts ausgemacht?«

»Hatte es den Anschein? Du kannst mich jederzeit so überraschen. Du kannst mich jederzeit nehmen, wie du magst, ob mit oder ohne Überraschung. Unter einer Bedingung.«

»Was?« Sie war sofort alarmiert, als sie seinen Stimmungswechsel hörte. »Ich meinte, dass mir ernst war, was ich über das Ausgehen sagte.«

»Was hast du gesagt?«

»Ich habe dich gebeten, nicht ohne mich auszugehen.«

Sophie war ein paar Sekunden sprachlos; dies alles klang ernster, als sie erwartet hatte. Sie entschied sich, nicht zu versuchen, es mit einem Scherz abzutun. »Ah, das! Ich gehe nicht aus; wenn, dann wirst du der Erste sein, der es erfährt.«

»Ich mag dich, Sophie.«

»Den leisen Verdacht hatte ich schon!«

»Auch wenn du ein schamloses Flittchen bist, das ahnungslose Gärtner in Versuchung führt!«

Sie setzte sich auf und gab ihm einen spielerischen Klaps. »Du hast das gern!«

»Mir blieb nichts anderes übrig.«

»Du hast es dir gewünscht! Komm jetzt, mir wird's kalt. Hilf mir, meine Sachen zu finden.«

Lachend sammelten sie ihre Kleidung auf, nur um festzustellen, dass der vom Wind getriebene Regen eingedrungen war und alles feucht gemacht hatte. Callum legte wieder seinen Mantel um sie, bündelte ihre feuchten Kleidungsstücke, hob sie auf seine Arme und eilte mit ihr ins Cottage.

Nachdem er ein paar Sekunden nach dem Schlüssel gekramt hatte, stürzten sie, nass und mit zerzaustem Haar, durch die Haustür. Callum mühte sich ab, um die Tür zu schließen, und dann bückte er sich, um etwas aufzuheben, das zwischen Tür und Pfosten eingeklemmt war.

»Was ist das?«

Sophie drehte sich zu ihm um und sah, dass er einen nassen, teuren Lederhandschuh schwenkte. Sie erstarrte und spürte, dass ihre Knie weich wurden.

»Sophie! Was ist los? Du bist kreidebleich geworden.«

Langsam setzte sie sich zitternd an den Tisch. Sie fühlte sich durch den geheimnisvollen Fremden verfolgt. »Es ist ... etwas, mit dem ich fertig werden muss.«

Er war besorgt. »Lass mich helfen. Was ist es?«

»Das kann ich dir nicht sagen.«

»Was? Warum nicht?«

»Ich kann es dir einfach nicht sagen, Callum.«

Seine Stimme klang freundlich. »Du kannst mir alles sagen, hoffe ich.«

»Nein. Das nicht.« Sie bemühte sich um ein Lächeln. »Es ist nur ein Handschuh, es war einfach ein Schock, ihn dort liegen zu sehen.«

»Wessen Handschuh ist das?« Er klang jetzt ärgerlich. »Gibt es da etwas, das ich wissen muss?«

»Ich weiß nicht, wem er gehört. Bitte, mach dies nicht noch schwieriger für mich.«

»Für dich? Weißt du, es ist nicht gerade leicht für mich. Ich treffe eine Frau, in die ich mich verknalle, und muss dann feststellen, dass sie Geheimnisse vor mir hat!« Er wandte sich wütend um.

Als er sich ihr wieder zuwandte, waren seine Züge weicher geworden. Er trat zu ihr. »Es kann nicht so schlimm sein, Sophie. Erzähl mir bitte alles.«

»Das geht nicht, Callum. Ich kann es einfach nicht. Es ist nicht, als gäbe es einen anderen – nun, es gibt einen, aber nicht das, was du meinst.«

Für einen Augenblick war sein Gesicht finster. Dann drehte er sich ohne ein Wort auf dem Absatz um und ging. Und Sophie fühlte sich elend und blieb zitternd am Küchentisch zurück.

Fünftes Kapitel

Sophie ging über den Kiesweg und blies Atemwölkchen in die kühle Luft. Die Büsche, Bäume und der Rasen waren mit Raureif bedeckt, und sie wunderte sich, wie plötzlich der Herbst gekommen war.

Neben dem Schuppen zog Callum schwere Stiefel an und hüpfte so komisch herum, dass Sophie sich zwingen musste, keinen Lachanfall zu bekommen. Sie blieb stehen und hielt ihm den Mantel hin, den sie sich vor zwei Nächten geborgt hatte.

»Ich habe ihn zurückgebracht.«

»Danke.« Er nahm ihn entgegen, ohne ihr in die Augen zu sehen, warf ihn in den Schuppen und begann dann zwischen seinen Werkzeugen herumzukramen.

»War's das, Callum?«

Als er sich aufrichtete, um ihr voll ins Gesicht zu sehen, war Sophie bestürzt. Seine Augen, normalerweise so voller Leben, waren matt und ausdruckslos. Er starrte sie fast eine halbe Minute an, bevor er etwas sprach.

»Was soll ich sagen? Was willst du hören?«

»Rede mit mir, Callum. Es tut mir leid, wenn ich deine Gefühle verletzt habe, aber ich muss mir selbst erst über einige Dinge klar werden.«

Eine Spur von Schmerz war auf seinem Gesicht zu sehen, bevor es wieder wie eine ausdruckslose Maske wirkte.

»Mach dir keine Sorgen wegen meiner Gefühle – ich bin nur ein Gärtner, ich habe keine.«

Sophie machte eine ärgerliche Geste und schritt zum

Haus. Wenn er sich kindisch verhalten wollte, sollte er nur. Sie hatte keine Zeit für Callums Launen; sie war zu Catherine gerufen worden.

In der Halle blickte sie auf ihre Uhr. Sie hoffte, sie hatte ihre Arbeitgeberin nicht verpasst. Was sie zu fragen hatte, war wichtig, ganz gleich, wie beiläufig sie es vorbrachte. Schließlich tauchte Catherine auf, tadellos in ihrem marineblauen Kostüm. Sie winkte Sophie, ihr zu folgen, als sie die Vorbereitungen für ihren Aufbruch traf.

»Eine Reithose für Gina«, sagte sie und steckte Autoschlüssel, Lippenstift und Handtasche in eine Tragetasche. »Ich werde Butlers in der Queen Street anrufen und Ihren Besuch ankündigen. Wir haben ein Konto bei ihnen, darauf können Sie einkaufen. Ich werde Mr. Butler sagen, dass er die Reitstiefel für Sie auch auf unser Konto schreibt.«

Als Sophie einen Einwand vorbringen wollte, hob Catherine eine Hand.

»Ich will kein Wort mehr darüber hören. Ich weiß, dass unsere Pläne Ihnen das Wochenende vermasselt haben, und ich weiß, dass dieser elende Buzz Ihnen auf die Stiefel getrampelt ist. Dies ist meine Art zu versuchen, es wiedergutzumachen. Sie haben übrigens einen hübschen Schal.«

»Danke«, sagte Sophie, so verblüfft, als hätte Catherine ihr die Kronjuwelen geschenkt. Geistesabwesend betastete sie den weichen Seidenschal am Hals.

»Ich kann Ihnen leider nicht die Autoschlüssel geben. Jean wird den Wagen später brauchen, um die Kinder abzuholen. Ich kann Sie in der Stadt absetzen, das heißt, wenn Sie jetzt bereit sind.«

»Das geht in Ordnung, danke. Rosie kommt mich später abholen.«

»Rosie? Ich wusste nicht, dass Sie mit Rosie einkaufen gehen.«

»Nun, ja, es war sie, die . . .«

»Können Sie Butlers finden?«

»Das nehme ich an . . .«

»Prima, dann muss ich fahren.«

»Warten Sie!«

Catherines Augenbrauen hoben sich. »Gibt es ein Problem?«

»Nein, nein. Eigentlich nicht.« Sophie nahm all ihren Mut zusammen. »Ich wollte Sie nur etwas fragen. Könnten Sie mir sagen, wer noch Schlüssel zu meinem Cottage hat?«

»Nun, wir, James und ich. Und Sie. Beantwortet das Ihre Frage?«

»So gut wie. Dann hat niemand sonst Zugriff auf den Schlüssel?«

»Nicht, dass ich wüsste.« Catherine, ungeduldig darauf, wegzukommen, wandte sich von Sophie ab.

»Diese Schlüssel«, fragte Sophie tapfer. »Wo werden sie aufbewahrt?«

Catherine verharrte mit ihrer Tragetasche und betrachtete Sophie scharf.

»Dort«, sagte sie.

Sophie blickte auf das hölzerne Schlüsselbrett an der Wand neben der Haustür; daran hingen viele Schlüssel. Ihr dämmerte, dass die Schlüssel zum Cottage dort an einem Haken hingen, leicht zu sehen, neben einer Tür, die nie verschlossen war. Sie fühlte sich unbehaglich.

»Gibt es da ein Problem?«, fragte Catherine mit stechendem Blick.

»Ich würde mich besser fühlen«, sagte Sophie schwach, »wenn die Schlüssel zum Cottage irgendwo aufgehoben werden, wo sie sicherer sind. Ich meine, die vordere Tür ist immer offen.«

Catherine winkte mit perfekt manikürter Hand ab. »Blödsinn! Wer würde schon die Schlüssel zum Cottage klauen? Und außerdem würde Brin bellen, wenn sich ein Fremder auf den Zufahrtsweg wagt.«

Sophie sah vor ihrem geistigen Auge den fast tauben, zahnlosen Labrador, wie er über den Hof schlich und von den Pferden fast niedergeritten wurde, deren Nahen ihn völlig überraschte.

»Brin«, wiederholte sie benommen.

»Natürlich«, versicherte ihr Catherine, die alle Geduld bei der Unterhaltung verloren hatte. »Wenn es Sie beruhigt, können Sie James bitten, die Schlüssel in seinem Arbeitszimmer einzuschließen. Wie wäre das? Ich muss unbedingt fahren.«

Es ist ein bisschen spät für vorbeugende Maßnahmen, dachte Sophie und beobachtete den hastigen Aufbruch ihrer Arbeitgeberin. Warum lasse ich nicht meine Tür einfach unverschlossen und hänge ein Schild auf. JEDER IST WILLKOMMEN.

Sie stolperte die Treppe hinab, fiel über Brin – der ihr Kommen nicht gehört hatte – und ging zum Cottage zurück, immer noch benommen von Catherines Selbstgefälligkeit. Das Einzige, was sie etwas aufheiterte, war der Gedanke, was Rosie sagen würde, wenn sie ihr die jüngste Ungeheuerlichkeit erzählte.

In einem Aufruhr der Gefühle wartete sie darauf, dass ihre Freundin sie abholte. Callums mürrisches Verhalten war deprimierend, doch Sophie wusste, dass er ihr nicht die Bedingungen einer Beziehung diktieren konnte; ihre Privatsphäre war wichtig für sie. Sie kannte ihn ja noch nicht lange und konnte nicht wissen, wie er reagieren würde, wenn sie ihm die Wahrheit über ihren geheimnisvollen Besucher erzählen würde. Und außerdem, dachte sie, wird es kaum den plötzlich entstandenen Riss zwischen uns kitten, wenn ich ihm die Wahrheit über mein nächtliches Erlebnis erzähle.

Aber, dachte Sophie, was ist mit Catherine los? Das ist ja eine Überraschung! Warum hat sie darauf bestanden, mir die Stiefel zu bezahlen? Das brauchte sie nicht; die anderen waren alt und billig gewesen. Catherine war nicht verantwortlich dafür, dass Sophie anständige Stiefel trug.

Sie hat Schuldgefühle, dachte Sophie. Sie bereut vermutlich, dass sie mich nicht anständig behandelt hat, und dazu hat sie auch allen Grund.

Sophie legte sorgfältig ihr Make-up auf. Sie schminkte sich selten, doch heute war ein besonderer Tag. Es war schön, einen Vorwand zu haben, etwas anderes als eine Reithose zu tragen, und sich auf ein Mittagessen in einem Restaurant zu freuen, statt eine Fertigsuppe in der winzigen Küche zu verschlingen.

Als die Autohupe vor ihrem Fenster ertönte, sprang Sophie aus der Tür, wollte abschließen und dachte dann: Warum soll ich mir die Mühe machen?

Rosie fummelte an der Musikanlage herum, während das Baby auf dem Rücksitz im Kindersitz mit rotem, verschwitztem Gesicht plärrte. Als Sophie die Beifahrertür öffnete, traf sie der Lärm aus dem Wageninnern wie ein Schlag. Sie konnte nicht glauben, dass so ein kleiner Mensch so ohrenbetäubenden Krach machen konnte.

»Himmel, Rosie. Wo ist der Lautstärkeregler?«

»Ich wollte gerade etwas Musik anschalten; das hilft für gewöhnlich.«

»Gute Idee, Lärm mit Lärm zu übertönen. Ist es ein Junge?«

Rosie drehte den Kopf zu dem plärrenden Kind. »Ja. Patrick.«

Sophie betrachtete Patrick; Patrick verstummte.

»Hallo, Patrick«, sagte Sophie unsicher.

Patrick startete mit seinen lautesten Schreien, und Sophie wich entsetzt zurück. »Ist er immer so?«

»O nein.« Rosie wirkte unbeeindruckt. »Er bekommt Zähne.«

»Tatsächlich. Er sieht aus, als würde er explodieren. Ich dachte, Babys schlafen meistens im Auto.«

»Dieses nicht.«

»Wie schade. Kannst du etwas für ihn tun?«

»Ihn weggeben, meinst du?« Rosie fand die Musikkassette, nach der sie gesucht hatte, und legte den ersten Gang ein. »Er hat hat nichts mehr zu beißen.«

»Zu beißen?«

»Er hat einen Zahnring, aber den schmiss er mir vor zehn Minuten an den Kopf. Er fiel unter den Sitz, glaube ich. Hat mich erschreckt, das kann ich dir sagen.«

Die Schreie des Babys wurden leiser, als der Wagen fuhr und die Musik ihren Zauber entfaltete. Patrick brummelte vor sich hin und döste schließlich ein. Die beiden Freundinnen atmeten erleichtert auf.

»Ich weiß nicht, wie viel man dir bezahlt«, sagte Sophie, »aber es ist zu wenig.«

»Du hast Recht, ich müsste viel mehr Lohn bekommen. Aber lassen wir das – wie laufen die Dinge bei dir?«

Sophie erzählte die sonderbare Geschichte von Catherines Großzügigkeit.

»Schuldgefühle!«, stimmte Rosie zu. Sie war empört, dass fast jeder den Schlüssel zum Cottage an sich nehmen konnte.

Dann berichtete Sophie von ihrer Rückkehr mit Callum zur Hütte und dass sie den Handschuh gefunden hatte.

»Ein Hinweis«, freute sich Rosie. »Dies ist aufregend«.

»Überhaupt nicht.« Sophie zeigte ihr den Seidenschal und erzählte ihr von dem Brief. »Und jetzt redet Callum nicht mehr mit mir. Er schmollt, weil er denkt, ich hätte ihm alles erzählen müssen. Selbst wenn ich es gewollt hätte, wäre ich zu verlegen gewesen.«

»Du hast ein aufregendes Leben, nicht wahr?«

»Es ist nicht sehr aufregend zu wissen, dass ein Fremder jederzeit in meine Wohnung kommen kann, wenn er es will. Es ist unheimlich, Rosie.«

»Ah, komm schon! Wenn du dich wirklich bedroht fühlst, hättest du die Polizei angerufen, die Schlösser wechseln lassen oder wärst ausgezogen. Er ist offenbar nicht darauf aus, dir was Böses anzutun; er ist verknallt in dich. Jedenfalls scheint er ein Spinner zu sein.«

»Oh, großartig. Und wie genau soll ich einen Spinner erkennen? Das möchte ich gern wissen.«

»Du weißt, was ich meine. Ich wünschte, ich hätte einen Bewunderer, der mir teure Seidenschals schenkt; es ist lieb.«

»Aber warum die Geheimnistuerei? Das verwirrt mich.«

»Es kann eine Reihe von Gründen dafür geben. Wenigstens hat er diesmal einen Hinweis hinterlassen. Wie sieht denn dieser Handschuh aus?«

»Was soll die Frage? Er sieht wie ein Handschuh aus. Es ist kein Namensschild dran, wenn du das meinst.«

Eine Weile fuhren sie schweigend. Rosie suchte die Straßen nach einem freien Parkplatz ab. Schließlich lenkte sie den Wagen auf eine gerade frei gewordene Parkfläche, und sie stiegen aus.

»Übrigens«, sagte Rosie listig, als sie das Baby und den Buggy ausluden, »was hat Callum so spät in der Nacht in deiner Wohnung gesucht?«

»Frag nicht.« Sophie seufzte, entschlossen, sich nicht den Rest ihres freien Tages durch die Unstimmigkeiten mit Callum verderben zu lassen.

Sie arbeiteten sich systematisch ihren Weg durch das neue Einkaufszentrum. Patrick quengelte und maulte, unterbrochen von ohrenbetäubenden Schreien und dem versuchten Abräumen der Regale. Rosie war unbeeindruckt.

»Es ist die Schuld des Geschäftes«, erklärte sie. »Wenn sie alle Waren so tief anbieten und die Gänge so eng beieinander sind, kann man gar nicht genug auf die Kleinen aufpassen, wenn sie sich nehmen, worauf sie gerade Lust haben.«

Sie setzten sich auf einen Kaffee und ließen das brabbelnde Kleinkind nicht aus den Augen, das sich seiner neu erworbenen Beute erfreute. Sophie seufzte. Das war nicht gerade das, was sie sich unter ihrem freien Tag vorgestellt hatte. Bis jetzt hatten sie den halben Morgen in der Apotheke verbracht, um etwas zur Linderung von Patricks Beschwerden zu finden, und die andere Hälfte in Wickelstationen.

Rosie wirkte ungebrochen nach all den Unannehmlichkeiten. Sie war regelrecht ekstatisch, als sie in einer der Wickelstationen kostenlose Windeln fand.

»Gratiswindeln«, rief sie aufgeregt und hielt den zappelnden Patrick.

»Halt mich zurück«, sagte Sophie sarkastisch, bedauerte es jedoch, als sie das Gesicht ihrer Freundin sah.

Auch das Mittagessen war kein Vergnügen. Rosies Essen wurde kalt, während sie den übel riechenden Inhalt eines Gläschens in den verdrießlichen Patrick löffelte. Als sie ihren Kaffee getrunken hatten, begann Patrick wieder zu weinen, und sie waren gezwungen, zu bezahlen und schnell zu gehen, zur offensichtlichen Erleichterung der anderen Gäste.

»Das Dumme ist, dass wir in diesem Land nicht kinderfreundlich sind«, sagte Rosie und mühte sich ab, Patrick in seinem Buggy anzuschnallen. Er krümmte den Rücken, trompete laut und schlug wild nach ihrem Kopf.

»Die Frage ist: Wollen wir das denn?«, feixte Sophia.

»Er ist nicht immer so.«

»Dessen bin ich mir sicher.« Sophie hatte Mitleid mit ihrer Freundin. Rosies Geduld erstaunte sie; sie an Rosies Stelle wäre mit der Situation nicht fertig geworden.

»Hör zu, Sophie, wenn es dir nichts ausmacht, bringe ich Patrick zurück. Er kommt nicht zur Ruhe, und zu Hause könnte er wenigstens schlafen. Es tut mir leid, wenn es den Tag verdorben hat, aber so könntest du dich wenigstens noch in Ruhe in den Geschäften umsehen.«

Sophie lächelte. »Fahr zurück. Ich hoffe, er gönnt dir bald eine Pause. Ich werde mit einem Taxi nach Hause fahren, wenn ich hier fertig bin.«

Rosie war erleichtert, weil ihre Freundin Verständnis hatte.

»Rosie«, rief Sophie der davoneilenden Freundin nach, »wenn ich Kinder habe, möchte ich jemand wie dich haben, die sich darum kümmert.«

»Danke, Sophie.« Rosie lächelte. »Aber ich weiß nicht, ob das ein Job ist, den ich haben will.« Sie lachten beide.

Es war eine Erleichterung, durch die hell erleuchteten Läden zu wandern, ohne dass Patrick quengelte und plärrte und nach den Auslagen grabschte. Sophie stockte ihren Vorrat an Toilettenwaren auf und kaufte sich ein paar Taschenbücher. Als sie durch das alte Viertel der Stadt spazierte, fand sie ein Geschäft, in dem handgemachte Pralinen verkauft wurden. Sie kaufte eine kleine Pralinenschachtel für Rosie, dann machte sie sich auf die Suche nach der Queen Street.

Alle Läden in diesem Teil der Stadt wirkten uralt. Sie waren kleiner und düsterer als die im Einkaufszentrum, ihr Angebot nicht so einseitig. Jedes Schaufenster bot etwas Einzigartiges an, und angesichts der wenigen Leute auf den Gehwegen fragte sich Sophie, wie diese kleinen Geschäfte überleben konnten.

Butlers – Spezial-Reitausstattung seit 1855 – war größer als die benachbarten Läden. Bei näherem Hinsehen lag das daran, dass aus drei Geschäften eins geworden war und nun den Eindruck einer Reihe von dezent beleuchteten Höhlen bot. Von außen sah der Laden geschlossen aus, doch die Tür ließ sich aufschieben, und sie knarrte und ächzte, als trete heute zum ersten Mal jemand ein.

Sie sind gut sortiert, dachte Sophie und spähte in das Halbdunkel. Da waren Sättel und Zaumzeuge, Artikel für die Pferdepflege, Bücher für Reiter, Schmucksachen und Federhalter und Kugelschreiber. Auf einer Tür im Hintergrund stand UMKLEIDEKABINEN.

Sophie wartete darauf, dass jemand sie bediente. Das Geschäft schien verlassen zu sein, obwohl sie erwartet werden sollte.

»Hallo!«, rief sie. »Hallo, ich bin hier, um eine Bestellung aufzugeben.«

Eine Tür hinter der Ladentheke schwang auf, und ein älterer Mann, vermutlich Mr. Butler, spähte hindurch. Aus dem Zimmer hinter ihm war der Ton des Fernsehers laut zu hören.

»Ah, guten Tag – Sie müssten Mrs. McKinnerneys Mädchen sein. Wie war noch gleich der Name? Sophie.«

Sophie nickte und lächelte, obwohl es ihr nicht sehr gefiel, ›Mrs. McKinnerneys Mädchen‹ zu sein.

»Es ist hier.« Der ältere Mann klopfte auf ein Paket auf der Ladentheke. Sophie stellte amüsiert fest, dass es in braunes Papier eingepackt und mit einem Bindfaden verschnürt war. Für den gibt es noch keine Tragetaschen, dachte Sophie.

»Mrs. McKinnerney sagte etwas von Stiefeln«, fuhr er fort und kramte in seiner Erinnerung. »Ah ja. Ich erinnere mich. Sie sagte, Sie würden ein Paar neue Reitstiefel auswählen, und ich soll sie auf ihr Konto buchen.«

»Das stimmt«, bestätigte Sophie nickend.

»Wie bitte?«

»Ich sagte, ›das stimmt‹.«

»Gehen Sie da hinein.« Er wies auf die Tür mit dem Schild UMKLEIDEKABINEN. »Dort lagere ich alle Fußbekleidung.«

Er winkte sie zur Tür, wollte sich anscheinend nicht zu viel von seinem Fernsehprogramm entgehen lassen.

Der Raum war stockdunkel. Sophie fand den Lichtschalter, ließ die Tür hinter sich zufallen und sah sich um. Sie stand offenbar in einem Lagerraum. Sie versuchte die richtige Größe aus unzähligen weißen Kartons zu finden.

Das war nicht leicht. Die Kartons waren bis zur hohen Decke gestapelt, sodass Sophie auf eine wacklige Leiter klettern musste, um die richtige Größe zu finden, und dann wieder hinabsteigen, um sie anzuprobieren. Als sie schon ungefähr das fünfte Paar anprobiert hatte, hörte sie hinter sich ein schabendes Geräusch. Sie blickte hinab und sah einen blassen Umschlag, der anscheinend unter der Tür hindurchgeschoben worden war.

Sophie nahm das Kuvert mit zitternder Hand. Sie sah darauf die vertrauten Blockbuchstaben und musste tief durchatmen, bevor sie es aufreißen konnte.

Liebste Sophie,
ich bin hier, um Dich zu sehen! Es entzückt mich, dass Du mein Geschenk trägst; es steht Dir noch besser, als ich mir das vorgestellt habe. Bitte, mein Liebling, tu genau das, worum ich Dich bitte; es ist wichtig, dass Du schnell handelst, wenn wir heute zusammen sind. Geh in den Umkleideraum. Binde dir den Schal vor die Augen. Du musst mir vertrauen, Sophie; es ist unbedingt erforderlich, dass Du mich noch nicht siehst. Tu dies jetzt.

Sophie hielt den Atem an. Sie musste zweimal lesen, bevor sie den kurzen Brief verstand, dann erstarrte sie vor Schock. Sie versuchte, einen klaren Kopf zu bekommen, und sprang zur Tür, um sie zu öffnen. Begierig darauf, ihren Verführer zu sehen, zerrte sie sinnlos an dem Türgriff, bevor ihr klar wurde, dass er auf der anderen Seite festgehalten wurde.

Was sollte sie jetzt tun? Sophie überlegte schnell. Wenn sie tat, was er verlangte, konnte sie seine Identität herausfinden. Andererseits konnte sie ihn gegen sich aufbringen, wenn sie sich widersetzte oder ihn verärgerte. Nein, das war unwahrscheinlich. Wahrscheinlicher war, dass sie ihn vertreiben würde. Sophie wollte dieses Geheimnis lösen. Sie könnte den Gedanken nicht ertragen, nie zu wissen, wer dieser Mann war.

Sie würde immer rätseln, in die Augen von Fremden blicken und denken: War er es? Wenn ich ehrlich bin, dachte Sophie, erregt mich der Gedanke, mit diesem fremden Mann wieder zusammen zu sein. Sie konnte sich ihm ebenso wenig entziehen, wie sie ihre Natur ändern konnte.

Sie stolperte durch den Raum, trat Kartons aus dem Weg. Sie betrat die Umkleidekabine, zog die Tür hinter sich zu und band sich den Seidenschal als Augenbinde um. Durch die fast durchsichtige Seide konnte sie immer noch das Licht unter der Tür sehen.

Ist ihm nicht klar, dachte sie, dass ich durch den dünnen Stoff fast hindurchsehen kann? Und in diesem Moment erkannte sie, wie weit sie darauf vorbereitet war, die Fantasien ihres Bewunderers anzuheizen. Der Gedanke, dass es vielleicht möglich war, diesmal das Gesicht des Mannes zu sehen, erregte sie sehr und ängstigte sie zugleich.

Sollte ich nach jemandem rufen?, fragte sie sich. Aber wer würde mich hören? Mr. Butler war nicht nur schwerhörig, sondern auch süchtig aufs Fernsehen, und die Chancen, dass irgendwelche anderen Kunden den Laden besuchten, waren gering. Aber, fragte sich Sophie, willst du überhaupt, dass jemand dir hilft? Hast du dir das nicht gewünscht?

Sophie ließ sich auf einen kleinen, mit Samt bezogenen

Hocker sinken, der in der Ecke des Umkleideraums stand. Ihre Beine zitterten. Sie glaubte, schon seit Stunden so zu sitzen, und spielte gerade mit dem Gedanken, die Augenbinde abzunehmen, um den Brief noch einmal zu lesen, als sie hörte, dass die Tür des Umkleideraums geöffnet wurde. Fast sofort erlosch der Lichtschein, den sie durch den Seidenschal wahrgenommen hatte.

Er hat das Licht ausgeschaltet, dachte sie und kämpfte gegen die Aufregung an, als sie hörte, dass er die Außentür hinter sich schloss. Dann nahm sie Schritte wahr und das Schaben einer Hand nach der Tür. Sophie konnte sich nicht zurückhalten. Sie sprang auf und schob die Tür auf.

»Ich bin hier«, flüsterte sie.

Sofort zogen starke Hände die Tür zu, und Sophie spürte einen Luftzug, als ihr ungesehener Liebhaber eintrat und die Tür schloss.

Bevor Sophie Atem holen konnte, nahm er sie in seine Arme und drückte sie verlangend an seine Brust. Nach dem Material, das sie an ihrem Gesicht fühlte, schloss Sophie, dass es ein Hemd war. Sie spürte, wie sein Herz unter dem Baumwollstoff hämmerte.

Er hielt sie lange fest, und sie beide versuchten, ihren Atem zu kontrollieren; dann schoben starke Hände sie sanft fort, und sie wartete bebend darauf, was er als Nächstes tat.

Sie brauchte nicht lange zu warten. Die Hände ertasteten sie in der Dunkelheit, streichelten zärtlich über ihr Gesicht, fanden ihre Lippen. Sie spürte einen begierigen Mund darauf, und dann drang seine Zunge ein. Der Kuss war tief, sinnlich und enorm erregend. Es war die Art Kuss, bei dem Sophie sich schwach fühlte. Ein besitzergreifender, verlangender Kuss. Als Sophie und ihr Liebhaber sich schließlich voneinander lösten, um Luft zu holen, erkannte sie, dass sie sich nach der Erfüllung ihres Verlangens sehnte.

»Wer bist du?«, keuchte sie. »Bitte, sag es mir.«

Sie spürte einen Finger auf ihren Lippen, als wollte er ihr Schweigen gebieten, und eine Hand umfasste eine ihrer Brüste. Sophie zuckte zusammen, als die große Hand sie drückte und liebkoste, und ihre Erregung wurde sofort augenkundig, als die Nippel gegen den dünnen Stoff ihrer Bluse stießen.

Die Finger öffneten erfahren die Knöpfe, und dann wurde die Bluse über ihre Schultern gestreift. Ihr Rock folgte fast sofort, und Sophie hörte den Mann scharf einatmen, als er entdeckte, dass sie Strümpfe trug. Einen Augenblick glitten seine Finger spielerisch über ihren flachen Bauch und zwischen ihre Schenkel, verharrten nur, um liebevoll ihre Brüste durch die Spitze ihres BHs zu streicheln. Dann spürte sie plötzlich, wie der Verschluss des BHs gelöst und er ihr abgestreift wurde, während sich die andere Hand des Mannes zwischen ihren weichen Haarbusch und den Saum des Slips legte und ihn sanft hinabzog.

Sophie fühlte sich schwindlig, als die glatten Hände ihren Körper erkundeten, ihre Brüste umfassten, ihren Po drückten und ihre Scham streichelten. Seine Hände bewegten sich begierig und geschickt, sodass sie nie wusste, welcher Teil ihres Körpers dankbare Empfängerin seiner Aufmerksamkeit sein würde. Jeder Zoll ihres Körpers wurde mit Wonne gekostet. Der Fremde gab Sophie das Gefühl, begehrt zu werden.

Sie stöhnte und hielt sich am Geländer fest, das sie neben sich an der Wand ertastet hatte. Die vokalen Erwiderungen ihres Liebhabers waren minimal: ein Aufstöhnen, als er fühlte, wie feucht sie war, und ein Keuchen, als Sophies Hand die Wölbung seiner Hose gefunden hatte. Sie zog den Reißverschluss auf, und ihr Liebhaber hielt den Atem an. Sein Penis sprang in Sophies Hand, als gehörte er dorthin.

Sie versuchte, das zugeknöpfte Hemd des Mannes zu öffnen, aber ungeduldig schob er ihre Hände weg und gab ihr zu verstehen, dass sie seine Hose hinabziehen sollte.

In der Dunkelheit fand er den mit Samt bezogenen Hocker. Er drehte Sophie herum und lehnte sich über sie, sodass der Baumwollstoff ihren Leib streichelte und ihre Haut kitzelte, und sie erschauerte vor Erwartung, als er seine Hände begierig über ihren entblößten Po gleiten ließ. Er hob sie in die gewünschte Position. Sie spürte, wie er seine Position hinter ihr einnahm, und stöhnte auf, als sein Finger ihre geheime Stelle fand und behutsam in sie eindrang. Sophie wölbte sich ihm entgegen; sie wollte mehr von ihm spüren. Sie fühlte sich wie eine Blume, die sich am ersten Frühlingstag öffnete.

Sie merkte, wie sich ihr Liebhaber hinter sie kniete, und wusste, was als Nächstes kommen würde. Sie war mehr als bereit dazu – sie wünschte es. Obwohl sie vorbereitet war, hatte sie nicht gedacht, dass es sich so gut anfühlen würde; sein Penis glitt in sie hinein wie eine Hand in einen Handschuh. Er schien sie wunderbar auszufüllen, nicht weil er ein großer Mann war – das war er nicht – doch er wusste genau, sich zu ihrem Vorteil in ihr zu bewegen, und Sophie war wie verzaubert von den Gefühlen, die sein tief eindringender Penis in ihr auslöste.

Die Hände des Mannes bewegten sich jetzt hinauf, um ihre Klitoris zu ertasten und zu reizen, und Sophie begann sich mit ihm zu bewegen, begierig darauf, ihn so gut zu befriedigen wie er sie. Ihr leises, animalisches Stöhnen wurde lauter, wurde gutturales Keuchen, als er ihre Hüften fest packte und rhythmisch tiefer und tiefer in sie stieß.

Sophie wurde plötzlich vom Höhepunkt überrascht und schrie auf. Ein weiterer Schrei folgte, dann noch einer. Sophie wand sich auf dem Hocker, und die Wogen der Lust schlugen über ihr zusammen.

Ihr Geliebter, der nachgelassen hatte, als die herrlichen Gefühle sie im Griff gehabt hatten, schien jetzt entschlossen zu sein, seine Bemühungen zu erneuern. Er legte beide Hände auf ihre Hüften, hielt sie genau so, wie er sie haben wollte, und machte sich daran, sich selbst zu befriedigen.

Er strahlte jetzt nackte Lust aus. Sophie spürte seine Kraft und Stärke, als er sie stieß, und ihre Anwesenheit schien fast zufällig bei seinem Vergnügen dabei zu sein. Wer auch immer dieser Mann war, er war es gewohnt, zu bekommen, was er wollte. Obwohl er sanft zu sein scheint, dachte Sophie, möchte ich nicht das Opfer seines wilden Egoismus sein, der seinen Charakter zu bestimmen scheint.

Seine Finger gruben sich in ihre Seiten, und Sophie spürte, wie seine Hoden gegen ihr Gesäß klatschten. Dann versteifte er sich und hielt sie schließlich fest, während es ihm zitternd kam. Er sank befriedigt auf sie, und Sophie dachte für einen Moment, dass er in diesem Augenblick so verletzlich wie sie war, nur ein Mann aus Fleisch und Blut wie jeder andere. Es währte nicht lange. Bevor sie sich an seine mehr menschliche Seite gewöhnen konnte, stand er auf und war wieder ein mechanischer Liebhaber.

Bevor Sophie protestieren oder auch nur die Augenbinde entfernen konnte, verriet ihr der Luftzug, dass er auf dem Weg aus dem Umkleideraum war.

»Warte!«, rief sie und versuchte auf die Beine zu kommen.

Das Klicken der Tür zum Laden ertönte, während sie immer noch am Griff der Tür des Umkleideraums fummelte. Sophie riss sich die Augenbinde vom Kopf, betete, dass niemand hereinkam, und taumelte durch den Raum zum Lichtschalter. Als sie ihr Spiegelbild sah – nackt, erhitzt, zerzaust –, flüchtete sie zurück, um ihre Kleidung zu suchen und sich zu beruhigen.

Als sie Minuten später durch die Tür in den Laden stürzte, schaute sie sich wild um, als erwartete sie, dass der Mann hier auf sie wartete. Der Laden war natürlich verlassen.

»Mr. Butler«, rief sie laut. »Mr. Butler, sind Sie da?«

Der ältere Gentleman kam alarmiert durch die Tür seines Zimmers, in dem er ferngesehen hatte.

»Ich hatte vergessen, dass Sie hier sind«, sagte er.

»Ist ein Mann soeben aus dem Geschäft gegangen?«

»Ein Mann?«

»Kam ein Mann nach mir ins Geschäft?«

»Nun, ich habe keinen gesehen. Aber wissen Sie« – er wies zum lauten Fernseher – »ich höre nicht sehr gut.«

Sophie sank auf den Sessel neben der Ladentheke. Es war wirklich perfekt: ein Laden, in dem es selten Kunden gab, ein Verkäufer, der nicht hörte, wann die Tür ging, und ein Umkleideraum, wo man ungestört war. Das Risiko für ihren Verführer war minimal.

Was Sophie wirklich beunruhigte, war die Frage, wie hatte er gewusst, wo er sie finden konnte? War es geplant gewesen? In diesem Fall hatte jemand herausgefunden, dass sie einen freien Tag hatte und, noch unheimlicher, dass sie dieses besondere Geschäft besuchen würde. Das alternative Szenarium war, dass ihr geheimnisvoller Liebhaber jeden ihrer Schritte beobachtete und einfach die Gelegenheit ergriffen hatte, sie allein zu erwischen. Sophie erschauerte; sie war sich nicht sicher, welche der Möglichkeiten ihr am wenigsten gefiel.

»Könnten Sie mir bitte ein Taxi bestellen?«, fragte sie zaghaft.

»Selbstverständlich, selbstverständlich.« Mr. Butler, auf dem Weg in seinen kleinen Raum, wandte sich um. »Fühlen Sie sich gut? Sie sehen ein wenig blass aus, wenn ich das sagen darf. Haben Sie keine passenden Stiefel gefunden?«

119

Sophie starrte ihn verdutzt an. Dann sprang sie auf und eilte in die Umkleidekabine und den Lagerraum zurück. Sie nahm den ersten Schuhkarton mit ihrer Größe, den sie finden konnte, und lief in den Laden zurück.

»Die sind schön«, stammelte sie.

Mr. Butler wickelte sie in braunes Packpapier ein und kicherte vor sich hin – unpassend, fand Sophie. Als er den Bindfaden verknotete, neigte er sich vor und schaute in Sophies Augen.

»Ich glaube«, flüsterte er, »Sie hatten eine kleine Überraschung. Habe ich Recht?«

Sophie wandte ihm ihr verständnisloses Gesicht zu und blinzelte benommen. »Wie meinen Sie das?«

Er richtete sich zu seiner vollen Größe auf. »Die Leute sind immer ein bisschen verblüfft über das gewaltige Warenangebot, das ich in diesem Hinterzimmer lagere«, prahlte er. »Dort ist es wirklich wie in einer Zauberhöhle.«

Sechstes Kapitel

»Erzähl Sophie, was sie dir über das Frühstück gesagt hat«, kicherte Jo zwischen zwei Bissen Toast. »Na los, erzähl es ihr, Mrs. C.«

Sophie – die normalerweise auf ein großes Frühstück verzichtete – aß begeistert die Rühreier, Tomaten und Champignons und hatte ein aufmerksames Publikum, das aus Jo und Mrs. Clegg, der Haushälterin der Newton-Smiths, bestand.

»Oh, diese Frau!« Mrs. Clegg war eine Entertainerin von höchstem Kaliber. Jede Unterhaltung mit ihr war mit Klatsch, Gerüchten und Spitzfindigkeiten erfüllt; ihre Ankündigung des Frühstücks hätte schon einen Preis verdient gehabt.

»Sag es ihr«, drängte Jo und trank einen Schluck Kaffee.

»Du wirst es nicht glauben«, erklärte Mrs. Clegg und warf die Hände in die Luft. »All dieses Geld und keine Klasse! Und ich weiß das, ich habe für die Besten gearbeitet. Sie sagte zu mir – das war gestern, bevor ihr alle eingetroffen seid – sie sagte: ›Mrs. Clegg, vergessen Sie nicht, dass Toast und Beilagen nur für die Küche bestimmt sind. Und gekochte Frühstücke für das Esszimmer.‹ Können Sie das glauben? Ich gab vor, verwirrt zu sein, und sie sagte, dieses Wochenende kostet sie schon genug, ohne dass sie Mahlzeiten für ›den ganzen Anhang‹ ausgeben muss. Das waren ihre Worte! So sagte ich ihr, dass dieser Anhang aber die Leute sind, die arbeiten, und ich möchte, dass sie sich ihr Frühstück aussuchen. Das machte sie sprachlos!«

Sophie setzte eine angewiderte Miene auf, und das war

alle Ermunterung, die Mrs. Clegg brauchte, um weitere ihrer Weisheiten loszuwerden.

»Es ist ja nicht so, als hätten sie kein Geld«, versicherte sie Sophie. »O nein! Die schwimmen darin.« Sie senkte die Stimme, als hätte sie etwas Unanständiges mitzuteilen. »Sie tippen auf Football-Wetten und gewinnen«, gab sie preis und rümpfte die Nase. »Ich weiß nicht, was sie dafür ausgeben, aber ich weiß, was sie sich *nicht* dafür kauft. Wollt ihr es wissen? Neue Unterwäsche!«

Sie legte eine Pause ein, als wollte sie abwarten, dass Sophie der volle Horror dieser Enthüllung klar wurde. Sophie versuchte nicht zu Jo zu blicken, die sich das Lachen kaum verkneifen konnte.

»Wird sie neue Unterwäsche kaufen? Nein, das wird sie nicht. Ich habe ihr sogar angeboten, sie zum Einkaufen mitzunehmen – aber nein!«

Sophie, die sich überhaupt nicht sicher war, ob sie mehr über Mrs. Newton-Smiths Unterwäsche wissen wollte, schüttelte betrübt den Kopf.

»Grau ist sie! Grau!« Mrs. Clegg leerte den Geschirrspüler, immer noch mit empörter Miene.

Als Jo und Sophie aus der Küche entkamen, waren sie vor unterdrücktem Gelächter rot im Gesicht.

»Sie ist zum Schreien«, prustete Sophie. »Aber ich hoffe, wir geraten uns nie in die Wolle!«

»Oh, da brauchst du dir keine Sorgen zu machen. Ihre Empörung gilt nur Leuten, die nicht nach ihren finanziellen Verhältnissen leben. Eigentlich ist sie die Einzige in diesem Haus, die mich bei Laune hält. Sie ist immer sehr gut zu mir gewesen. Wie dem auch sei, ich muss jetzt los, um zehn schreckliche Kinder zu unterhalten – was machst du?«

»Anscheinend besteht mein erster Job darin, die arme Gina zu einer Reitstunde zu bringen. Ich dachte, wenigstens dieses Wochenende würde ihr eine Pause gegönnt – sie könnte zur Abwechslung mal mit anderen Kindern spielen. Die arme Kleine. Das wäre genau das, was sie braucht.«

»Kannst du nicht ein paar andere mitnehmen, damit sie ihr Gesellschaft leisten? Tara hat ein eigenes Pony, und Katie Field ist eine gute kleine Reiterin. Sie könnte leicht mit Jems Pony zurechtkommen.«

»Keine schlechte Idee! Ich könnte einige Rennen und Spiele veranstalten. Das würde dich auch ein bisschen entlasten.«

»Weißt du was? Ich könnte die Kleinen bringen, die Beifall klatschen, wenn du Rennen machst.«

»Großartig. Gib mir nur eine Stunde, um Gina schnell zur Reitstunde zu bringen. Ihre Mutter wird einen Anfall bekommen, wenn sie denkt, der ganze Tag wäre mit Spaß vergeudet worden!«

Sophie hatte den gestrigen Tag damit verbracht, Pferde und Ponys in den Ställen der Newton-Smiths einzugewöhnen, nach einer Albtraumreise, die mit einem Krach begonnen und geendet hatte.

Catherine war wie üblich übellaunig gewesen, sie hatte darauf bestanden, das Be- und Entladen des Pferdetransporters zu beaufsichtigen, obwohl sie offenbar im Haus gebraucht wurde. Als James sie gesucht hatte, hatte es einen heftigen Streit gegeben, der dazu führte, dass Catherine sich weigerte, auch nur einen kleinen Finger für den Rest der Vorbereitungen zu rühren. Das Zetern und Schreien hatte die Pferde unruhig werden lassen, und so hatte Sophie sich verpflichtet gefühlt, mit ihnen hinten im Pferdetransporter zu fahren, während James am Steuer gesessen hatte. Catherine war mit Kindern und Gepäck hinter ihm gefahren, und das hatte einen weiteren wütenden Streit ausgelöst, weil sie den Pferdetransporter auf dem Weg zu den Newton-Smiths in einem wahnsinnigen Tempo überholt hatte.

Während das die aufgeregten Kinder erfreut hatte, hatte es James McKinnerney zu einem untypischen Schreiwettkampf veranlasst, als sie an ihrem Zielort angekommen waren.

Nicht nötig zu sagen, dass sich die McKinnerneys, während Sophie die scheuenden Pferde aus dem Transporter lud, vor all ihren versammelten Freunden und Bekannten einen Auftritt *par excellence* geleistet hatten, der damit geendet hatte, dass Sophie um neun Uhr mit Kopfschmerzen ins Bett gegangen war.

Ihr schauderte, wenn sie daran zurückdachte. Sie hatte gehofft, dass die schöne Umgebung und der Luxus von Wynholm – der Wohnsitz der Newton-Smiths – ihren Zauber auf Catherine und James ausüben würden. Ein Wochenende irgendwo anders, Zeit zum Entspannen, keine Ablenkungen in trauter Zweisamkeit – das hatte sie für perfekt gehalten.

Da scheint es mehr Ablenkungen zu geben, als ich gedacht habe, stellte Sophie fest, als sie Alex Carver zu ignorieren versuchte, der ihr von einem Schlafzimmerfenster winkte.

Sie dachte darüber nach, wie zwei Leute sich offenbar hassten, obwohl sie früher einmal sehr verliebt gewesen waren; es konnte noch nicht so lange her sein. Irgendwie auf ihrem gemeinsamen Weg war irgendetwas schiefgegangen. Sicherlich, James McKinnerney wirkte ein wenig kalt; aber da schien nicht das wahre Problem zu liegen. Sophie seufzte und machte sich daran, Jasmine auf Catherines Ankunft vorzubereiten.

Als sie eintraf, war Catherine blass und in sich zurückgezogen. Sie hatte kaum einen Blick für Sophie übrig, wollte offensichtlich einfach allein sein. Jasmine schnaubte und tänzelte und bekam einen Tadel von ihrer Reiterin, bevor sie davonritt.

Ginas Springstunde lief gut, besonders, als Sophie ihr

versprach, dass ihre harte Arbeit später mit viel mehr Spaß belohnt würde. Jos Ankunft, angekündigt von einigen kleinen Kindern, signalisierte den Start der Spiele. Alle Kinder hatten dann viel Spaß bei Laufspielen und Ponyreiten.

Nach dem Mittagessen – Essen und Unterhaltung von der unermüdlichen Mrs. Clegg in der Küche – nahm Jo die kleineren Kinder zu einer Ruhepause und stillen Spielen mit, während Sophie für die Älteren eine Schatzjagd zu Pferde beaufsichtigte. Dieses Spiel stellte sich nicht als so lustig heraus wie die Spiele am Morgen, was hauptsächlich auf die streitlustige Natur von Jeremy Newton-Smith und seine weinerliche jüngere Schwester Tara zurückzuführen war.

»Du bist wirklich bei allem hoffnungslos«, schimpfte Jeremy seine Schwester aus. »Womit habe ich verdient, dich in meiner Mannschaft zu haben?«

Tara, zwei Jahre jünger und wehleidig, murmelte etwas wie »Das sage ich Daddy«. In diesem Moment ritt Catherine McKinnerney auf den Hof vor dem Stall.

Sie wirkte immer noch klein und zierlich auf der schnaubenden Stute, doch das kalte Wetter hatte ihre Wangen gefärbt, und das kastanienbraune Haar – dem Haarnetz entkommen – hing in Strähnen um ihr Gesicht.

»Haben sie es ohne mich geschafft?«, fragte sie Sophie, saß ab und nickte zum Haus hin. Sophie hatte auf der Zunge, zu erwidern, dass sie es ohnehin immer schafften, wenn sie weg war, aber sie verkniff sich, es auszusprechen.

Da ist etwas an Catherine, dachte Sophie, das verhindert, dass man zurückbeißt, obwohl Catherine so unfreundlich zu anderen sein kann. Sie hat etwas Verletzliches, eine Traurigkeit, die einen davon abhält, unfreundlich zu ihr zu sein, ganz gleich, wie sehr sie es auch verdient.

Sie ist sehr unsicher, dachte Sophie, bestimmt nicht so selbstbewusst, wie sie sich gibt. Während dieser ungewohnten Toleranz gegenüber den Fehlern ihrer Arbeitgeberin hielt Sophie Jasmines Zügel fest.

Tara und Jem waren in ihrem Element; seine Stimme erhoben und spöttisch, ihre ein jämmerliches Kreischen, das einem auf die Nerven ging.

Catherine verharrte, die Oberlippe zu dem vertraut höhnischen Lächeln verzogen. »Es sollte ein Gesetz geben«, sagte sie, »das erlaubt, so schreckliche Kinder wie diese mit nach draußen zu nehmen und zu erschießen.«

Sophie seufzte. Es war schwer, sehr lange Sympathie für Catherine zu haben.

Nur mit großer Mühe schaffte es Sophie an diesem Nachmittag, nicht durchzudrehen. Tara und Jem stritten sich aus Prinzip über alles und jedes und eckten bei jeder Gelegenheit bei den Gleichaltrigen an. Sophie war überglücklich, um vier Uhr am Nachmittag Jo zu sehen, und noch mehr entzückt, die Kinder loszuwerden.

»Wir sprechen später miteinander«, rief Jo. »Ich sollte gegen sieben frei haben. Dann werde ich dich suchen und zu dir kommen.«

Sophie teilte sich in dem Teil des Hauses, der für die Kinder freigegeben war, ein Zimmer mit Jo. Da gab es ein Spielzimmer, Schlafzimmer, einen Fernsehraum und ein Badezimmer mit so großer Badewanne, dass verschiedene Kinder gleichzeitig eingetaucht werden konnten.

Es war diese Badewanne, in die Sophie viel Badeschaum schüttete und sich in den süß duftenden Seifenblasen entspannte. Die Kinder waren unten und wurden von Mrs. Clegg und Jo beköstigt; Sophie hatte die Zeit gut geplant, sie würde mit keinem bis fünf am Morgen etwas zu tun haben.

Sie wusch ihr Haar mit Shampoo und spülte es ab. Sie fühlte sich faul und müde und dachte an Jo. Die hatte einen noch längeren Arbeitstag. An diesem Morgen war sie vor

Sophie auf gewesen und würde erst nach sieben Uhr frei haben. Sophie fragte sich, welche Geschichten Mrs. Clegg den Kindern erzählen würde. Sie hoffte, dass sie nichts mit Unterwäsche zu tun hatten.

Sophie tauchte unter und glaubte, sich unter Wasser verhört zu haben. Oder hatte sie tatsächlich das Klappen der Tür zum Schlafzimmer gehört?

»Jo«, rief sie. »Bist du das?«

Fast sofort wurde die Badezimmertür aufgerissen, und Sophie sah ein vertrautes Gesicht auf sich herunterstarren.

»Gehen Sie raus, Mr. Carver«, schnauzte sie, »oder soll ich so laut schreien, dass es im ganzen Haus gehört wird, auch von Ihrer Frau?«

Er schloss die Tür hinter sich und betrachtete alles von ihr, was er in der Wanne sehen konnte. »Sei nicht so unfreundlich, Sophie. Beim letzten Mal waren wir gerade so schön zugange und wurden gestört, erinnerst du dich?«

Sophie, entschlossen, sich diesmal nicht von ihm überraschen zu lassen, blieb im Wasser liegen, wo sie war. All die Zeit, die sie in der Badewanne blieb, bedeckte sie der Badeschaum; wenn sie sich bewegte, würde sie sich seinen Blicken aussetzen, und das würde ihn nur aufreizen.

»Verschwinden Sie jetzt«, zischte sie, »oder ich schreie Zeter und Mordio!«

»Sophie, Sophie«, murmelte er und trat näher.

Der Zorn übermannte sie. Sie stemmte sich aus dem Wasser und stellte sich ihm entgegen. Der Badeschaum glitt in schimmernden Blasen an ihrem Köper hinab. Ihre Nippel, rosig von der Wärme, wurden hart. Ihr Haar fiel in nassen Strähnen über ihre Schultern, und winzige Wasserrinnsale tröpfelten zwischen ihren Brüsten hinab.

Alex war von dem Anblick sichtbar erregt, als sie aus der Wanne auf ihn zutrat. Sein arrogantes Lächeln sagte ihr, dass er glaubte, sie sei endlich seinem Charme erlegen. Er tat Sophie fast leid. Sie lächelte schüchtern, nahm eine verlockende Pose ein und breitete die Arme aus.

»Dann komm und nimm mich.«

Alex strahlte sie fasziniert an. »Dann trockne dich ab.«

»Nein, das will ich nicht. Wenn du mich willst, kannst du mich haben. Jetzt, und so wie ich bin.« Sie schöpfte mehr Schaum aus der Badewanne, um sich damit einzuschäumen, und ging auf ihn zu.

»Bleib stehen!« Alex wich zur Tür zurück. »Trockne dich erst ab. Dieser Anzug kostet ein Vermögen. Komm schon, Sophie, sei vernünftig.«

Schaum spritzte, als Sophie ihn packte und hart an sich zog. Er versuchte zurückzuweichen, doch er stieß mit dem Rücken gegen die Schranktür. Sophie blickte ihn lüstern an.

»Ist es nicht das, was du wolltest? Nein? Was willst du dann?« Sie griff zwischen sie, um seinen Penis durch den feuchten Stoff seiner Hose zu drücken. »Wolltest du, dass ich dir einen runterhole? So zum Beispiel?«

»Hör auf, Sophie! Bist du verrückt geworden? Dieses Jackett ist sauteuer. Es wird ruiniert werden!« Er entzog sich ihr und eilte zur Tür, rutschte aber auf dem glitschigen Boden.

Sophie schöpfte noch etwas Schaum und warf es ihm nach. Einen Moment hatte es den Anschein, als laufe er an einem besonders glitschigen Fleck auf der Stelle, doch dann schaffte er es bis zur Tür und flüchtete hinaus.

Es dauerte lange, bis Sophie den Badezimmerboden aufgewischt hatte, doch sie tat es glücklich und kicherte dabei vor sich hin. Der arme Alex scheint nicht viel Glück in Badezimmern zu haben, dachte sie. Er wird sich in seinem Zimmer umziehen müssen. Geschieht ihm recht, wenn seine Frau ihn erwischt und ihm heikle Fragen stellt.

»Oh, Sophie!« Jo lachte, als ihre Freundin den Zwischenfall später berichtete. »Ich wünschte, ich hätte diesen Mumm. Ich wäre gestorben!«

»Wie ich ihn kenne, hätte ihn das nicht verscheucht«, sagte Sophie, und sie brachen fast gleichzeitig in Gelächter aus.

Mrs. Clegg hatte sich ins Bett zurückgezogen und Sophie, Jo und ein paar Flaschen Wein in der Küche zurückgelassen. Es war ein schöner Raum am Abend.

Der große Herd verbreitete Wärme, und kleine Lampen auf der Anrichte schufen eine behagliche Atmosphäre.

»Das ist mein Problem«, sagte Jo. »Kein Selbstvertrauen. Ich mache diesen Job, seit ich die Schule hinter mir habe. Ich mag den Job – versteh mich richtig –, und er wird mir fehlen, wenn ich ihn aufgebe, aber es gibt einfach zu wenig Möglichkeiten, jemanden kennen zu lernen.«

»Du solltest mit Rosie und mir ausgehen. Und warum hast du das gesagt? Willst du kündigen?«

Jo zuckte die Achseln. »Es gibt viel Gerede darüber, dass Jem und Tara auf ein Internat geschickt werden sollen. Ich weiß nicht, ob das stimmt oder nicht, aber ich kann nicht sagen, dass es mich überraschen würde. Sie werden ein bisschen zu alt, um noch ein Kindermädchen zu haben. Jedenfalls könnte es mir gut tun, woanders zu arbeiten, neue Leute kennen zu lernen. Weißt du« – Jo neigte sich über den Tisch und senkte die Stimme. »Ich habe nie einen richtigen Freund gehabt!«

Sophie wusste nicht, was sie sagen sollte. Jos Tonfall machte nicht klar, ob sie es als eine Tugend oder einen Fluch betrachtete, nie einen Freund gehabt zu haben.

»Keinen einzigen!«, sagte Jo empört. »Ich sehe doch nicht so schlecht aus, oder?«

»Jo! Natürlich nicht. Im Gegenteil. Vielleicht bist du nur etwas wählerischer als andere Leute.«

»Das ist es nicht, Sophie. Mir fällt es schwer, mit Männern zu reden. Der einzige, der anscheinend schwach interessiert ist an mir, ist Schleicher Colin – das ist übrigens Mr. Newton-Smith –, und auch nur, wenn er betrunken ist. Ich bezweifle, dass ich jemals so verzweifelt sein werde.«

»Das freut mich zu hören. Nimm noch etwas Wein – ertränke deinen Kummer.«

Sie lachten und wurden zunehmend beschwipster, weil sie wussten, dass ihre Pflichten für den Tag erledigt waren: Die Kinder waren ins Bett gegangen und zu erschöpft, um vor dem Morgen aufzuwachen.

Sie spielten mit dem Gedanken, eine zweite Flasche Wein zu trinken, als es an die Küchentür klopfte. Mrs. Newton-Smith trat ein und sah sich nervös um, als hätte sie ohne Mrs. Cleggs Aufsicht mit allen Arten von Ausschweifungen gerechnet.

Vielleicht, dachte Sophie, hat sie Sorge gehabt, dass Mrs. Clegg hier ist und uns über die Unterwäsche ihrer Chefin informiert. Sie bedauerte den Gedanken sofort, denn er beschwor das Bild eines gewaltigen grauen Schlüpfers herauf, das sie zum Kichern reizte.

Jo war beim Eintreten ihrer Arbeitgeberin sofort aufgesprungen, als hätte sie etwas Verbotenes getan, doch Mrs. Newton-Smith schien es kaum bemerkt zu haben.

»Hallo, Mädels«, sagte sie und lächelte nervös. »Es freut mich zu sehen, dass Sie Ihre wohlverdiente Freizeit genießen.«

Als sie keine Antwort erhielt, hüstelte sie und trat von einem Fuß auf den anderen, als fühlte sie sich in einer Küche einfach unbehaglich. »Ich habe mich gefragt«, sagte sie freundlich, »das heißt, wir alle haben uns gefragt, ob Sie uns Gesellschaft leisten wollen. Mrs. Fields hat gesagt, wie gut Sie all die zusätzliche Arbeit bewältigt haben, Jo. Und ich weiß, wie viel Spaß Tara und Jeremy heute Nachmittag gehabt haben. Wenn Sie also nicht zu müde sind . . .«

»Wie nett!«, sagte Jo. »Wir müssten uns nur noch . . .«

»Wunderbar!«, rief die ältere Frau und flüchtete erleichtert aus der Küche.

»Jo! Warum hast du zugesagt? Es wird schrecklich werden. Sie sind alle betrunken, und Alex wird wieder anfangen.«

»Es tut mir leid.« Jo sah so beschämt aus, dass Sophie ihr nicht böse sein konnte. »Sie macht mich immer nervös. Ich habe das gesagt, um sie loszuwerden!«

»Ah, mach dir nichts draus«, tröstete Sophie sie. »Lass uns gehen und uns umziehen. Man kann nie wissen, vielleicht finden wir einen Mann für dich!«

Ihre Ankunft bei der Feier wurde von einer großen Frau angekündigt, die kreischte: »Da sind sie, Achtung, Männer!«

Sophie war sich nicht sicher, ob diese Frau – die sich als Mrs. Fields entpuppte – volltrunken oder irre war. Die beiden Mädchen mussten dann ein paar peinliche Momente von höflichem Applaus ertragen, als offenkundig wurde, dass sie für die Freude der Kinder am Nachmittag verantwortlich gewesen waren.

Sophie, wieder in ihrem dunkelblauen Kleid, nahm die Aufmerksamkeit dankbar entgegen. Jo wurde rot und konnte nur stammeln. Sie verging fast vor Scham, als sie ein bisschen von ihrem Drink verschüttete.

Als sich die Aufregung etwas gelegt und Jo den Wein vom Rock getupft hatte, konnten sie sich selbst vergnügen. Sophie erkannte viele Gesichter von ihrem ersten Abend im Prospect House und war besonders erfreut, Nick und Janie Marshall wiederzusehen. Mit höflichen Fragen fand sie heraus, dass ihr Sohn Paul sie begleitet hatte und sie in dieser Nacht nach Hause fahren würde.

»Wir sind zu alt zum Übernachten«, vertraute Janie Sophie an. »Wir lieben unsere eigenen Betten. Der arme Nick kommt ganz durcheinander, wenn er woanders aufwacht, nicht wahr, mein Lieber? Dann ist er desorientiert, die gute alte Seele!«

Sophie nahm an, dass sie ihren Gastgebern nicht zur Last fallen wollten, und das konnte sie ihnen nicht verdenken. Mr. Newton-Smith – Schleicher Colin – war erschreckend in Hochstimmung; es war komisch zu sehen, wie seine Gäste versuchten, ihm aus dem Weg zu gehen, und es nicht schafften.

Sophies eigene Arbeitgeber ignorierten einander. James stand in unbequemer Haltung beim Kamin, während Catherine auf einem Sofa vor hohen Bücherregalen Hof hielt. Catherines Auftreten hatte sich völlig verändert. Ihre Augen strahlten, und ihr kastanienbraunes Haar glänzte wie poliertes Kupfer.

Als Sophie zu ihr blickte, warf Catherine den Kopf zurück und lachte über etwas, das Alex Carver gerade gesagt hatte. Sophie konnte sich nicht erinnern, sie schon einmal so lachen gesehen zu haben; es passte gar nicht zu ihr.

»Sie ist schön, nicht wahr?«, bemerkte Jo, die Sophies Blick gefolgt war. »Sieh mal, wie James sie beobachtet, als ob er es nicht will, aber er kommt nicht dagegen an.«

James' Körpersprache verriet, dass er sich sichtlich unbehaglicher fühlte, je mehr sich Catherine entspannte. Er tat, als sei er in ein Gespräch mit Nick Marshall vertieft, doch das war lachhaft; seine Blicke schweiften immer wieder zu seiner Frau. Als Catherine sich zu Alex Carver neigte und ihn am Arm berührte, schien James den Atem anzuhalten, und als sie entspannt wieder aufs Sofa zurücksank, trank er mit einem gequälten und verzweifelten Blick sein Glas leer.

»Hier werden wir keinen Mann für dich finden, oder?«,

zog Sophie Jo auf. »Es sei denn, dein geschätzter Chef streckt die Hände nach dir aus.«

»Igitt!« Jo erschauerte. »Der kriegt sowieso keinen mehr hoch, wenn er so besoffen ist. Da kommt ein ganz anderes Kaliber. Sieh nicht zu auffällig hin.«

Sophie blickte auf und sah Catherines Bruder Dominic in den Raum gleiten, als schmuggele er sich in die Feier.

»Oh, toll«, murmelte Sophie. »Mehr brauchen wir nicht.«

»Ich finde ihn nett«, wisperte Jo. »Sieht wirklich gut aus. Er ist Schauspieler, weißt du.«

»Warum hängt er dann dauernd im Prospect House herum?«

»Ich habe gehört, er hat im Moment Drehpause«, sagte Jo leichthin.

»Ehrlich, du bist so naiv! Das sagen alle Möchtegern-Schauspieler, die keine Rolle bekommen. Es ändert nichts an der Tatsache, dass er ungehobelt und arrogant ist und sich für Gottes Geschenk an die Frauenwelt hält«, spottete Sophie. »Nimm dich zusammen, Jo, er kommt her.«

»Sophie! Welch eine reizende Überraschung. Hallo – Jo, das bist du doch?« Dominic strahlte beide an.

Jo setzte zu einer Antwort an, brachte jedoch keinen Ton heraus und gab auf, offensichtlich zu Dominics Belustigung.

»Ich habe diese Wirkung auf Frauen«, sagte er mit einem Grinsen. »Ich mache sie sprachlos.«

»Sie hat gerade eine Olive verschluckt, nehme ich an«, sagte Sophie zu Dominic und klopfte Jo auf den Rücken.

Er lachte. »Es ist schön, Sie ohne Reithose zu sehen, Sophie. Bis später.« Er zwinkerte ihnen zu und ging zu seiner Schwester.

»Sophie! Warum hast du gesagt, ich hätte eine Olive verschluckt? Was soll er nur denken?« Jo hatte sich von ihrer Sprachlosigkeit erholt.

»Er wird denken, du magst Oliven. Beruhige dich, Jo. Es ist nicht so wichtig, oder?«

»Falls du es nicht bemerkt hast, er ist der einzige in Frage kommende Mann hier.«

»Nicht für Catherine.« Sophie nickte zu Catherine hin, die jetzt mit Alex Carver auf Tuchfühlung war. Was sie besprachen, war entweder sehr ernst oder sehr intim; ihr Kichern ließ auf Letzteres schließen. Gegenüber von Catherine und Alex saß Marcie Carver und hielt ein wachsames Auge auf ihren Ehemann.

»Es muss schrecklich sein«, sagte Jo und schenkte Wein in ihr Glas, »wenn man seinem Mann nicht trauen kann.«

»Oder seiner Frau«, stimmte Sophie zu und blickte zu James.

Die Party schien sich aufzulösen. Die Marshalls waren bereits gegangen, Marcie versuchte ihren Mann zum Aufbruch zu bewegen, und die Fields verabschiedeten sich schon.

»Trinkt nicht zu viel«, kreischte Mrs. Fields den beiden Mädchen zu. »Die Kleinen werden euch morgen fit erwarten.«

»Blöde Kuh«, murmelte Sophie. »Sie ist blau genug, um ein Schlachtschiff zu versenken. Sie steht nur noch auf den Beinen, weil sie sich auf ihn stützt.«

»Sie hat trotzdem Recht«, sagte Jo und stellte ihr Glas ab. »Ich muss morgen früh aufstehen. Kommst du oder bleibst du?«

»Ich komme mit.«

Wieder in ihrem Zimmer, ließ Sophie Jo als Erste das gemeinsame Badezimmer benutzen und machte es sich mit einer Zeitschrift auf ihrem Bett bequem. Ein Geräusch an der Tür ließ sie aufspringen, und weil sie befürchtete, es könnte Alex sein, rollte sie die Zeitschrift zusammen, um einen Schlagstock zu haben. Sie war entschlossen, ihn diesmal nicht durch die Tür zu lassen.

Die scharrenden leisen Geräusche blieben, und nach ein paar Sekunden gab Sophie die Vorsicht auf und riss die Tür auf. Alex und Catherine stürzten herein. Offenbar hatten sie direkt vor Sophies Tür ein kleines Vorspiel gehabt.

Sophie starrte auf sie hinab. Sie waren beide betrunken, und ihre Kleidung war in Unordnung, was darauf schließen ließ, dass sie sich bereits länger aufgeheizt hatten. Alex war als Erster auf den Füßen, ließ von Catherine ab, und sie rappelte sich vom Boden auf.

»So sieht man sich wieder, Sophie!« Alex grinste Sophie lüstern an.

Sie starrte ihn wütend an. »Welch ein Zufall!«

Catherine richtete sich auf. »Was meint sie damit?« Sie heftete den Blick auf Sophie. »Was meinst du?«

»Hören Sie« – Sophie war mit der Geduld am Ende – »in diesen Räumen schlafen die Kinder. Wenn Sie sie aufwecken, werden sie so schnell nicht wieder einschlafen, und wir werden den Rest der Nacht wach sein.«

»Ich nicht«, murmelte Catherine und lächelte Alex an. »Aber sie hat Recht. Suchen wir uns einen anderen Platz.«

Sie wankten den Flur entlang. Catherine musste von Alex gestützt werden, als sie an den Zimmern der schlafenden Kinder vorbeigingen. Sophie fühlte sich hilflos. Es stand ihr nicht zu, sich einzumischen, aber Catherine war zu betrunken, um zu wissen, was sie tat.

Was sollte sie tun? Sophie wollte ihnen nachrennen, als eine Tür geöffnet wurde und Marcie Carver wie ein Racheengel heraustrat.

»Habe ich Alex gehört?«

Sophie nickte bekümmert und wies in die Richtung. Dies entwickelte sich genau zu dem Ehedrama, das sie hatte vermeiden wollen.

»Aha.«

Sophie, erpicht darauf, zu verhindern, dass böses Blut entstand, flitzte los, um Catherine einzuholen, während Marcie, die schnell einen Morgenrock über ihren Seidenslip warf, dichtauf folgte.

»Da seid ihr!« Marcies Stimme war nicht laut, doch sie stoppte Alex abrupt.

»Kommen Sie«, sagte sie freundlich zu Catherine, »suchen wir Ihr Zimmer.«

»Ich will nicht mein Zimmer suchen«, jammerte Catherine. »James ist da drin.«

»Dann gehen wir und besorgen Ihnen einen Kaffee«, sagte Sophie und ergriff ihren Arm.

»Ich will keinen Kaffee. Bringen Sie mich nicht in mein Zimmer. Ich will nicht dahin. Sie können mich nicht dazu zwingen. Ich will nicht hin.«

Sophie wurde wütend. »Also gut, kommen Sie in mein Zimmer; es ist überall besser als hier.«

»Ich werde in dein Zimmer kommen«, lallte Alex lüstern.

»Alex!« Marcie versuchte vergebens, ihn mitzuzerren.

»Sie bleiben aus meinem Zimmer raus«, entfuhr es Sophie. »Wenn Sie sich dort noch mal blicken lassen, werden Sie es bereuen.«

Es folgte lange Stille, während alle über die Bedeutung dieser Worte nachdachten. Dann wollte jeder gleichzeitig sprechen. Marcie schnarrte etwas zu Sophie, Alex leugnete zu wissen, wovon sie redete, und Catherine begann zu schluchzen. Mit Erleichterung sah Sophie, dass James über den Gang kam und sich zu ihnen gesellte.

Er sah ernst zu den vier Personen auf dem Flur, bevor er Catherine am Arm nahm. »Entschuldigen Sie meine Frau«, sagte er mit seiner üblichen Höflichkeit. »Aber sie scheint im Moment nicht ganz sie selbst zu sein. Könnten Sie mir helfen, Sophie? Ausgezeichnet.«

Sie nahmen Catherine in die Mitte und gingen zu ihrem eigenen Zimmer, ließen Marcie und Alex immer noch streitend hinter sich. Sophie hörte, dass ihr Name gezischt wurde.

Catherine war wie betäubt, was es relativ leicht machte, sie in ihr Zimmer zu bringen. Anders wurde es, als sie dort war. Da wurde sie aggressiv und wütend, überzeugt davon, dass James sie von der Party fortgeschleppt hatte.

»Wie kannst du das wagen?«, rief sie zornig, trotz seiner geduldigen Versicherungen, dass die Party längst vorbei gewesen war.

»Soll ich etwas Kaffee holen?«, fragte Sophie.

»Wären Sie so nett? Danke, Sophie.«

»Ich will keinen Kaffee«, hörte sie Catherine schnarren, als sie die Tür hinter sich schloss.

Weiter hinten im Flur ging ein gedämpfter, aber wütender Streit im Zimmer der Carvers weiter.

»Du misstraust mir«, hörte Sophie Alex sagen.

»Weil du ein gewiefter Lügner bist«, gab Marcie zurück. »Tu also nicht überrascht, wenn ich dir nicht glauben kann.«

Sophies Nerven waren angespannt. Warum gingen die Leute auf diese Partys, obwohl sie die möglichen Konsequenzen genau kannten? Es musste eine Art Masochismus sein; jeder wusste, dass alles mit Tränen enden würde, doch er machte es trotzdem.

Sophie ging in die Küche, um Kaffee zu machen. Das halbe Haus schien wach zu sein und tadelte die andere Hälfte für schlechtes Benehmen – ob wahr oder nur eingebildet. So habe ich mir immer ein Tollhaus vorgestellt, dachte Sophie.

»Und noch eine Unverschämtheit!« Marcies Stimme donnerte durch die Tür ihres Zimmers, als Sophie auf dem Flur vorbeiging und vor Schreck fast das Tablett mit gefüllten Kaffeetassen fallen gelassen hätte.

Irgendwie schaffte es Sophie in die Zimmer der McKinnerneys. Drinnen war Catherine aufgebrachter denn je. Sie weigerte sich, das Nachthemd anzuziehen, das James ihr hinhielt, und bestand darauf, erst Kaffee zu trinken.

»Ah, Sophie«, sagte James mit offensichtlicher Erleichterung und warf das Nachthemd über einen Stuhl. »Vielen Dank.«

»Du kannst mich nicht zwingen, dieses Zeug zu trinken«, lallte Catherine, die plötzlich nichts mehr von Kaffee wissen wollte, obwohl sie ihn gerade noch verlangt hatte. »Ich trinke keinen Kaffee; er vergiftet den Körper.«

»Zehn Whisky Tonic haben nicht gerade eine aufbauende Wirkung«, konterte James und wandte sich ärgerlich ab.

»Schrei mich nicht an!«, jammerte Catherine.

»Entschuldige.« James wirkte erschöpft und alt; er tat Sophie leid. »Du hast Recht, ich hätte nicht schreien sollen. Sophie, würde es Ihnen etwas ausmachen, mir noch mal zu helfen? Ich weiß, das ist ein bisschen unverschämt, aber ich kann wirklich niemanden sonst um Hilfe bitten ...«

Sie schafften es gemeinsam, Catherine die Schuhe auszuziehen, was sie von neuem wütend machte.

»Lasst mich los! Was macht ihr da?«

»Catherine, sei vernünftig. Du kannst nicht so ins Bett gehen.«

»Ins Bett gehen? Wer sagt denn was vom Bett? Verschwindet! Wie könnt ihr es wagen? Für wen haltet ihr euch?«

»Sophie versucht zu helfen.«

»Sie versucht zu helfen! Lady Tugend! Sie versucht immer zu helfen. Sie verhilft sich zum Gärtner, nicht wahr? Vermutlich verhilft sie sich bei der kleinsten Gelegenheit zu dir.«

Sophie spürte, wie ihr das Blut in die Wangen schoss, doch sie hielt den Kopf gesenkt und hoffte, dass James es nicht bemerkte. Woher weiß Catherine von Callum? Schnüffelt sie in meinem Privatleben herum?

»Sei leise, Catherine, um Himmels willen! Du weckst die Kinder.«

»O nein, wir dürfen nicht die Kinder wecken! O nein. Was machst du da? Lass das! Nicht mein Kleid ...«

James hielt ihre Arme, während Sophie das schwarze Kleid hinunterzog. Dann warf James ihr das Nachthemd über den Kopf, bevor sie wusste, was geschah.

»Das trage ich nicht! Es ist nicht meins. Zieh es aus! Ich will kein Nachthemd.«

James' Geduld war unermesslich. Sophie bewunderte, wie er mit seiner Frau umging. Es war ein Kampf, aber schließlich hatten sie sie im Bett. James schaffte es, sie zu überreden, eine Tasse Kaffee zu trinken, bevor sie in einen unruhigen Schlaf fiel.

James atmete erleichtert auf und winkte Sophie, ihm auf den Balkon hinaus zu folgen. Es war draußen bitterkalt, doch James, stets ein Gentleman, fand eine Decke und legte sie ihr um die Schultern. Er holte eine Flasche Brandy und zwei Gläser und schenkte großzügig in zwei Gläser ein.

»Prost«, sagte er. »Dies haben wir verdient.«

Sie tranken in peinlicher Stille, und nach ein paar Minuten schenkte James nach.

»Danke, Sophie«, sagte er leise.

»Kein Problem.«

»Doch, es ist ein Problem, nicht wahr? Es ist nicht immer so gewesen, müssen Sie wissen. Wir waren mal ein harmonisches Paar. Mit etwas Glück könnte es wieder so sein – das heißt, wenn Sie es ertragen, bis dahin bei uns zu bleiben.«

Sophie wollte fast sagen, dass sie so lange bleiben würde, wie sie gebraucht wurde – solch eine Loyalität begann sie für diesen Mann zu empfinden –, doch ihr normaler Menschenverstand stoppte sie rechtzeitig. Wer konnte sagen, wie schlimm die Dinge noch werden konnten, bevor sie sich verbesserten? Wenn sie sich überhaupt verbesserten. Sie bezweifelte das.

»Ich werde damit fertig«, sagte sie unverbindlich.

»Es tut mir leid, dass Sie all dies miterleben mussten.«

»Ich habe Schlimmeres erlebt.«

»Tatsächlich?« Seine Miene hellte sich auf, als ob die Tatsache, dass Sophie schon schlimmeres Verhalten gesehen hatte, Grund zum Optimismus sei. »Aber es war unnötig, dass sie den guten Callum mit hineingezogen hat«, murmelte er.

Sophie spürte, wie ihr wieder das Blut in die Wangen stieg. »Ich wusste nicht . . . Ich meine . . . nun . . .«

»Oh, bitte, Sophie! Ich bitte um Verzeihung! Ich wollte wirklich nicht meine Nase in Ihre Angelegenheiten stecken. Himmel! Das ist überhaupt nicht meine Art.« Er wurde noch roter als sie, und sie beide lachten gezwungen bei ihrer gegenseitigen Verlegenheit.

»Solange es keine Hausregel dagegen gibt«, murmelte Sophie und versuchte, die Spannung zu mildern. »Ich wollte es nicht, wissen Sie . . .«

»Himmel, nein!« James schwenkte sein Glas. »Es ist schön für Sie, wenn Sie Freunde in Ihrem Alter haben. Es kann nicht viel Spaß für Sie geben, in einem fremden Haus, wo Sie hören, wie wir dauernd streiten.«

Der Brandy hatte Sophie aufgewärmt. Sie fühlte sich behaglich eingehüllt in die Decke. Sie beobachtete fasziniert, wie er den Brandy in seinem Glas schwenkte, dann auf einen Zug austrank und sich einen weiteren einschenkte.

»Er ist ein guter Kerl«, sagte er plötzlich.

Sophie, mit den Gedanken sonstwo, fühlte sich überrumpelt. »Verzeihung, ich habe nicht verstanden.«

»Ich sagte, Callum ist ein netter Kerl.«

»Ja«, sagte sie, dachte an ihren kürzlichen Zwist und fühlte sich traurig, »das ist er.«

James wirkte in Gedanken verloren, als hätte er vergessen, dass Sophie da war und mit ihm sprach. »Das Dumme ist, dass wir alle versuchen, nette Kerle zu sein. Versuchen, das Richtige zu tun, Leuten etwas schenken, was sie sich wünschen. Doch dann, wenn sie es haben, wollen sie es nicht mehr. Manchmal ist es sehr schwer, ein guter Kerl zu sein.«

Sophie war enorm gerührt, dies war die längste Rede, die sie je von James gehört hatte. Es war offenkundig, dass er dazu gebracht worden war, seine Gefühle zu verbergen, deshalb fand Sophie eine solche Erklärung von ihm völlig untypisch und umso bewegender. Wenn James McKinnerney in diesem Moment eine Versicherung von ihr verlangt hätte, dass sie bleiben würde, hätte Sophie sie ihm freudig gegeben.

»Verzeihung, Sophie«, sagte er, bevor Sophie ihre Gefühle ausdrücken konnte. »Ich wollte Sie nicht weiter bequatschen, besonders nicht, weil Sie schon so lieb gewesen sind.«

»Wir alle brauchen jemanden, mit dem man reden kann«, sagte sie ruhig.

»Mit Ihnen kann man sehr leicht reden«, sagte er, sorgsam die Worte wählend. »Wie kann ich es sagen? Sie machen es leicht, mit Ihnen zu reden; vielleicht sage ich Dinge, die ich nicht sagen sollte, wissen Sie.«

»So geht es uns allen manchmal.«

»Doch das könnte zu Unannehmlichkeiten führen.«

»Ich würde nie über unsere Unterhaltungen plaudern. Ich möchte Ihnen einfach nur helfen können. Ich weiß nicht, warum sich Catherine unglücklich fühlt – sie würde mir den Grund niemals sagen, selbst wenn sie ihn wüsste –, aber das macht Sie nicht automatisch zum Schuldigen.«

Er hatte sein Glas neben den Stuhl gestellt und den Kopf in beide Hände gesenkt. Sophie rückte ein wenig näher. Sie wollte ihn irgendwie trösten. Wenn er jemand anders gewesen wäre, hätte sie einen Arm um seine Schultern gelegt oder seine Hand gehalten, doch dieser Mann schien so unberührbar zu sein.

»Die Leute ändern sich«, sagte sie leise, »und nicht immer zum Besten.«

Er hob den Kopf und lächelte sie an. »Hat Ihnen jemals einer gesagt, dass Sie den Kopf einer weisen Alten auf jungen Schultern haben? Es tut mir leid, Sie so zu belasten.«

»Es ist keine Last. Ich wünschte, ich wüsste, wie ich Ihnen helfen kann, das ist alles.«

»Ich bezweifle, dass uns im Moment jemand helfen kann, wir müssen versuchen, uns selbst zu helfen.« Er stand auf und trank den Rest seines Brandys. »Jetzt brauche ich etwas Schlaf. Ich bin wirklich müde.«

Sophie versuchte, sich ihre Enttäuschung nicht anmerken zu lassen. Sie hätte sich glücklich die ganze Nacht mit James unterhalten können. Sie trank ihr Brandyglas leer und erhob sich ebenfalls. Sie war gerade im Begriff, den Raum zu betreten, in dem Catherine schlief, als James ihren Arm nahm und sie zurückhielt.

»Vielen, vielen Dank für Ihre Freundlichkeit, Sophie. Ich weiß nicht, was ich ohne Sie in dieser Nacht getan hätte. Ich hoffe aufrichtig, dass Sie bleiben und sich nicht von unseren albernen Streitereien abschrecken lassen. Es wäre schrecklich, Sie zu verlieren.«

Sophie wusste nicht, was sie sagen sollte, so gebannt war sie von den ernsten blauen Augen und der Nähe seines sinnlichen Mundes.

Sie fragte sich, wie es wäre, ihn zu küssen. Ich könnte es tun, dachte sie; ich bin nahe genug. Was würde er dann tun? Würde er sich zurückziehen? Oder darauf eingehen? Ihr Puls raste, als sie kämpfte, um passende Worte zu finden. Als sie sprach, klang ihre Stimme belegt.

»Sie werden mich nicht verlieren«, sagte sie.

James lächelte. Er schien ihren Aufruhr der Gefühle nicht zu bemerken. Er ließ seine Hand an ihrem Arm hinabgleiten und hielt ihre Hand.

»Wer immer Sie bekommt, wird ein glücklicher Mann sein«, sagte er, bevor er die Tür zum Schlafzimmer öffnete.

Catherine schlief tief und fest, und der grämliche Zug um ihren Mund war jetzt verschwunden. Sie wirkte sehr jung in dem weißen Nachthemd aus Baumwolle, und ihr langes Haar breitete sich auf dem Kissen aus. James blickte mit müder Miene auf sie hinab und runzelte die Stirn.

»Ich muss daran denken, wie glücklich ich war, als Catherine und ich heirateten«, sagte er. »Die Dinge sind selten so, wie sie scheinen, nicht war?« Und er schob Sophie sanft hinaus auf den Gang.

Siebtes Kapitel

Sophie gabelte Heu in die letzte Ecke der gesäuberten Box und trat zurück, um ihr Werk zu begutachten. Es ist seltsam, wie man beim Ausmisten Spaß haben kann, dachte sie, aber als sie das saubere Heu und die vollen Heunetze sah, lachte ihr das Herz, und sie wusste, dass sie ihre Sache gut gemacht hatte. Noch besser war es, wenn sie die Pferde in ihre Boxen zurückbrachte und ihre Reaktion erlebte. Sophie schloss die Tür von Jasmines Box und neigte sich darüber, um die Stute zu beobachten.

Jasmine untersuchte alles genau, wie eine besonders pedantische Hausfrau. Dann, mit einem erleichterten Schnauben, sank sie auf das dicke Strohbett und wälzte sich glücklich.

Sophie lächelte, wandte sich um und legte die Heugabel und Schaufel auf die Schubkarre: Nachdem das erledigt war, hatte sie das Gefühl, dass sie sich eine Dusche und ein Frühstück verdient hatte.

Als sie die Werkzeuge hinter den Stall gebracht hatte, wo sie sie gefunden hatte, hörte Sophie überrascht einen Automotor. Sie war sogar noch überraschter, als Catherines Wagen mit einem Tempo über den Zufahrtsweg fuhr, das darauf schließen ließ, dass sie es eilig hatte. Es konnte nicht Catherine am Steuer sein, denn Sophie war überzeugt, dass ihre Arbeitgeberin an diesem Morgen den Kater ihres Lebens haben musste.

Sie selbst bereute, dass sie mindestens zwei Brandys mit James getrunken hatte. Das hatte sie den größten Teil der Nacht wach gehalten, und sie war früh am Morgen wach geworden.

Sophie schlenderte zum Haus zurück und blickte zum unheilvoll dunklen Himmel. Sieht nach einem Wolkenbruch aus, dachte sie. Gina wird sich freuen: keine Springstunde. Dann fiel ihr ein, dass es bei den Newton-Smiths einen Reitstall gab, in dem Gina nicht nass werden würde. Das arme Kind konnte also das Springen üben.

Nach einer schnellen Dusche war Sophie erfreut, Mrs. Clegg in der Küche anzutreffen, wo sie immer noch Essen ausgab.

»Sie sind heute Morgen früh auf und munter, meine Liebe«, sagte sie anerkennend und reichte Sophie ein großes Frühstück. Sie nickte zu dem voll beladenen Teller und fügte hinzu: »Ich muss mich um die Arbeiter kümmern!«

Sophie fühlte sich einen Moment flau im Magen, doch dann meldete sich der Hunger, und sie ging zu Jo, die düster auf ihren Toast starrte.

»Was ist mit dir los? Hast du einen Kater?«

»Es wird heute regnen«, informierte Jo sie schlecht gelaunt. »Kannst du dir das vorstellen? Die ganze Brut. Im Haus. Den ganzen Tag. Und ja, danke für deine Sorge, einen Kater hab ich auch. Sag mal, wo warst du die ganze Nacht?« Sie blickte Sophie misstrauisch an.

»Ich habe geholfen.« Sophie hatte nicht vor, mit Jo vor Mrs. Clegg über die vergangene Nacht zu reden. Es war unnötige Vorsicht; die Haushälterin hielt es für ihre Pflicht, alles zu wissen, was im Haus vorging; sogar wenn etwas passierte, wenn sie schlief. Dann besonders.

»Mrs. McKinnerney!«, donnerte sie und stellte einen Teller so hart auf dem Tisch ab, dass ein lockeres Würstchen einen Salto machte und neben den Tisch hüpfte, wo es von Megan, dem Spaniel, geschickt aufgefangen wurde.

Die beiden Mädchen zuckten bei diesem Ausbruch von Mrs. Clegg überrascht zusammen, während Megan, die anscheinend ihr ganzes Leben auf eine solche Gelegenheit gewartet hatte, mit ihrer Beute davonlief.

»Mrs. McKinnerney«, sagte Mrs. Clegg von neuem und schüttelte den Kopf. »Stockbesoffen!« Sie neigte sich hinab, um zu Sophie zu flüstern: »Was hat sie sich nur dabei gedacht? Und Dr. Carver sollte es besser wissen.«

Mrs. Clegg ging zurück zum Herd, und die Freundinnen tauschten Blicke. Jos Augen waren weit aufgerissen.

»Ist das wahr?«, fragte Jo. Sophie nickte.

Vom Herd her rief Mrs. Clegg: »Mrs. Newton-Smith sagte mir am Morgen: ›Bringen Sie ihr ein Tablett, Mrs. C. Es geht der Armen nicht gut.‹ Ein Tablett!« Mrs. Clegg geriet allein bei der Vorstellung in Zorn. »Ich sagte zu ihr: ›Nun sehen Sie sich das hier an. Ich habe genug zu tun ohne Ihre Tabletts!‹ Man fängt mit Tabletts an, und wohin führt das? Bring einem ein Tablett, und alle wollen eins!«

»Ganz richtig, Mrs. C. Regen Sie sich ab. Heute Tabletts, und morgen volles Frühstück im Bett!«

Mrs. Clegg schauderte es. »Frühstück im Bett? Niemals. Nur über meine Leiche! Krümel im Bett! Marmelade auf den Laken! Und was Mister Newton-Smith mit einem weich gekochten Ei macht, ist nicht gerade appetitlich.« Mrs. Clegg musste sich setzen.

Jo tätschelte ihre Hand, »Machen Sie sich keine Sorgen, Mrs. Clegg. Ich bin mir sicher, dass Mrs. Newton-Smith nie wieder etwas von Tabletts erwähnt. Das Problem ist erledigt, wenn wir alle wieder wegfahren.«

Plötzlich kam Sophie ein Gedanke, der ihr einen Schlag versetzte. »Wenn Catherine noch im Bett ist, wer ist dann vorhin mit ihrem Wagen gefahren?«

»Mister McKinnerney«, sagte Mrs. Clegg überzeugt. »Er sagte, er muss geschäftlich weg. Eine dringende Sache.«

»An einem Sonntag?«

»Wenn Sie mich fragen«, meinte Mrs. Clegg und stand auf, »konnte er es nicht ertragen, nach dem schändlichen Auftritt seiner Frau jemandem ins Gesicht zu sehen.«

Sophies Gedanken jagten sich. Vielleicht hatte Mrs. Clegg Recht, und James McKinnerney wollte sich nicht sehen lassen. Oder vielleicht, überlegte sie, wollte er sich nicht von ihr, Sophie, sehen lassen. Möglicherweise hatte er gestern Nacht mehr gesagt, als er beabsichtigt hatte, und schämte sich.

»Hat er einen Telefonanruf bekommen?«, fragte sie. »Wegen der dringenden Sache?«

»Nein, ich glaube, nicht.« Mrs. Clegg blickte verwirrt drein. »Da Sie es erwähnen, bin ich mir fast sicher, dass er keinen Anruf bekommen hat. Aber vielleicht hat ihn jemand auf seinem Handy angerufen. Auf alle Fälle muss es sehr dringend gewesen sein; er hat nicht mal eine Reisetasche gepackt.«

Sophie hielt den Kopf gesenkt und gab vor, sich ihrem Frühstück zu widmen. Sie hoffte, dass sie sich irrte und James tatsächlich fortgerufen worden war.

Sophie seufzte. Warum musste alles so kompliziert sein? Sie dachte liebevoll an Callum und seine erste rein sachliche Annäherung ans Leben, und sie schwor sich, dass sie als Erstes bei ihrer Rückkehr nach Prospect House ihre Differenzen mit ihm ausräumte. »Danke, Mrs. Clegg«, sagte sie und schob ihren Teller von sich. »Das hat prima geschmeckt.«

»Ich wünschte, ich könnte so viel zum Frühstück essen«, sagte Jo, und es klang wie ein Stoßseufzer.

»Ich weiß nicht, warum Sie nicht richtig essen«, sagte Mrs. Clegg. »Das sollten Sie; von einem bisschen Toast kann man nicht gesund leben.«

Jo verdrehte die Augen. »Ich setze sofort Hüftspeck an.«

»Blödsinn! Bei Ihrer Model-Figur. Außerdem mögen es die Männer, wenn an Frauen was dran ist.«

»Das stimmt nicht, Mrs. C. Das ist ein Gerücht, das von

147

den schlanken Frauen in die Welt gesetzt worden ist, damit sie weiterhin all die Männer bekommen.«

»Quatsch! Gehen Sie, und holen Sie sich etwas Schinken und Rührei; oben ist viel übrig geblieben. Zu viel für meinen Geschmack...«

»Kommt nicht in Frage.« Jo stand auf. »Außerdem habe ich einiges zu tun.«

»Und ich hole Gina für ihre Reitstunde«, sagte Sophie. »Ich werde es heute kurz machen. Wir brauchen ja nicht damit zu rechnen, dass Catherine uns überprüft.«

Mrs. Clegg schnaubte und ging, um das Esszimmer zu säubern.

»Ich habe mir überlegt«, sagte Sophie zu Jo, »ob wir nicht einige Spiele für die Kinder im Haus machen, die sie alle können. Verstecken, Ratespiele, Blindekuh und so weiter. Was hältst du davon?«

»Ich glaube, das müssen wir sogar machen«, sagte Jo und blickte aus dem Fenster. Die ersten dicken Regentropfen fielen bereits. »Die Kleinen haben vielleicht einige Probleme mit den Ratespielen, aber wir können uns für sie was Einfacheres ausdenken. Hast du frei, um zu helfen? Super! Danke, Sophie. Bis später dann.«

»Später gibt es schöne Spiele«, informierte Gina Sophie, als sie ihr Pony in die Reithalle führte, »kommst du auch?«

»Warum nicht? Darf ich bei diesen Spielen mitmachen? Und werden sie mir Spaß machen?«

»O ja!«, sagte Gina und fügte mit all der Zuversicht einer Sechsjährigen hinzu: »Du wirst sie sehr genießen. Kennst du irgendwelche Spiele?«

»Verstecken.« Sophie half Gina beim Richten der Steigbügel. »Sardinen.«

»Sardinen?«

»Es ist ein bisschen wie Verstecken. Ich erkläre das später. Und jetzt zeig mir einen schönen Trab über die Stangen, während ich die Hürden für deine Sprünge aufstelle.«

Gina plapperte glücklich weiter, kein bisschen ärgerlich darüber, eine Reitstunde zu haben, während die anderen Kinder schon spielten.

»Mir gefällt es hier«, vertraute das kleine Mädchen Sophie an. »Ringsum Wände, sodass niemand sagen kann: ›Ich habe dich vom Haus beobachtet und all deine Fehler gesehen.‹ Wenn ich hier etwas falsch mache, siehst nur du es, und du schreist mich nicht an.«

»Und wer schreit sonst, wenn du etwas falsch machst?«

»Mami.«

Natürlich, das passt zu Catherine, dachte Sophie. »Ich nehme an, sie hat so vieles im Kopf, dass manchmal die Nerven nicht mehr mitspielen«, sagte sie dem Mädchen. »Erwachsene werden schon mal laut, ohne es böse zu meinen.«

»Ja, sie hat viel im Kopf.« Gina seufzte, »Aber eigentlich tut mir Papi leid.«

Mir auch, stimmte Sophie stumm zu. »Mach dir keine Sorgen um Papi«, sagte sie liebevoll. »Der ist in Ordnung.«

»Ja, das ist er jetzt noch.« Gina zügelte das Pony neben ihr, und Sophie war alarmiert, als sie sah, dass in den Augen des kleinen Mädchens Tränen schimmerten. »Aber was wird, wenn Mami ihn verlässt? Was dann?«

Sophie hob sie aus dem Sattel und knuddelte sie. »Warum meinst du, dass dies geschehen könnte?«

Gina schluchzte jetzt. »Weil ich gehört habe, wie sie das gesagt hat, am Telefon, dass sie ihn morgen verlassen würde, wenn sie nur das Geld hätte. Ich hoffe, sie hat niemals Geld.«

Sophie wusste nicht, was sie sagen sollte. Sie klopfte Gina

liebevoll auf den Rücken, bis das Schluchzen verstummte, und gab ihr dann ein Taschentuch. »Weißt du, Erwachsene sagen oftmals Dinge, die sie nicht so meinen, einfach nur, weil sie sich geärgert haben.«

»Sie hat es gemeint«, sagte Gina traurig, »da bin ich mir ganz sicher.«

Für den Rest des Morgens war die Atmosphäre angespannt. Sophie versuchte Gina zum Lachen zu bringen, doch es gelang ihr nicht. Als sie sich nach der Reitstunde trennten, war es eine Erleichterung für Sophie, und sie hoffte, dass die anderen Kinder Gina vor den Spielen aufheitern würden.

Zur Mittagszeit saß Sophie allein in der Küche und grübelte, was sie in Ginas Gesellschaft nicht hatte tun können. Sie fragte sich, ob es Catherine ernst war und sie James tatsächlich verlassen wollte. Wie auch immer, es war grausam, so etwas vor Gina zu sagen. Es sei denn, Gina hatte gelauscht; es wäre nicht das erste Mal gewesen. Sophie hätte gern gewusst, mit wem Catherine am Telefon gesprochen hatte.

Sie stocherte lustlos im Essen herum. Ganz gleich, wie man es sah, es war keine gute Neuigkeit. Schlimmstenfalls konnte sie den Job verlieren.

Sophie fühlte sich egoistisch, weil sie sich um ihren Job sorgte. Schließlich hatte sie noch vor kurzem überlegt, dass sie ohnehin gehen wollte. Die wahren Opfer würden die Kinder sein. Ihnen blieb keine Wahl.

Das Erste zuerst, dachte Sophie. Bring dieses Wochenende hinter dich. Dann mit allen zurück zum Prospect House. Rede mit Callum, frage ihn, wie er darüber denkt. Und Jean, die vielleicht etwas gehört hat. Wenn die Dinge schlecht aussehen, kannst du immer beim nächsten Besuch in der Stadt aufs Arbeitsamt gehen. Der Gedanke, wieder mit Bewerbungsschreiben anzufangen, gefiel ihr kein bisschen, doch allein bei dem Gedanken an die Möglichkeit, sich entscheiden zu können und vielleicht etwas Besseres zu finden, fühlte sie sich besser.

Sie ging zu Jo, die die jüngeren Kinder ins Bett gebracht hatte, danach konnten die Spiele am Nachmittag beginnen.

»Du siehst bereits jetzt erschöpft aus!«, sagte Sophie.

»Das bin ich auch! Versuch du mal ›Ich sehe was, was du nicht siehst‹ bei so einem Altersunterschied der Kinder zu spielen! Es kam mir wie Stunden vor, Ellie zu überzeugen, sich an die übliche Wortwahl für das Spiel zu halten und nichts zu verraten. Sie sagte immer: ›Ich sehe was, das mit ›Kissen‹ beginnt. Was ist das?‹«

Sie lachten und gingen ins Spielzimmer, um die anderen Kinder zu beaufsichtigen, die sich mit relativ ruhigen Ratespielen vergnügten.

»Hast du schon Catherine gesehen?«, fragte Sophie. »Ich möchte wissen, wann sie aufbrechen will.«

»Als Letztes hörte ich, dass sie noch nicht aufgetaucht ist«, meinte Jo.

Die Ratespiele wurden immer lauter, bis die kleineren Kinder aufwachten, und dann begann der Lärm mit dem Verstecken. Nachdem ein paar Grundregeln festgelegt worden waren, welche Räume tabu waren, liefen die Kinder davon, um sich ein Versteck zu suchen, und Ellie kündigte lautstark an, dass sie sich hinter einem Sitzsack im Spielzimmer versteckte.

»Die wird schnell gefunden«, lachte Jo, als sie und Sophie zurückblieben, um bis fünfzig zu zählen. »Sollen wir, während sich alle verstecken, einen Kaffee trinken?«

Die Kleinen waren leicht zu finden. Ellie war genau dort, wo sie angekündigt hatte, doch Sophie und Jo taten erstaunt über das unerwartete Versteck. Die anderen Kinder waren einfallsreicher. Jem war auf einen Spülkasten hochgeklettert und wurde zum Sieger erklärt.

Jem und Ellie waren die nächsten »Rater«, und alle anderen, auch Sophie, suchten ein raffiniertes Versteck. Als Sophie durch das Haus rannte, gelangte sie an einen zweitürigen Schrank im Flur, der anscheinend für Reinigungsutensilien genutzt wurde.

Sophie zwängte sich zwischen die Kehrichtschaufeln. Sie zog eine der Schranktüren hinter sich zu und machte es sich in der Dunkelheit bequem. Sie brauchte nicht lange zu warten; eilige Schritte näherten sich auf dem Gang und verharrten vor dem Schrank. Sophie wich zurück.

Sie hielt den Atem an. Das Pochen ihres Herzens war so heftig, dass sie glaubte, es könnte sie verraten. Ganz gleich, wie alt sie wurde, der Kitzel des Versteckspiels blieb fast derselbe, wie sie ihn als Fünfjährige empfunden hatte. Die Aufregung, sich zu verbergen, und die Befürchtung, entdeckt zu werden, waren fast unerträglich.

Es kam ihr wie eine Ewigkeit vor, seit die Schritte vor ihrem Schrank verstummt waren. War der Suchende noch dort? Oder hatte er sich ungehört davongeschlichen, obwohl sie angestrengt gelauscht hatte? Unmöglich, dachte Sophie. Sie sind noch da und überlegen, wo sie als Nächstes suchen sollen.

Sie wollte durch das Schlüsselloch spähen, doch aus Furcht, eine der Schaufeln umzustoßen und sich durch das Klappern zu verraten, verzichtete sie darauf. In diesem Moment wurde die Tür aufgerissen, und die Hälfte des Schrankes neben Sophie wurde von Licht erhellt. Sie duckte sich noch weiter zurück, kniff die Augen vor der plötzlichen Helligkeit zu und hoffte, nicht entdeckt zu werden. Statt die Schranktür zu schließen und weiterzugehen oder die Schranktür auf Sophies Seite zu öffnen, stieg die Gestalt schnell in den Schrank und zog die Tür hinter sich zu.

Sophie wusste nicht, was sie tun sollte. Sie hatte nicht

deutlich sehen können, wer in den Schrank gestiegen war; es musste eines der größeren Kinder sein. Dennoch wollte sie es nicht erschrecken.

»Hallo«, wisperte sie. »Ich bin's, Sophie. Wer bist du?«

»Hallo, Sophie, Ich bin's, Alex.«

»Alex! Geh raus, sofort!«

»Ich dachte, jeder kann beim Verstecken mitspielen.«

»Sie nicht.«

»Jem sagte, dass ich mitmachen kann.«

»Nun, er hat mich nicht vorher gefragt, also können Sie nicht mitmachen.« Beide flüsterten; Sophie ärgerlich, Alex jovial.

»Oh, bitte! Lass mich mitspielen.«

»Nein. Außerdem ist dies mein Versteck – suchen Sie sich ein eigenes.« Sophie konnte nicht glauben, was sie da zu Alex sagte. Sie klang, selbst in ihren eigenen Ohren, wie eine gereizte Sechsjährige. In diesem Moment tappten Schritte kleiner Füße über den Gang und verloren sich bei der Treppe. Die beiden schwiegen einen Augenblick.

»Meinst du, wir haben das Spiel gewonnen?«, flüsterte Alex.

»Noch nicht. Bleiben Sie still.«

»Es ist mir ein Vergnügen.« Seine Hand fand ihre in der Dunkelheit. »Sollen wir dieses Spiel ein wenig schärfer machen?«

Sophie entzog ihm ihre Hand. »Sie lernen nie, wie? Was treiben Sie hier überhaupt? Erzählen Sie mir nicht, dass Sie zufällig hier sind, denn das glaube ich nicht.«

»Also, gut, dann will ich ehrlich sein. Ich sah, wie du dich im Schrank versteckt hast, und bin dir schamlos gefolgt.«

»Es überrascht mich, dass Sie in der vergangenen Nacht allein auf Pirsch gehen durften.«

»Gestern Nacht? Oh, dafür kann man mich nicht verantwortlich machen«, sagte er leichthin. »Ich war blau.«

»Das ist keine Entschuldigung.«

»Es ist die beste. Pst!«

Schritte tappten über den Gang. Ellies Stimme drang durch die Tür. »Ich vermute, sie steckt hinter dem Sitzsack im Spielzimmer.« Die Schritte entfernten sich.

Alex tastete wieder nach Sophie.

»Lassen Sie das!«

»Ah, komm schon, Sophie. Du weißt, was ich für dich empfinde. Wie wäre es mit etwas Ermunterung?«

Sophie seufzte. Bei ihm wusste man immer genau, was er tun würde, es war fast traurig. »Sie brauchen keine Ermunterung. Sie sind verheiratet, und ich bin nicht interessiert.«

»Ich werde nicht immer verheiratet sein«, sagte er betrübt. »Marcie lässt sich scheiden, das sagt sie jedenfalls.«

»Das kann ich ihr nicht verdenken.«

»Süße«, sagte er plötzlich wieder fröhlich, »du brauchst dir also wegen meiner Frau keine Sorgen zu machen.«

»Alex, ich brauche mir überhaupt keine Sorgen zu machen, denn ich bin nicht interessiert.«

Es folgte ein kurzes Schweigen, bis Alex die Abfuhr begriff. Dann entschied er sich, sie zu ignorieren. »Gib mir deine Hand, Sophie, mach schon. Ich habe eine Überraschung für dich. Fühl mal.«

Sophie wich zurück. »Soll das ein Witz sein? Lassen Sie die Finger von mir, bevor Sie von mir eine Überraschung erhalten. Es ist mein Ernst! Wenn Sie mich weiter angrabschen, gehe ich zu Ihrer Frau. Und zu Mr. McKinnerney.«

»Der ist heimgefahren«, erwiderte er mürrisch. Er war verärgert über die Abfuhr. »Also nützt er dir gar nichts.«

»Dann erzähle ich's ihm sofort, wenn wir heimkehren.«

Alex lachte leise und schob sich näher an sie heran. »Das würde er gern, mich aus dem Haus verbannen. Doch er muss den Schein wahren, nicht wahr? Steife Oberlippe und nichts sonst. Kann seine Frau nicht befriedigen, und so macht er sich Sorgen, dass jemand anders es ihr besorgt. Du und Catherine, ihr braucht einen richtigen Mann.«

Er stemmte die Hände zu beiden Seiten von ihr gegen die Schrankwand, als Sophie zurückwich. Sie spürte gerade noch, wie seine Erektion gegen ihren Bauch stieß, als die Tür aufgerissen wurde.

»Sie ist hier?«

»Wir haben Sophie gefunden!«

»Du hast gewonnen! Du hast gewonnen!«

»Oh, seht mal! Und Dr. Carver ist dabei! Hallo, Dr. Carver.«

Alex wich bei dem plötzlichen Lärm und der Lichtflut zurück, stieß einige Eimer im Schrank um und fummelte an seiner Hose herum.

»Gutes Versteck!«, rief Gina, die ihr früheres Trauma vergessen hatte. »Du bist raus. Kann ich mit dir raus sein?«

Sie spielten den Rest des Nachmittags Verstecken, und Sophie achtete darauf, Alex keine Chance zu geben, sie noch einmal allein zu erwischen. Nach mehreren bedeutungsvollen Blicken und geflüsterten Anzüglichkeiten, die sie völlig ignorierte, trottete er davon, um sich den Erwachsenen anzuschließen und sie in Frieden zu lassen. Schließlich begannen die Kinder zu quengeln und sich zu zanken. Jo schlug ruhigere Spiele vor, und sie alle gingen ins Spielzimmer, glücklich, Videos anzuschauen und zu malen.

Schließlich holten die Eltern ihre Sprösslinge ab und bedankten sich bei Jo und Sophie für ihre Mühen. Jeder wirkte gedämpft und schläfrig nach den Exzessen der vergangenen Nacht, und Sophie spielte gerade mit dem Gedanken, die Pferde auf die Rückfahrt vorzubereiten, als Catherine ins Spielzimmer kam.

»Mami!« Gina sprang auf, gefolgt von der gähnenden Ellie.

»Hallo, Mädchen. Habt ihr euch amüsiert?« Catherine war

blass und mitgenommen, aber sonst schien es ihr schon besser zu gehen. Die Mädchen tanzten um sie herum, was sie zu einem schwachen Lächeln veranlasste. »Ihr seid also bereit, heimzufahren. Ihr wollt sicher sehen, was Peter macht? Und Jean.«

»Und Papi«, rief Gina schrill, und Catherine zuckte zusammen. »Ich will Papi sehen und ihm von unseren Verstecken erzählen.«

»Ich habe mich hinter einem Sitzsack versteckt«, sagte Ellie stolz.

»Und ich habe Sophie gefunden, nicht wahr, Sophie? Dabei hatte sie das allerbeste Versteck.«

»So, hatte sie, Liebling?« Catherine wich Sophies Blick aus und lächelte gezwungen zu ihren Töchtern. Sophie hatte das schreckliche Gefühl, etwas Verbotenes getan zu haben.

»Ja, das hatte sie, sie war in einem Schrank! Mit all den Besen und Eimern. Und wir konnten sie stundenlang nicht finden! Und als wir sie schließlich entdeckten, fanden wir auch Dr. Carver!«

Das Lächeln schien auf Catherines Gesicht einzufrieren. Danach sah Sophie, wie Jo die Hände vors Gesicht hielt.

Als Catherine sprach, schien sie das mit zusammengebissenen Zähnen zu tun. »Kann ich ein Wort mit Ihnen reden, Sophie?« Ihre Lippen bewegten sich kaum.

Sie könnte eine gute Bauchrednerin sein, dachte Sophie. Sie fühlte sich schwindelig, als sie Catherine aus dem Spielzimmer und über den Gang folgte. Sie hatte keine Angst vor dem, was Catherine sagen würde, aber sie nahm an, dass es eine Standpauke sein würde, obwohl sie völlig unverdient war. Ihr blieb kaum Zeit, sich zu entscheiden, dass sie nicht lügen würde, als Catherine schon auf dem Absatz kehrtmachte und sie in das Schlafzimmer führte, das sie mit James geteilt hatte.

Sophie schloss die Tür hinter sich und wandte sich ihrer Arbeitgeberin zu.

»Nun?« Catherines Gesicht war weiß und wütend. »Was haben Sie zu sagen?«

»Es gibt nichts zu sagen.« Sophie verschränkte die Arme und blickte Catherine trotzig an.

»Es ist nicht das erste Mal gewesen, dass er mich belästigt hat. Als ich im Prospect House eintraf, machte er sich an mich ran, und Mr. McKinnerney hat ihn zurechtgewiesen.«

»Tatsächlich?« Catherines Miene war boshaft. »Und ich nehme an, Sie haben nichts getan, um ihn anzuheizen, wie?«

»So war es tatsächlich. Ich habe versucht, ihm zu entkommen, wenn Sie es wissen müssen.«

Catherines Augen blitzten gefährlich. »Erwarten Sie wirklich, dass ich das glaube? Sie können keinen von ihnen in Frieden lassen, wie? Callum. James. Alex.«

Sophie war wütend. »Wie können Sie es wagen! Ihr Mann hat nur Augen für Sie, falls Sie das nicht bemerkt haben. Ich habe Alex nie ermuntert – es ist nicht meine Art, verheiratete Männer anzumachen! Und was Callum anbetrifft, was ich in meiner Freizeit mache . . .«

»Wollen Sie da etwas andeuten?« Catherine wirkte bedrohlicher, als Sophie jemals für möglich gehalten hatte.

»Was, das mit Callum?«

»Das über verheiratete Männer. Sie haben eine sehr gefährliche Anschuldigung gemacht.«

Sophie war erbost. »Was genau ist das Problem? Dass Alex zu mir gekommen ist? Dass Gina es bemerkt hat? Sie sollten nicht wütend auf mich sein – Alex Carver ist der Schurke in diesem Stück. Wenn Sie mich entlassen wollen, dann tun Sie das – mich juckt es nicht mehr.«

»O nein. Ich bezweifle, dass es dazu kommen wird.«

Catherines Lächeln war boshaft, als sie sich umwandte,

die Tür zu öffnen. »Jedenfalls kommen Sie nicht so leicht davon. Ich habe Pläne mit Ihnen.« Bevor Sophie überlegen konnte, was sie mit dieser unheilvollen Äußerung meinte, stand Catherine schon auf dem Gang und knallte die Tür hinter sich zu.

Sophie hatte noch einen Anlaufhafen, bevor sie sich daran machte, die Pferde in den Transporter zu bringen. Sie ging den Flur hinunter und klopfte an die Tür von Carver und hoffte, dass er allein war. Sie hatte Glück.

»Sophie! Welche eine reizende Überraschung. Treten Sie ein.«

»Sie müssen scherzen. Ich bin nur hier, um Ihnen zu sagen, dass ich Ihretwegen eben fast meinen Job verloren hätte.«

»Sophie, ich habe nicht . . .«

»Lassen Sie mich aussprechen. Sie haben mich fast meinen Job gekostet. Eigentlich ist es mir im Augenblick ziemlich gleichgültig, aber mich ärgert, dass alles ein Spiel von Ihnen ist. Sie meinen anscheinend, dass meine Gefühle nicht zählen. Dass Sie sich nehmen können, was immer Sie wollen.«

»Aber . . .«

»Halten Sie den Mund, und hören Sie mir zu. Wenn Sie mir noch einmal zu nahe treten, werden Sie es sehr bereuen.«

»Sie wollen mir drohen, Sophie?« Er lachte arrogant. »Was werden Sie denn tun – es Ihrem kostbaren Chef erzählen?«

»Daran habe ich gedacht«, sagte Sophie und lächelte süß.

»Der wird nichts unternehmen. Er mag nichts Unangenehmes.«

»Ich werde Ihrer Frau alles über Sie erzählen.«

Es folgte eine Pause, während er das verarbeitete, dann lachte er wieder. »Sie weiß bereits alles über mich – deshalb will sie die Scheidung.«

»Nein, Sie verstehen nicht. Ich meinte, dass ich ihr und

jedem sonst alles über Sie erzählen werde. Vor Gericht. Bei einem Scheidungsprozess. Sozusagen den Schmutz auspacken. Nicht gut für einen Doktor, wenn er als geiler Lustmolch beschrieben wird, oder?«

Alex war blass geworden. »Das würden Sie nicht tun!«

»Warten Sie's ab!« Sophie machte auf dem Absatz kehrt und wollte davongehen, doch dann fiel ihr noch etwas ein. Alex hielt immer noch mit schockierter Miene die Tür auf. »Übrigens«, sagte sie heiter, »werde ich James nicht damit behelligen. Er hat genug Probleme, ohne sich mit blöden Lappalien wie Sie abzugeben.«

Alex gewann seine Fassung zurück und schnaubte böse. »Sie finden ihn so wundervoll, wie? Nun, Sophie, die Dinge sind nicht immer, wie sie scheinen. Wenn er nur halb so gut ist, wie er denkt, warum kann er keine Frau glücklich machen?«

Er brüllte Sophie immer noch auf dem Gang hinterher, als sie schon die Tür von ihrem und Jos Zimmer zuknallte und ihre Reisetaschen zu packen begann. Es dauerte nicht lange, und so befürchtete sie keine weitere Konfrontation, schlich die Treppe hinunter und durch die Küche.

»Ah, da sind Sie«, rief Mrs. Clegg, und Sophie verspürte ein flaues Gefühl. »Ich soll Ihnen was ausrichten. Mrs. McKinnerney« – sie sprach den Namen aus, als sei er Gift auf ihren Lippen – fährt mit dem Taxi heim, mit den Kindern. Sie wünscht, dass Sie ihr später – ihre genauen Worte waren ›wenn sie sich losreißen kann‹ – mit Pferden und Gepäck folgen.«

Sophie seufzte. »Danke, Mrs. Clegg.«

Mrs. Clegg musterte sie scharf. »Ich frage mich, was das alles zu bedeuten hat.«

»Fragen Sie mich nicht, Mrs. Clegg. Ich bin nur die Dumme, die in die Mitte des Schlamassels geraten ist.«

Mrs. Clegg nickte mitfühlend; das verstand sie perfekt. »Machen Sie sich nichts daraus, meine Liebe. Gehen Sie, und erledigen Sie Ihre Aufgaben. Eine Kanne Tee wartet auf Sie, wenn Sie fertig sind.«

Sophie fühlte sich müde. Es hatte keinen Sinn, die Pferde schon lange vor dem Aufbruch in den Transporter zu verladen. Sie würden nur nervös werden. Sie ging, um das Gepäck der McKinnerneys zu holen, und stellte irritiert fest, dass James' Reisetasche nur halb gepackt war. Vermutlich hatte Catherine sich geweigert, weil er weggefahren war und sie und die Kinder zurückgelassen hatte.

Ich nehme an, da habe ich den Schwarzen Peter, dachte Sophie. Ich bin die Letzte in dieser Kette der Verantwortlichkeiten. Der Kuli, der die Drecksarbeit machen muss. Ihr war bewusst, dass dies nicht zu ihren Aufgaben zählte, und sie schwor sich, so schnell wie möglich eine andere Arbeitsstelle zu suchen, als sie lustlos durchs Zimmer schritt und herumliegende Dinge in James' Reisetasche warf.

Selbst der Gedanke an eine Tasse Tee und – wenn sie Glück hatte – etwas von Mrs. Cleggs selbst gemachtem Gebäck konnte den Job nicht reizvoller machen. Mit wachsendem Groll leerte Sophie Schubladen und überprüfte Schränke.

Vermutlich mag sie nicht den Gedanken, dass ich mir ihre Sachen ansehe, dachte Sophie. Oder sie traut mir nicht zu, sie richtig zu verpacken; als ob ich nicht schon genug zu tun hätte.

Schließlich schien alles in James' Reisetasche zu sein. Sophie mühte sich mit dem Reißverschluss ab. Warum sind die Reisetaschen vor der Rückreise immer so schwer zu schließen?, dachte sie. Selbst wenn sie den gleichen Inhalt haben wie zuvor, sind sie kaum zuzubekommen.

Sie mühte sich eine Weile vergebens ab und zog dann einen Pullover heraus. Der wird zu Catherines Sachen kommen, dachte sie und warf ihn aufs Bett. Sie entspannte sich einen Moment und versuchte die Depression loszuwerden, die sich in ihr ausbreiten wollte. Langsam hob sie den Pullover an ihr Gesicht. Er roch nach James. Kein unangenehmer Geruch, aber zweifellos von ihm. Sie drückte den Stoff an ihr Gesicht und versuchte, den Duft zu bestimmen.

Sophie schloss die Augen und atmete tief ein. Brandy, ein schwacher Hauch von Tabakrauch und sein Aftershave. Sie war sich nicht sicher, welche Marke James benutzte. Der Duft war frisch, aber nicht blumig oder süß; er brachte die Erinnerung an Ereignisse der vergangenen Nacht zurück. Sophie legte sich mit dem Rücken aufs Bett und ließ den Pullover auf ihr Gesicht fallen. Sie schloss die Augen, atmete tief durch und fragte sich, wie es sein würde, Sex mit James McKinnerney zu haben.

Was hatte Alex über James gesagt? Dass er nicht in der Lage sei, seine Frau zu befriedigen? Das konnte Sophie kaum glauben, in ihrer Fantasie war James die personifizierte Potenz. Catherine hatte das Alex wohl nur gesagt, um sein Mitleid zu erheischen und ihn anzuspornen. Sophie konnte sich gut vorstellen, dass ein Mann wie Alex sich von Catherines angeblicher Frustration herausgefordert fühlte. Und für Catherine war jede Gelegenheit, ihren Mann schlecht zu machen, ein zusätzlicher Anreiz.

Warum sah Catherine nicht, was für ein Widerling Alex Carver in Wirklichkeit war? War das ein Fall, bei dem die Kirschen in Nachbars Garten süßer sind? Sie konnte das nicht verstehen. Sie selbst fand James eindeutig begehrenswerter als Alex. Sophie verfiel in Tagträume. Sie stellte sich vor, wie sie Alex bewies, dass er sich über James irrte, und malte sich aus, wie sie James so erregte, wie er es noch nie erlebt hatte. Wie sie seine männliche Leidenschaft entflammte. Es würde nie wieder Zweifel an seiner Manneskraft geben.

Wie wird es sein, James auf mir zu spüren?, fragte sie sich. Würde er immer noch reserviert und anständig bleiben, oder würde er seine Zurückhaltung aufgeben, wenn ich mich vor ihm ausziehe? Musste er verführt werden, oder würde er ihr verfallen, frustriert durch monatelange Zurückhaltung bei Catherine?

Das Gesicht in den warmen, duftenden Pullover gepresst, atmete Sophie tief den männlichen Duft ein. Sie erinnerte sich an seine Höflichkeit ihr gegenüber. Über seinen Widerwillen, über seine Probleme zu reden, über seine Loyalität. Sie rieb den Pullover über ihr Gesicht, stellte sich ihn darin vor, glaubte, sein Gesicht über ihrem zu sehen. Sophies Haut war warm und prickelte in Erwartung von James' eingebildeter Berührung. Ohne nachzudenken, knöpfte sie ihr Kleid auf.

Sie hielt den Pullover in einer Hand und streichelte ihr Gesicht und den Hals mit dem angenehm rauen Material, und ihre andere Hand stahl sich zwischen ihre Beine und in ihr Höschen. Sophie gab sich ihren Fantasien hin. James war über ihr. Er bemühte sich hart, zu widerstehen, doch sie drängte ihn, und in ihrem Tagtraum fand er nach vielen Wochen von Catherines unverständlicher Weigerung, ihn an sich heranzulassen, den Anblick von Sophies köstlichem Körper – bereit und mehr als willig – zu viel, um noch zu warten.

Sophie schob sich weiter auf dem Bett hoch und streifte den Pullover über ihren prickelnden Körper hinab. Unter ihrem geöffneten Kleid trug sie nur das Höschen, und der Pullover enthielt einen höchst erregten James, als sie ihn verführerisch über ihre Haut gleiten ließ. Die Wolle fühlte sich rau an ihren empfindlichen Nippeln an; sie reizte sie sanft, bis sie sich geschwollen und reif anfühlten.

Würden James meine Brüste gefallen?, fragte sie sich. Würde er seine Zunge darübergleiten lassen und daran saugen, bis ich stöhne? Der Gedanke an James McKinnerney, der begierig an ihren Brüsten saugte, erregte sie, und sie schob den Pullover über ihren Bauch und zwischen die Schenkel. Unbewusst streifte sie das Höschen herab, und der Pullover fühlte sich wie eine besonders raue Zunge an, als er ihren bereits feuchten blonden Busch streichelte.

Sophie schob den Hauptteil des Pullovers zwischen ihre Beine und hielt die Ärmel fest, sodass beide Hände voller Wollstoff waren. Sie zog erst an einem Ärmel, dann an dem anderen und legte sich zurück, um mit James McKinnerneys Pullover schnelle Schauer der Erregung durch ihren Körper zu schicken.

Als sie den Stoff zurück zu ihrem Gesicht zog, konnte sie wahrnehmen, dass sich ihr eigener Geruch mit seinem vermischt hatte, was sie unglaublich erregte. Sie hatte das Gefühl, fast zu kommen, wenn sie nur an ihn dachte, aber das war es nicht, was sie wollte. Sie musste glauben, dass er sie begehrte, unkontrolliert nach ihr gierte, alles tun würde für die Chance, sie zu besitzen. Und so, mit zurückgeworfenem Kopf und verrückten Fantasien, tauchte sie ihre Finger tief in ihre heiße Nässe.

Wie würde er sich in ihr anfühlen? Sophie war von Verlangen erfüllt. Würde er sie zuerst küssen wollen? Seine Zunge in die Spalte ihrer Weiblichkeit bohren wollen, während sie, ungeduldig darauf, ihn in sich zu spüren, sich wand und flehte, sie nicht warten zu lassen? Bei dem Gedanken musste sie schlucken, und sie tauchte wieder mit den Fingern hinein. Würde er dabei Geräusche ausstoßen? Nein, nicht James. Er würde stumm sein, und sie würde nur seinen Atem, heftig und schwer, über sich hören.

Irgendetwas lenkte Sophies Aufmerksamkeit an dieser Stelle ab. Sie klammerte sich an den Gedanken, James in sich zu spüren, doch eine winzige Alarmglocke schien wie aus weiter Ferne in ihrem Kopf anzuschlagen. Sie hatte keine Zeit, dieses Ärgernis zu erkunden, denn plötzlich wurde ihr klar, dass sie vom Bett glitt. Sophie versuchte, den Fall zu verhindern und sich abzufangen, doch das gelang ihr nicht. Sie hatte gerade noch die Zeit zu denken, dass James, wenn er hier gewesen wäre, sie hochgestemmt und – immer noch vereinigt – zurück aufs Bett gelegt hätte. Es kam ihr sofort bei dem Gedanken, dass James sie zurück aufs Bett hob, während ihre Finger noch tief in ihr steckten.

Sophie war erhitzt und erregt. Sie fühlte sich, als hätte sie soeben sehr befriedigenden Sex mit einem anspruchsvollen Partner genossen. Sie bemühte sich, zu Atem zu kommen, und empfand einen Moment der Panik, als sie sich fragte, was sie mit James' Pullover tun sollte, der mit dem Beweis ihrer Erregung glänzte.

Ich werde ihn in mein Gepäck tun, dachte Sophie. Gleich, wenn ich wieder im Prospect House bin, gebe ich ihn in die Wäsche, und dann lasse ich ihn im Waschraum liegen. Jeder wird annehmen, dass er in James' Reisetasche gewesen ist.

Sie stand auf, knöpfte ihr Kleid zu und strich ihr Haar glatt. Als sie im Spiegel ihr gerötetes Gesicht und ihre glänzenden Augen sah, entschied sie, nicht gleich zu gehen. Mrs. Clegg würde sich fragen, was sie getrieben hatte.

Und das ganz zu Recht, dachte Sophie. Was war nur mit ihr los gewesen? Bedeutete dies, dass sie James liebte? Er war zweifellos attraktiv, aber nicht wirklich Sophies Typ. Er war zu konservativ – ein bisschen spießig, wenn sie ehrlich war. Aber ein kleiner intimer Tagtraum schadet niemandem, dachte Sophie, und er hat mir wenigstens klargemacht, wie sehr ich Callum vermisse.

Sie trödelte im Zimmer herum und schaute ein letztes Mal prüfend unter das Bett und in die Schubladen. Als sie nichts Vergessenes gefunden hatte und glaubte, sich wieder vor

Leuten zeigen zu können, schleppte sie die Reisetaschen in die Halle. Mrs. Clegg kam vorbei, als sie auf dem Weg war, um mit Jo zu sprechen.

»Lassen Sie die hier«, rief sie Sophie zu. »Ich schicke jemanden, der sie für Sie runterbringt. Sie sehen erschöpft aus, meine Liebe! Und übrigens«, rief sie über ihre Schulter, »sollten Sie Ihr Kleid richtig zuknöpfen.«

Achtes Kapitel

»Hallo, kann ich reinkommen?« Die Stimme schien von einem Blumenstrauß zu kommen, der das Gesicht dahinter verdeckte.

»Na klar, nur herein.« Sophie lachte und trat zurück, um dem Bukett Einlass zu gewähren.

»Danke, hier draußen ist es kühl«, sagten die Blumen in einer Stimme, die sonderbar der von Callum ähnelte. Er legte die Blumen auf den Tisch.

»Ich bin hier, um mich zu entschuldigen.« Callum sah Sophie zögernd an. Er rieb sich die behandschuhten Hände, als ob er nicht wüsste, was er damit anfangen sollte.

»Callum, du brauchtest mir keine Blumen zu bringen.« Ihr Lächeln und ihre weiche Stimme verrieten Callum, dass sie sich jedoch sehr freute. Er wirkte erleichtert, weil sein Friedensangebot so bereitwillig akzeptiert wurde.

»Nun, dann nehme ich sie wieder zurück. Das Mädchen, das sie mir verkauft hat, sagte, sie wünsche sich von Männern solche Blumen als Geschenk. Sie wird äußerst dankbar für den Strauß sein.«

»Wage es nur ja nicht! Ehrlich, Callum, sie sind wunderschön. Vielen Dank.«

»Gern geschehen.«

Sie lächelten einander glücklich an. Sophie fand sein gutes Aussehen und sein offenes Gesicht wieder einmal beeindruckend. Er war wie eine frische Brise nach einem Wochenende der schlechten Stimmung.

»Hast du Zeit für eine Tasse Tee?«

»Ich habe alle Zeit der Welt«, antwortete er. »Ich habe heute den ganzen Tag frei.«

»Großartig! Ich auch.«

»Das weiß ich. Deshalb habe ich mir heute frei genommen. Ich dachte, es gibt etwas gutzumachen – wenn du mich lässt.«

»Nichts wünsche ich mir mehr. Abgesehen von einem Lottogewinn und einem anderen Job«, fügte sie bitter hinzu.

Er lachte. »Wie war dein Wochenende?«

»Schrecklich, Callum. Der reinste Horror. Ich verlor schon den Lebenswillen, bevor wir überhaupt da waren – und dann wurde es schlimmer!«

Sie lachten über die Mätzchen ihrer Chefs, und Sophie erzählte Callum von Catherines letztem Ausbruch. Callum hörte zu und zeigte Mitgefühl, bis Sophie von dem Intermezzo mit Alex Carver berichtete. Da runzelte er die Stirn und starrte verdrossen in seine Teetasse.

»Ist er es, mit dem du Probleme hattest?«

»Ich hatte welche, aber das ist jetzt geregelt.«

»Wenn du meine Hilfe brauchst . . .«

Sie lächelte und tätschelte seine Hand. »Danke, Callum, aber ich habe wirklich alles unter Kontrolle.«

»Kann ich dir eine Frage stellen?«

»Das hängt von der Frage ab.« Sie war wachsam, wollte nicht mehr über Alex sprechen.

»War es sein Handschuh?«

Sophie hatte den Handschuh fast vergessen gehabt. Konnte es der von Alex Carver gewesen sein? Auf diesen Gedanken war sie überhaupt nicht gekommen! Callum hielt ihre Verwirrung für Zögern.

»Ich hätte das nicht fragen sollen. Tut mir leid, Sophie. Es macht nichts.«

»O nein, mir macht es nichts aus, dass du gefragt hast ...«
Sophies Gedanken rasten. Sollte sie Callum die ganze Geschichte erzählen? Eigentlich wollte sie es nicht, nicht jetzt, da sie wieder so gut miteinander auskamen. Sophie hatte sich entschlossen – als sie gestern Nacht mit dem Pferdetransporter heimgefahren war –, dass sie ihren geheimnisvollen Liebhaber in die Vergangenheit verbannen musste. Wenn sie wieder Normalität in ihrem Leben haben wollte, dann musste sie sicherstellen, dass er nie wieder seine Machtspiele mit ihr genießen konnte.

Dieses angenommene Ende ihrer Beziehung – wenn man es so nennen konnte – ließ sie keineswegs glücklich zurück. Es war unbefriedigend, nicht zu wissen, wer der Mann gewesen war. Aber mit Entschlossenheit und ein wenig Hilfe – die sie von Callum erbitten würde – war Sophie zuversichtlich, dass sie ihren mysteriösen Verführer nicht mehr sehen würde.

»Sophie, es ist unwichtig.«

Sie atmete tief durch. »Ich will eigentlich nicht in Einzelheiten gehen, Callum. Ich weiß wirklich nicht genau, was mit mir los war. Alles, was ich sagen kann, ist, dass ich jetzt mit niemandem was habe. Und ich möchte dich um einen Gefallen bitten.«

Er neigte sich begierig zu ihr. »Was kann ich tun?«

»Würdest du mir helfen, das Türschloss zu wechseln? Ebenso brauchte ich Riegel für die größeren Fenster.«

Er starrte sie einen Moment an und fuhr sich dann mit den Fingern durchs Haar, entschied sich offensichtlich, keine weiteren Fragen zu stellen. Dann blickte er auf und lächelte. »Klar. Wir können das heute machen, wenn du willst.«

Sophie neigte sich über den Tisch und ergriff seine Hand. »Danke, Callum.«

Er zog sie wortlos von ihrem Stuhl an die Seite des Tischs.

Er drückte sie fest an sich und senkte den Kopf gegen ihre Brüste. Er lächelte zu ihr auf.

»Ich muss sagen, dass es normalerweise nicht in meiner Natur liegt, mich zu entschuldigen.«

»So? Und warum hast du's dann getan?«

»Du hast mir gefehlt.« Seine Stimme klang gedämpft, als er in ihre Bluse murmelte.

»Du hast mir auch gefehlt«, sagte sie ehrlich. »Das Lustige ist, dass ich mich ebenfalls bei dir entschuldigen wollte, doch du bist mir zuvorgekommen, und so ist es mir erspart geblieben.«

»Was?« Callum tat wütend. »Ich habe mich entschuldigt, obwohl ich es gar nicht brauchte? Nun, das kannst du wiedergutmachen und es jetzt sagen!«

»Kommt nicht in Frage!«

»Ah, komm schon!« Er zog entschlossen seine Jeans aus. »Jetzt bist du dran mit dem Entschuldigen!«

»Vergiss es! Es war ohnehin nicht meine Schuld.«

»Eigentlich war es das, aber ich wollte darüber hinwegsehen. Komm, Sophie«, sein Tonfall war schmeichelnd, »bitte mich um Verzeihung.«

»Muss ich das?« Sophie tat ärgerlich.

»Es würde mich aufrichten. Es war ein Schlag für meine Selbstachtung, zugeben zu müssen, dass ich einen Fehler begangen habe.«

»Ah, dann sage ich also Verzeihung.«

»Das klang sehr widerwillig. O nein, das reicht überhaupt nicht. Komm, mach es richtig.«

»Verzeihung Callum, blablabla. Wie ist das?«

»Blablabla?? O nein.« Er zog seine Jeans aus und zeigte Sophie, wie es um ihn stand. »Meine Männlichkeit könnte einen dauerhaften Schaden durch einen solchen Zwischenfall behalten. Nur eine richtige Entschuldigung kann sie retten.«

Sie versuchten beide, nicht zu lachen, doch sie freuten sich über dieses Spiel, voller Erwartung, wieder einmal Spaß miteinander zu haben.

Sophie bemühte sich, beunruhigt auszusehen. »Ich habe große Sorgen, Callum. Wie kann ich es wiedergutmachen und deine frühere ... Pracht wiederherstellen?«

»Das kommt meiner Vorstellung schon nahe. Auf die Knie!«

»Du musst scherzen.«

Als Antwort befreite Callum seinen angespannten Penis aus der Hose und hielt ihn ihr hin. »Auf die Knie.«

Aber Sophie brauchte keine Aufforderung mehr. Es schien eine Ewigkeit her zu sein, dass sie mit Callum Sex im Heu gehabt hatte, und eine solche Gelegenheit wie jetzt wollte sie sich nicht entgehen lassen. Langsam kniete sie sich auf den Teppich, froh, dass ihre winzige Küche nicht gefliest war, legte die Hände auf Callums Knie und schaute zu ihm auf.

»Ich bin auf den Knien«, sagte sie.

Callum schien nicht in der Lage zu sein, etwas zu sagen. Geistesabwesend streichelte er sich und lächelte verträumt auf sie hinab. Sophie blickte ihm weiterhin in die Augen und beugte leicht den Kopf, um mit der Zungenspitze seinen Penis hinauf zu küssen. Callums Augen weiteten sich, und seine Miene nahm einen glückseligen Ausdruck an.

»Ich hatte gehofft, dass du das tust.«

Sophie lächelte und neigte sich wieder hinab, um ihn mit stärkerem Druck zu lecken. Callum erschauerte vor Entzücken. »Oh, Sophie! Du hast mir gefehlt. Dies hat mir gefehlt«, flüsterte er, fast wie im Selbstgespräch. Sophie lächelte zu ihm auf und beobachtete sein Gesicht, als sie ihn in voller Länge in den Mund nahm. Die Wirkung war unglaublich. Callum stöhnte auf und schloss die Augen, und sein Kopf ruckte in Ekstase zurück. Sophie spürte, dass sie als Reaktion darauf feucht wurde, und widmete sich mit erneutem Vergnügen Callums wundervollem Schwanz.

Sie zog seine Hose zur Seite, sodass sie seine Hoden umfassen konnte, und sie war entzückt, sie prall in der Hand zu spüren. Sanfter Druck ließ ihn noch mehr aufstöhnen, als sie ihn tief in den Mund saugte.

»Sophie, warte!«

Als sie durch ihre zerzausten Haare, der Mund feucht und glänzend, zu ihm aufschaute, versuchte er besorgt, sie aufzurichten.

»Ich wollte dich so kommen lassen«, sagte sie. »Dir einen anständig blasen!«

»Anständig?« Er lachte und neckte sie. »Wie wäre es mit unanständig?«

»Callum. Du weißt, was ich meine!«

»Ja, das weiß ich. Aber, mein Liebling, ich möchte dich sehen. Ich kann dich da unten nicht sehen, und du hast mir gefehlt.«

»Sag mir, was von mir du vermisst hast«, murmelte Sophie in sein Haar, die Arme um ihn geschlungen.

»Ich habe den Anblick deines wunderbaren Körpers vermisst«, sagte er und streifte ihre Jeans und das Spitzenhöschen hinab. »Ich habe es vermisst, dich hier zu küssen.« Er öffnete ihre Bluse und presste sein Gesicht auf die Brüste. »Und ich habe vermisst, dich hier drauf zu spüren.« Er packte sie an den Hüften und hob sie auf seinen Penis.

Sophie stöhnte auf. Sie war feucht genug, um sich senkrecht auf ihn sinken zu lassen, doch Callum wollte es anders. Er hielt sie über sich, und seine starken Arme zuckten, als er ihr Gewicht hielt. Sophie zappelte und wand sich, begierig darauf, ihre Pussylippen um ihn zu fühlen und seine volle Länge in sich zu spüren. Aber Callum war stärker. Er ließ sie so langsam hinab, dass sie erst spürte, wie tief er bereits in ihr war, als er sich bewegte. Sie schrie vor Lust auf.

»Oh, Callum! Du hast mir auch so gefehlt.«

»Sag es mir, Sophie. Sag mir, wie sehr ich dir gefehlt habe.« Er hob sich an und hielt sie fest, und seine Muskeln auf Armen und Schultern schwollen an.

Sophie konnte nichts erwidern. Für gewöhnlich war sie nicht lautlos beim Sex, doch jetzt rang sie um Atem. Sie konnte nur denken, dass sie jetzt wieder mit diesem wundervollen Schaft gefüllt war. Sie zitterte, fühlte sich heiß und fiebrig, als Callum sie langsam sinken ließ.

Sie war ihm ausgeliefert, und es war ein wunderbares Gefühl. Callum hob sie hoch und reizte ihre Klitoris mit der freien Hand, um sie dann wieder auf seine köstliche Manneskraft zu senken.

Sophie spürte, wie sich ihre Nässe auf Callums Schwanz ausbreitete, und sie spürte die Hitze in sich und den leichten Schwindel, der ihrem Höhepunkt vorausging. Der Schrei der Ekstase, den sie ausstieß, überraschte sie selbst; Callum spürte, wie sich ihre Scheidenmuskeln um seinen Penis spannten, und er stöhnte unwillkürlich auf.

Sophie nahm eine plötzliche Explosion von Farben hinter ihren geschlossenen Augenlidern wahr, während die Wogen des Orgasmus sie erfassten und ihr Körper erstarrte. Callum kam einen Augenblick später. Sophie spürte die Kraft seiner Flut in sich wie eine Fontäne. Für Sekunden waren sie in einer Rhapsodie der Lust vereinigt, und dann verharrten sie so, bis das wundervolle Gefühl abklang.

Sie verbrachten den Tag zusammen. Sophie durfte später Callum ›anständig‹ blasen, und danach nahm sie eine lange heiße Dusche. Sie debattierten darüber, ihren Tag der Lust zu unterbrechen, um Türschlüssel und Riegel für die Fenster zu kaufen – Sophie war versucht, den Kauf aufzuschieben, doch Callum hielt ihn für dringend. Dann schlug Callum vor, das Essen vorzubereiten.

Sophie war erfreut. Sie hatte befürchtet, dass ihr Ausflug zum Einkaufen ihren gemeinsamen Tag beenden würde. Als sie Callum zuschaute, wie er Zutaten für ihr Abendessen in einer Tragetasche verstaute, erkannte sie, dass das Beste noch kommen würde; als er alles mit einer Flasche Wein krönte, war Sophie doppelt glücklich – er konnte nicht vorhaben, in dieser Nacht heimzufahren, wenn er trank.

Sie fuhren in kameradschaftlichem Schweigen zum Cottage zurück. Callum wechselte das Türschloss und sicherte die Fenster mit Riegeln, während Sophie die Stellenanzeigen der Zeitungen durchblätterte und eine neue Arbeitsstelle suchte.

Sie hatten lange und hitzig über ihre Stellen bei den McKinnerneys gesprochen und waren der gleichen Meinung, dass ihre Jobs keineswegs sicher waren.

»Wir könnten irgendwo gemeinsam arbeiten«, schlug Callum zögernd vor. »Es gibt Positionen für Paare.«

Sophie lächelte. »Eigentlich sind wir kein Paar, oder, Callum?«

»Nein, verheiratet sind wir nicht.« Er lachte verlegen. »Aber wir könnten es werden, nicht wahr?«

»Vielleicht, aber es wäre das Letzte, ein Paar zu werden, weil es der Job erfordert.«

»Das kann ich verstehen. Aber ...«

Sie küsste ihn. »Sehen wir einfach, was passiert, ja? Wenn sich ein fairer Zweierjob für einen von uns ergibt, so nehmen wir ihn. Dann können wir weitersehen.«

Er wirkte gekränkt.

»Callum. Ich will dich nicht verlieren.« Sie bemühte sich sehr, die richtigen Worte zu finden. »Aber ich will nicht, dass wir gegenseitig schon krank von unserem Anblick werden, bevor wir überhaupt angefangen haben.«

»Da hast du Recht. Aber eines sollte dir klar sein, selbst wenn du einen Job auf den Äußeren Hebriden findest, suche ich mir einen in der Nähe.« Sie lachten und trugen die Zeitungen in die Küche, sodass Sophie ihm die Stellenanzeigen vorlesen konnte, während er das Abendessen zubereitete.

Sophie beobachtete ihn verstohlen. Er kochte, wie er Liebe machte, ungezwungen und voller Spaß, plaudernd und lachend, das Gesicht offen und munter. Dann fiel ihm der Wein ein, und er spielte den Kellner, legte sich ein Tuch über den Arm und ließ sie mit neugieriger Miene kosten.

Es war gut, bei ihm zu sein. Sophie mochte seine Art und seinen ausgelassenen Humor. Als es in den Pfannen brutzelte und die Küche von köstlichen Gerüchen erfüllt war, setzte er sich mit seinem Weinglas gegenüber von ihr an den Tisch.

»Sollen wir uns in das andere Zimmer setzen?«, fragte er.

»Ich möchte dir erst etwas sagen.«

»Oh, Liebling, das klingt unheilvoll.« Er scherzte, doch sein Gesicht war ernst. »Stimmt etwas nicht?«

»Es tut mir leid. Weil ich in jener Nacht nicht ganz ehrlich zu dir gewesen bin.«

Er seufzte. »Sophie, das ist deine Sache, nicht meine. Ich war verärgert, ja. Aber dazu hatte ich auch das Recht.« Er trank einen Schluck Wein. »Vielleicht ist es an der Zeit, dir zu sagen, dass ich auch nicht ganz ehrlich zu dir war.«

Seine Worte versetzten Sophie einen Schock. Wovon redete er? »Was meinst du?«

Er bemerkte ihren angespannten Tonfall und legte schnell eine Hand auf ihre. »Es ist nicht so schlimm, ehrlich nicht.«

»Komm schon, raus damit!« Ihre Hand zitterte leicht, als sie das Weinglas hob. »Keine weiteren Geheimnisse.«

»Ich glaube zu wissen, warum Catherine so hässlich zu dir gewesen ist.«

»So? Warum?«

Er atmete tief durch. »Als ich zur Arbeit hierherkam – ich war nicht länger als zwei Wochen angestellt –, machte sie sich an mich heran, als ich den Koppelzaun anstrich.«

»Da kann sie noch nicht lange verheiratet gewesen sein, oder?«

»Nein, nicht lange. Jedenfalls lehnte ich ab. Ich war nicht unhöflich, gab ihr nur einen freundlichen Korb und sagte, dass ich nicht mit etwas herummache, was mir nicht gehört.«

»Warum hast du mir nicht früher davon erzählt?«

»Es kam mir nie in den Sinn. Es war ein zweiminütiger Zwischenfall, den wir offensichtlich am liebsten vergessen wollten. Er wurde auch nie wieder erwähnt. Ich atmete auf, führte es darauf zurück, dass das Eheleben nicht ganz das ist, was sie erwartet hatte, und dachte nicht mehr daran. Jedenfalls ist das alles lange her.«

Sophie fragte sich insgeheim, ob das wirklich der Grund für Catherines Abneigung war. Sie konnte doch nicht noch immer ein Auge auf Callum geworfen haben? Wie er gesagt hatte, war es vor langer Zeit gewesen. Dennoch bestätigte es, was sie selbst geargwöhnt hatte: Catherine war seit Jahren unglücklich in ihrer Ehe. Vielleicht war sie nie glücklich gewesen. Warum hatte sie James dann geheiratet?

»Ich kann nicht glauben, dass sie deshalb so widerlich zu mir ist«, sagte Sophie. »Selbst Catherine kann nicht so lange einen Groll hegen.«

»Ich glaube, sie ist eifersüchtig.«

»Auf dich und mich?« Sophie lachte. »Das kann ich nicht verstehen.«

»Nicht nur das. Du bist jung. Du bist schön. Und das Schlimmste: Du bist ledig. Hast keine Verantwortung. In Catherines Augen gibt es viele Gründe, eifersüchtig auf dich zu sein.« Er musste sich um seine Pfannen kümmern, und Sophie gab vor, die Zeitung zu lesen; in Wirklichkeit waren ihre Gedanken sonstwo.

So betrachtet, machte es in gewisser Weise Sinn. Und es war eine Erleichterung, Catherines Feindseligkeit auf etwas anderes als auf ihre – Sophies – Unfähigkeit zurückzuführen. Der gute Callum, dachte Sophie und unterdrückte ein Lachen. In welcher Lage er gewesen war! Entweder erfüllte er Catherines Wünsche und riskierte es, entdeckt zu werden, oder er weigerte sich und riskierte es, rausgeworfen zu werden!

Sie aßen am Küchentisch. Callum war ein guter Koch, und das Essen schmeckte köstlich. Umso mehr, dachte Sophie, weil ich nicht selbst zu kochen brauchte. Sie diskutierten gerade, wer den Abwasch machen sollte, als es an der Tür klopfte.

Es war nach 20 Uhr, ziemlich spät für einen von Rosies gelegentlichen Besuchen. Es konnte nur jemand vom Prospect House sein.

»Soll ich mich verdünnisieren?« Callum wies nach nebenan.

»Nein, bleib, Callum. Ich habe jedes Recht, Freunde hier zu haben; es gibt nichts zu verbergen.«

Sophie öffnete. Catherine stand vor der Tür. Ihr affektiertes Lächeln verschwand kurz, als sie sah, dass Callum hinter Sophie in der kleinen Küche stand.

»Sie sollten besser zum Haus kommen«, zischte sie Sophie an. »Marcie Carver ist dort zu Besuch und will Sie sprechen. Beeilen Sie sich!« Damit wandte sie sich um und schritt zum Haus zurück. Sophie hatte ein flaues Gefühl im Magen.

»Soll ich mitkommen?« Callum griff nach seiner Jacke.

Offensichtlich kann er auch spüren, dass was in der Luft liegt, dachte Sophie. »Nein, das ist nicht nötig. Warte hier. Ich werde bald zurück sein.« Sie küsste ihn flüchtig. »Und wenn du dich langweilst, kannst du ja spülen.«

Sie folgte Catherine über den Zufahrtsweg zum Haus. Es sah in der Dunkelheit beeindruckend aus, und Sophie musste ein paar Mal tief durchatmen, um sich nicht eingeschüchtert zu fühlen. Sie hatte das schreckliche Gefühl, bereits zu wissen, was auf sie zukam. Und wenn sie Recht hatte, konnte sie sich später um einen neuen Job bewerben.

Marcie Carver wartete im Wohnzimmer auf sie, wo sie sich zum ersten Mal begegnet waren. Sie schaute aus dem Fenster und hatte Sophie den Rücken zugewandt.

»Sie ist da«, rief Catherine mit gespielter Freude, bevor sie die Tür hinter Sophie schnell schloss. Und, dachte Sophie, zweifellos am Schlüsselloch lauschte.

Marcie wandte sich um, und Sophie wusste nicht, ob sie geweint hatte oder die Augen von extremer Müdigkeit gerötet waren.

»Sophie«, sagte sie und durchquerte den Raum, um sich etwas zu trinken einzuschenken. Sophie bot sie nichts an; sie hätte ohnehin abgelehnt. Sie spürte plötzlich, dass sie einen klaren Kopf behalten musste.

»Catherine sagte, Sie möchten mich sprechen.«

»Ja.« Marcie schwenkte die bernsteinfarbige Flüssigkeit in ihrem Glas und beobachtete, wie sich das Licht darin fing. Sie wirkte entspannt und anmutig, fast wie eine schöne und teure Katze, Sekunden bevor sie ihre rasiermesserscharfen Krallen ausfuhr.

»Ich nehme an, Sie wissen, worum es geht.«

»Ich möchte es gern von Ihnen hören.«

Marcie lachte, und ein Schauer lief über Sophies Rücken. Diese Frau ließ Catherine wie eine Amateurin wirken.

»Das kann ich mir denken, Sophie. Aber wissen Sie, ich will Ihre Version der Ereignisse hören.«

»Und welche Ereignisse sollten das sein?«

In Marcies Augen blitzte es auf. »Spielen Sie keine Spielchen mit mir, Sophie. Das ist nicht klug.«

»Wenn ich beschuldigt werde – und das scheint der Fall –, will ich wissen, was es ist. Das halte ich nur für fair.«

»Fair? Plötzlich wollen Sie Fairness? Was ist denn fair daran, wenn Sie mit meinem Mann herummachen? Sagen Sie mir das!« Sie spuckte die Worte giftig aus. Sophie konnte sich Catherines Reaktion hinter der schweren Tür vorstellen.

»Ich mache nicht und habe niemals mit Ihrem Mann herumgemacht. Ich weiß, warum Sie das denken. Ich weiß, wer Sie ermuntert hat, das zu denken. Aber ich kann Ihnen versichern, dass Sie sich irren.«

»Sie sind eine brillante Lügnerin, Sophie, das muss ich sagen. Sie könnten mich fast überzeugen. Leider sind Sie gesehen worden. Und zwar von jemandem, der noch nicht raffiniert lügen kann. Es gibt ein altes Sprichwort: ›Was der Kindermund sagt . . .‹«

»Das kann ich nicht glauben!« Sophie war außer sich. »Sie hat sogar die Kinder vor ihren schmutzigen Karren gespannt. Sie reden davon, als ich aus dem Schrank geklettert bin. Wir haben Verstecken gespielt, das ist alles! Und das, was sich direkt vor Ihnen abspielt, das sehen Sie nicht.«

Marcie hörte plötzlich zu. Sophie schenkte sich selbst einen Drink ein, ohne dazu eingeladen zu werden. Marcie schien es nicht zu bemerken. Das Feuer war in ihr erloschen, und sie starrte Sophie nur benommen an. »Ich weiß nicht, was Sie meinen«, sagte sie.

Sophie seufzte und ließ sich aufs Sofa sinken. Was konnte sie Marcie erzählen, ohne sie zu sehr zu verletzen? Dass ihr Mann Sophie vom ersten Tag an hatte verführen wollen? Dass Catherine sie ins Spiel gebracht hatte, um die Aufmerksamkeit von ihren eigenen Seitensprüngen mit Alex Carver abzulenken? Aber dafür hatte Sophie keinen Beweis. Catherine hatte heiß geflirtet, aber das musste nicht zwangsläufig bedeuten, dass mehr geschehen war.

»Mrs. Carver, ich habe keine Affäre mit Ihrem Mann, das schwöre ich Ihnen. Haben Sie bereits mit ihm geredet?«

»Natürlich habe ich das.« Marcie blickte kläglich in ihr Glas, »und er hat es natürlich geleugnet. Aber er ist so ein verdammter Lügner, das ich ihm niemals glaube, schon aus Prinzip nicht.«

»Zur Abwechslung sagt er einmal die Wahrheit.« Sophie bemühte sich, ruhig zu sprechen. Sie wollte Catherine nicht mehr voyeuristische Freude verschaffen als nötig. »Und es ist die Wahrheit, dass nichts zwischen ihm und mir ist, außer seinen Versuchen ...«

»Das ist genau das, was auch Catherine gesagt hat ...«

Sophie hob eine Hand, um ihr Schweigen zu gebieten. »Ich will nicht wissen, was Catherine gesagt hat. Ehrlich, das interessiert mich nicht. Ich kann nur sagen, dass ich als Sündenbock benutzt werde. Ich bedaure das Verhalten Ihres Mannes, aber ich bin wirklich nicht Ihre Ansprechpartnerin.«

Sie wäre bereit gewesen, Marcie Hinweise zu geben und sie aufzumuntern, doch Marcie starrte nur weiterhin wie in Trance in ihr Glas.

»Auf Wiedersehen, Mrs. Carver«, sagte Sophie und ging schnell zur Tür.

Es überraschte sie nicht, Catherine in der Halle zu sehen. Sie hatte ihren Lauschposten nicht schnell genug aufgeben können. Sophie ignorierte sie und ging zur Haustür, um auf dem Weg ihre Jacke mitzunehmen.

In der Hütte war Callum wütend. »Ich wollte gerade nach dir schauen.«

»Reg dich ab – ich bin hier.«

»Was ist los, Sophie? Was ist passiert?«

Sophie berichtete in allen Einzelheiten.

»Die sind allesamt verrückt«, murmelte Callum. »Verdammt plemplem!«

Sophies Hand zitterte, als sie Papier und Briefumschläge aus einer Schublade in der Küche nahm und einen Kugelschreiber suchte.

Dann schrieb sie hastig.

»Was machst du da?«

»Meine Kündigung.«

Callum setzte sich neben sie. »Ausgezeichnete Idee! Aber kann ich fragen, wohin du willst?«

»Irgendwohin! Ich werde heimgehen, wenn es sein muss. Oder ich frage Rosie, ob sie mich aufnimmt; sie hat mir das mal angeboten. Vielleicht finde ich auch schnell einen anderen Job, einen mit Unterkunft. Eines ist jedenfalls sicher: Hier bleibe ich nicht.«

»Du kannst bei mir bleiben, wenn du willst.«

Sie lächelte zum ersten Mal, seit sie vom Prospect House zurückgekehrt war. »Danke, Callum.«

»Ich habe eine noch bessere Idee. Ich reiche meine Kündigung ebenfalls ein.«

»Nein, Callum, das musst du nicht. Hör zu, wenn du nichts auf die Schnelle finden kannst, bist du vielleicht froh, dass du den Job hier hast. Jedenfalls bist du länger als ich hier, also wirst du dich an die Kündigungsfrist halten müssen. Wie lange ist die – einen Monat?«

»Umso mehr Grund, diesen Brief jetzt zu schreiben.«

Sophie erkannte, dass sie ihn nicht umstimmen konnte. »Deine Loyalität ist rührend, Callum, aber tu das nicht um meinetwillen. Du kannst deine eigene Entscheidung treffen.«

»Einst war ich hier glücklich, doch jetzt empfinde ich nur noch Apathie. Ich bin froh, wenn ich hier weg bin.«

»Okay, okay. Und wie wirst du es formulieren?«

Callum grinste. »Wie wäre es mit: ›Ich kann nicht mehr für Sie arbeiten, weil Sie alle verrückt sind?‹«

Ihr Lachen war echt und tiefempfunden.

Später gingen sie durch die dunklen Straßen zum nächsten Pub. Obwohl sie nicht darüber diskutiert hatten, wollten sie beide nur weg vom Prospect House. Sie blieben, bis der Pub schloss, und erzählten sich Geschichten aus ihrem Leben, bevor sie mit dem Job bei den McKinnerneys angefangen hatten.

Sophie erzählte Callum von ihrer großen Familie und ihrem Bedürfnis, der Enge und der spießigen Existenz in ihrem Heimatdorf zu entkommen. Callum erklärte, dass die Arbeit im Freien der Grund für ihn gewesen war, Gärtner zu werden.

»Das«, sagte er heiter, »und keine Qualifikationen aufgrund einer vergeudeten Jugend. Ich verließ die Schule mit sechzehn und hatte das Glück, als Helfer für den alten Knacker genommen zu werden, der hier vor mir als Gärtner beschäftigt war. Als er sich zur Ruhe setzte – er hatte schlimme Arthritis –, übernahm ich die Stelle. Natürlich hatten Mr. McKinnerneys Eltern hier das Sagen, als ich die Arbeit antrat.«

»Erzähl mir mehr von dieser vergeudeten Jugend. Du bist ein schwarzes Schaf der Familie, nehme ich an.«

»O nein, versteh das nicht falsch. Ich war kein böser Junge. Nein, ich brachte einfach nicht genügend in der Schule. Gärtner schien ein leichter Ausweg zu sein.«

Als sie in der Kälte heimgingen, umgeben von den Geräuschen und Gerüchen der Nacht auf dem Land, dachte Sophie, wie unbekümmert sie ihre eigene Lage betrachtete. Sie hakte sich bei Callum ein. Morgen würde sie ihre Kündigung einreichen. Nicht mal einen Monat hatte sie ausgehalten. Mit Glück würde sie schnell eine andere Stelle finden, besonders eine mit Kost und Logis. Sie würde wenig Lohn bekommen, und sie konnte nicht mit guten Referenzen rechnen.

Und trotzdem fühlte sich Sophie, als schwebte sie auf Wolken. Eine Last war von ihr genommen worden; sie brauchte Catherine nicht mehr lange zu ertragen. Jetzt dachte sie nur voller Vorfreude daran, in die Wärme zu kommen und die ganze Nacht mit Callum zu verbringen.

Beide bemühten sich eine kleine Ewigkeit, die Tür der Hütte zu öffnen, bevor ihnen einfiel, dass Callum das Schloss ausgewechselt hatte.

Als sie drinnen war und das Licht eingeschaltet hatte, bückte sich Callum und nahm etwas, das vor der Haustür lag. »Was liegt denn da im Dunkeln?«, fragte er und untersuchte das Päckchen. »Was ist das?«

Sophie, die gerade ihre Jacke aufgehängt hatte, wandte sich um und glaubte, alles schon einmal erlebt zu haben. Diesmal war es eine Plastiktasche mit einem hübsch verpackten Päckchen von der Größe eines Schuhkartons. Sie geriet fast in Panik.

»Ich will es nicht!«

»Wie kannst du das sagen, wenn du nicht weißt, was es ist?«

Sophie sank auf einen Stuhl beim Tisch. »Oh, Callum! Es fängt alles von neuem an! Ich kann es nicht ertragen.«

Er war die Geduld in Person. »Sieh mal, Sophie, ich weiß nicht, was los ist. Ich kann dir nicht helfen, wenn du mir nichts erzählst.« Sie stützte den Kopf in die Hände, und er seufzte. »Fangen wir von vorn an. Weißt du, wer dir das geschickt hat?«

»Nein.«

»Weißt du, warum dir jemand Dinge vor die Tür legt?«

»Nicht nur vor die Tür«, wisperte sie. »Auch in mein Schlafzimmer.«

Er schwieg schockiert einen Augenblick, und dann sagte er ruhig: »Deshalb wolltest du die Schlösser wechseln, richtig? Warum hast du mir das nicht gesagt, Sophie? Ich hätte . . .« Er verstummte abrupt und fuhr sich mit den Fingern durchs Haar. »Warum ist das passiert, Sophie?«

»Ich weiß es nicht.«

»Mach das Päckchen auf.«

»Aber . . .«

»Schau dir an, was drin ist, Sophie. Was immer es ist, es kann nicht wehtun, oder? Ich bin bei dir. Du bist jetzt nicht allein. Nur um dich zu erinnern, wir werden bald nicht mehr hier sein.«

Erleichterung erfüllte Sophie bei dem Gedanken, bald vom Prospect House zu verschwinden. Er hatte Recht. Er war bei ihr, und das allein machte alles leichter. Sie konnte nicht zulassen, dass dieser Zwischenfall ihren gemeinsamen Tag verdarb. Sie nahm das Päckchen. Callum griff nach der Teekanne und begann Tee aufzubrühen. Sophie drehte das Päckchen, und ihre Finger zitterten.

»O nein!«, schrie Callum auf und schlug sich dramatisch gegen die Stirn.

»Was ist?« In ihrer Besorgnis hätte Sophie das Päckchen fast fallen gelassen.

»Du hast Geburtstag, nicht wahr, und hast mir nichts davon gesagt.«

»Du Dummkopf! Nein, ich habe nicht Geburtstag. Du hast mich zu Tode erschreckt!« Sie lächelte. »Aber wenn ich Geburtstag hätte, brauchtest du dich nicht zu sorgen; du hast mir mehr als genug für einen Tag geschenkt.«

»Hey!« Er stellte sich breitbeinig hin. »Ich kann dir noch viel mehr geben, Baby. Die Quelle ist noch voll!«

»Ich meinte die Blumen«, sagte Sophie gespielt beiläufig, und dann musste sie doch lachen. »Aber der Sex war auch gut.« Sie riss das Papier von dem Päckchen. Sie war jetzt neugierig. Irgendwie kam ihr der Inhalt des Päckchens wichtig vor, denn Callum schaute zu.

Das Packpapier war leicht entfernt. Darunter war hauchdünner Stoff – diesmal pfirsichfarben –, der um etwas gewickelt war. Langsam wickelte Sophie den Seidenstoff auf und hielt ihn hoch. Callum stieß einen Pfiff aus. Es war ein Negligee, die Farbe warm und verführerisch, mit einem apricotfarbenen Spitzenbesatz an der Vorderseite. Sophie war sprachlos.

Callum nicht. »Zeit zum Schlafen, nehme ich an.«

»Callum!«

»Schaue nie einem geschenkten Gaul ins Maul, sage ich immer. Aber ich muss dich warnen. Da ist keine Wärme in diesem Ding. Das weiß ich, ich werde mit dir ins Bett kommen und dafür sorgen müssen, dass du nicht frierst.«

»Das ist nicht lustig, Callum.« Doch selbst Sophie lachte über seine Weigerung, an die mehr unheimliche Seite des Geschenks zu denken.

Callum schritt zur Tür des Cottages, riss sie auf und lehnte sich hinaus in die kalte Nacht. »Danke!«, brüllte er in die Dunkelheit, bevor er zurück ins Zimmer trat. »Es gehört sich, höflich zu sein«, erklärte er.

Sophie versuchte ein Kichern zu unterdrücken. Ihr Gesicht war gerötet, und sie konnte Callum kaum in die Augen sehen.

»Das ist nicht alles, was er hinterlassen hat«, sagte sie verlegen und hielt das Objekt hoch, das von dem Negligee verhüllt gewesen war. Es war ein pinkfarbener Plastikpenis.

»Ausgezeichnet«, stieß Callum hervor. »Hast du Batterien?«

Er brauchte sich keine Sorgen zu machen. Sophie sah, dass der Vibrator bereits Batterien enthielt, und sie wusste, warum. Ihr geheimnisvoller Liebhaber hatte vorgehabt, ihn bei ihr zu benutzen, doch wegen des neuen Schlosses war ihm der Zugang zum Cottage verweigert gewesen.

Sie sagte Callum nichts davon, und er fragte nicht, aber insgeheim freute sich Sophie, dass sie diesmal ihrem stummen Verführer einen Schritt voraus gewesen war. Es würde wie eine zornige Rache sein, dieses Geschenk mit jemandem ihrer eigenen Wahl zu genießen.

Callum war beeindruckt, dass ihr geheimnisvoller Gönner an alles gedacht hatte.

»Da sind bereits Batterien drin. Ist das nicht nett?«

Sophie musste lachen. Sie war wie ein Kind mit einem neuen Spielzeug. Callum benutzte es, um seinen Tee umzurühren.

Sie waren atemlos vom Lachen, als sie schließlich auf Sophies Bett sanken und Callum sie drängte, ihr neues Negligee anzuziehen. Im Badezimmer, beim Anprobieren, musste Sophie zugeben, dass es fein und elegant aussah. Sie hatte noch nie so etwas Weiches auf ihrer Haut gefühlt. Als sie sich bewegte, schien es um ihren Körper zu fließen und ihre Kurven liebevoll zu streicheln. Die Farbe war perfekt, verlieh Sophies Teint eine rosige Wärme, und der Spitzenbesatz ließ heiße Blicke auf ihre vollen Brüste und den blonden Busch zu.

Als sie aus dem Badezimmer trat, wartete Callum nackt auf dem Bett. Ihr wurde plötzlich klar, dass sie ihn noch nie so gesehen hatte. Bei all ihren bisherigen Begegnungen war es wesentlich gewesen, dass sie zumindest einige ihrer Kleidungsstücke anbehalten hatten. Sie fühlte sich sonderbar scheu. Doch die Scheu verschwand, als Callum sie in seine Arme nahm.

Sie lagen zusammen, er halb auf ihr, und küssten sich langsam und tief. Sophie hatte gar nicht gewusst, dass sie von einem Kuss so angemacht werden konnte. Bevor er sie auch nur berührt hatte, war sie schon erregt. Er betrachtete ihren sinnlichen Körper, eingehüllt in das verlockende Negligee, und seine Hände begannen zärtlich die Spitze zu streicheln.

»Du bist wunderschön«, sagte er, und seine hellblauen Augen blickten ernst, als er auf sie hinabstarrte. »Ich weiß nicht, ob ich dich verdiene.«

Sophie dachte an all die Lügen und Falschheiten, die sie in den letzten paar Tagen erlebt hatte. Bei all dem Unangenehmen waren Callums Offenheit und sein Sinn für Humor wie ein Leuchtturm in einer heimtückischen See. Sie sagte nichts, sondern zog ihn auf sich, um seine Lippen wieder auf ihren zu spüren.

Sie spürte das Gewicht seines harten Körpers auf sich, und seine ungeschickte Behutsamkeit rührte Sophie tief. Sie fühlte, wie sein Schwanz gegen ihren Oberschenkel stieß, und schaffte es, eine Hand zwischen sich und sein Glied zu schieben und es zu streicheln. Als Reaktion darauf hob Callum das pfirsichfarbene hauchdünne Negligee an und entblößte ihren flachen Bauch und die langen Beine. Dann küsste er zärtlich die Beine hinauf und zog sie weiter auf sich.

Es war herrlich, sich so gemütlich zu lieben ohne die Sorge, dabei entdeckt zu werden. Sophie entspannte sich mehr, als sie das zuvor gekonnt hatte, ließ Callum völlige Freiheit, ihren Körper zu erkunden. Entzückt liebkoste er jeden Zoll von ihr mit Finger und Mund, bis sie darum flehte, befriedigt zu werden. Er stemmte sich auf die Ellenbogen und beobachtete ihre Reaktion, als er sie nahm. Sein Eindringen war vorsichtig, aber fest, und sein Penis streichelte ihr Inneres, als ihre begierige Weiblichkeit die Umarmung erwiderte.

Sophie bäumte sich auf und stieß ihm entgegen. Das machte ihn noch heißer. Seine Miene veränderte sich. Sophie konnte sehen, wie sehr er sie besitzen wollte, wie er in Ekstase geriet, und sie reagierte, als er in sie stieß, wie in einem Traum. Sie freute sich, dass er die Kontrolle über sich verlor und in Ekstase geriet. Seine Augen waren glasig, und er keuchte im heißen Sinnestaumel.

Sie konnte kaum ihre Enttäuschung verbergen, als er, schneller als erwartet, vor ihr kam. Sein ganzer Körper versteifte sich im Höhepunkt, bevor er endlich erzitterte und sich auf die Seite wälzte.

Sophie lag verwirrt und den Tränen nahe neben ihm. Sie fühlte sich beraubt, enttäuscht, desorientiert.

»Bist du gekommen?«, fragte er beiläufig, die Hände hinter dem Kopf.

Sophie schüttelte den Kopf, kämpfte gegen die Tränen an und dachte, dass er hätte wissen sollen, dass sie keinen Orgasmus gehabt hatte. Sie hatte Callums Feingefühl gewaltig falsch eingeschätzt.

»Nun«, sagte er seufzend, »dann solltest du besser den benutzen!« Er hielt den Plastikpenis hoch, der vergessen – zumindest von Sophie – neben dem Bett gelegen hatte.

Sophie stieß einen Laut aus, der wie ein Quietschen klang, und trommelte ihm gegen die Brust. »Ich dachte . . . «

»Du dachtest – was?« Er lachte, neckte sie mit dem stolz aufrecht stehenden Spielzeug. »Du dachtest, ich hätte dich im Stich gelassen. Oh, Sophie! Solcher Mangel an Vertrauen in mich. Ich habe noch nie eine Frau unbefriedigt zurückgelassen.« Und mit dieser ziemlich prahlerischen Behauptung schaltete er den Vibrator ein.

»Das ist ein Job, der sich lohnt«, sagte er und schob den

summenden Penis in ihre Pussy, »er muss gut gemacht werden.«

Sophie, bereits feucht von Callums Sperma, spürte, wie der Penis, kalt und unnachgiebig, in sie glitt. Als Callum ihn experimentierfreudig gegen ihre Klitoris richtete, zuckte sie zusammen und erschauerte, und das Vibrieren schien in ihren gesamten Körper einzudringen. Ihr Kopf und die Fußspitzen schienen im Rhythmus zu der seltsamen, ursprünglichen Musik zu tanzen, die aus ihr drang.

»Schön?«, fragte Callum. Er war ein Meister der Untertreibung.

»Oh! Oh! Callum!«

»Wie fühlt sich das an?« Er drehte das neue Spielzeug erfahren. »Und wie ist das?« Sophie fühlte sich total seiner Gnade ausgeliefert und war entzückt darüber; er schien es zu genießen wie sie. Gerade, als die Wellen der Lust drängender wurden, kaum noch zu kontrollieren, und sich darauf vorbereiteten, als Wogen aufzusteigen und auf sie nieder zu branden, zog Callum entschlossen die Quelle der Lust zurück. Bevor Sophie etwas einwenden konnte, rieb er den immer noch summenden Penis über ihren Körper, reizte sie und verursachte winzige elektrische Schocks, wo sie sie am wenigsten erwartet hätte.

Ihre Nippel erhoben sich in Ekstase, als sie mit dem Vibrator berührt wurden, ihre Zunge prickelte vor Erregung, als Callum sie einlud, an dem Kunstpenis zu lecken. Aber das Beste von allem, fanden sie beide, geschah, als er ihn fest zwischen ihre Pobacken hielt.

Erregt und entschlossen nahm sie Callum den Vibrator ab und schob seine gewölbte Härte in ihre begierige Pussy. Callum sah, was sie dringend brauchte. Er legte sie zurück, damit er ihr so viel Wonne wie möglich bereiten konnte. Sophie kam sofort. Nicht einmal, sondern immer wieder, als

Millionen winzige elektrische Schocks sie zur Raserei trieben.

Als sie schließlich erschöpft und befriedigt auf dem Bett lag, grinste Callum sie spitzbübisch an. »Es wird ein Vermögen an Batterien kosten«, sagte er und schaltete das Licht aus.

Neuntes Kapitel

Das brillante Weiß vor Sophie verwandelte den vertrauten Reitweg in unerwarteten Zauber, Gras, Hecken und Bäume waren mit Raureif wie mit Zuckerguss überzogen. Unter Fireflys Hufen knirschte der Boden, und wenn sie über die Felder galoppierte, warf sie glitzernde Kristalle hinter sich auf.

Herrlich, an diesem Morgen zu reiten, dachte Sophie, und dann wurde ihr klar, dass sie Firefly vielleicht zum letzten Mal auf seiner bevorzugten Route ritt.

Stille umgab Sophie. Sogar der Hufschlag war gedämpft.

Jedenfalls hatte sie in dem Frieden und der Stille Zeit gehabt, einen klaren Kopf zu bekommen.

Sie hatte Callum im Bett gelassen – er hatte versprochen, auf zu sein, wenn sie zurückkehrte – und war mit Firefly ausgeritten, um über vieles nachzudenken.

Und jetzt, nach vielem Grübeln, hatte Sophie das Gefühl, das Richtige zu tun. Sie musste diesen Ort verlassen, trotz ihrer Loyalität zu James und ihrer wachsenden Zuneigung zu den Pferden, die ihr anvertraut waren. Das wahre Problem war Catherine; die Feindseligkeit, mit der sie Sophie verfolgte, ließ ihr keine Wahl.

Ein Schnauben des großen Kastanienbraunen riss Sophie aus ihren Gedanken, und sie tätschelte seinen Hals. »Du willst schön zurückgaloppieren, wie?«

Seine Antwort war ein Scharren mit den Hufen. Sophie gab ihm die Zügel frei, und er preschte los.

Sie wusste, dass etwas nicht stimmte, als sie bei der Rückkehr vom Ausritt das Polizeiauto vor der Haustür vom Prospect House parken sah. Niemand parkte sonst dort; wer es wagte, hätte sich Catherines Zorn zugezogen. Sophie ritt zu den Ställen und sattelte Firefly ab.

Sie fragte sich, was die Polizei zum Haus gebracht hatte. Ein Unfall?

Sie machte eine Runde durch die Ställe und füllte einige Eimer mit Wasser und eilte dann zum Haus. An der Hintertür erhielt Callum Anweisungen von Jean; offenbar schickte sie ihn auf einen Botengang.

»... die essen sie nicht, Callum, wenn also keine anderen da sind, kaufen Sie sie nicht.«

Callum nickte, kratzte sich am Kopf. Dann blickte er auf und sah Sophie. »Hast du schon die Neuigkeit gehört?«

Sophie schüttelte den Kopf. Plötzlich stieg ein Gefühl der Angst in ihr auf. »Was ist passiert?«

»Catherine ist weg.«

»Weg? Was meinst du damit?«

»Weg. Verschwunden. Sie wird vermisst.«

»Ah, weg.« Erleichterung erfüllte Sophie. Sie hatte einen Augenblick geglaubt, es sei etwas Schlimmeres passiert. »Wohin ist sie denn?«

»Sophie! Hör doch bitte zu! Wenn man wüsste, wo sie ist, würde sie nicht vermisst, oder?«

»Komm rein, Sophie.« Jean war alarmiert, als sie sah, dass Sophie bleich geworden war. »Hör nicht auf ihn. Komm herein, und trink einen Kaffee. Ich bleibe hier, damit jemand am Telefon ist. Callum will gerade für mich was in der Stadt einkaufen, nicht wahr, Sie sind doch dazu bereit, Callum?« Sie musterte ihn scharf.

»Richtig. Okay, dann fahre ich los. Bis später.« Er küsste Sophie auf die Wange und schob sie in die Küche.

Jean, die das sah, lächelte Sophie schwach an. »Er ist ein netter junger Mann«, sagte sie.

»Was ist hier los, Jean?«

»Nun, ich glaube, ich weiß im Augenblick so wenig wie Sie. Mrs. McKinnerney muss heute Morgen früh weggefahren sein. Sie war schon weg, als Mr. McKinnerney aufstand, und Sie wissen vielleicht, dass er schon vor dem Morgengrauen aufsteht. Er nahm an, dass sie besonders früh zur Arbeit fahren musste ...«

»Sie hat die Kinder nicht mitgenommen?«

»Nein, wie kommen Sie darauf? Die Kinder sind zurzeit bei ihrem Vater. Sie ist allein verschwunden. Als Mr. McKinnerney sie in ihrem Büro anrufen konnte, versuchte er es, aber vergebens. Sie ist nie dort angekommen.«

»Oh, Jean! Wie schrecklich!«

»Er ruft jetzt alle Freunde an, um zu hören, ob jemand sie gesehen hat.«

»Und die Polizei?«

»Nun, meine Liebe, ich glaube, sie ist überhaupt nur hier, weil es sich um Mr. McKinnerneys Frau handelt. Sie geben zu, dass sie nichts unternehmen können, wenn es keine verdächtigen Umstände gibt. Sie kann erst als offiziell vermisst erklärt werden, wenn sie vierundzwanzig Stunden fort ist.«

»Verdächtige Umstände?«

»Ja, Beweise, dass sie entführt worden sein könnte. Oder einen Grund zu der Annahme, dass sie etwas Verrücktes vorhatte, wie zum Beispiel Selbstmord.«

»Sie hat sich aber seltsam verhalten, nicht wahr?«

»Nun, ja, das kann man wohl sagen. Aber ich bezweifle, dass sie ...« Die beiden Frauen tauschten Blicke.

»Sie wird auftauchen«, sagte Jean schließlich. »Ich nehme an, dass Sie ihn nur ein bisschen schwitzen lassen will. Vielleicht will sie nur einen klaren Kopf bekommen.«

Während Sophie ihren Kaffee austrank, traf James mit den Kindern ein. Er wirkte alt und müde, und als er Sophie sah, fühlte er sich sichtlich unbehaglich.

»Da sind sie, Jean. Keine Schule heute, angesichts der Umstände, dachten wir. Hallo, Sophie.«

»Irgendwelche Neuigkeiten?«, fragte Jean.

»Nein, nein.« James versuchte gelassen und heiter zu wirken. »Aber ich versuche es weiter.« An der Tür wandte er sich um. »Übrigens sagte die Polizei, dass sie später mit jedem sprechen und Fragen stellen will ... Nun, Sie wissen jetzt Bescheid.«

Jean und Sophie nickten.

»Sie möchten auch wissen, wer sie als Letzter gesehen hat.«

Die beiden Frauen, die angenommen hatten, dass er seine Frau zur Schlafenszeit in der vergangenen Nacht als Letzter gesehen hatte, sahen verblüfft drein.

»Nun ... ich meine, ich habe Mrs. McKinnerney zum letzten Mal gesehen, als sie mir half, die Kinder ins Bad zu stecken.« Jean runzelte die Stirn, als sie sich an die Zeit zu erinnern versuchte. »Das könnte um achtzehn Uhr gewesen sein oder eine halbe Stunde später. Danach hatte ich Feierabend.«

»Sophie?«

»Gegen zwanzig Uhr, nehme ich an.«

James blickte sie überrascht an. »So spät?«

Sophie nickte; sie wollte wirklich nicht darüber sprechen.

James räusperte sich. »Darf ich fragen, warum? Ich meine«, fügte er hastig hinzu, »Sie sind doch für gewöhnlich nicht um diese Zeit im Haus, oder?«

»Eigentlich nicht.« Es war nicht leicht, darüber zu sprechen. Sophie atmete tief durch. »Mrs. McKinnerney kam gegen acht ins Cottage. Sie sagte mir, Mrs. Carver sei im Haus und wolle mich sprechen, und so ging ich hin.«

»Marcie? Warum ...? Okay, nun, das macht nichts. Dann haben Sie Catherine also zum letzten Mal gesehen?«

»Nein. Als ich nach dem Gespräch mit Mrs. Carver das Zimmer verließ, war Mrs. McKinnerney in der Halle; aber wir sprachen nicht miteinander.«

»Ah, ich verstehe.« Der arme James blickte verwirrter als je. »Na prima. So kann man sicher annehmen, dass Marcie Carver Catherine nach Ihnen gesehen hat.«

»Ja, das nehme ich an.«

»Danke, Sophie. Ich werde sofort bei Marcies Arbeitsstelle anrufen. Unterdessen wird die Polizei vielleicht immer noch mit Ihnen sprechen wollen, Sophie. Ich nehme an, sie ist im Augenblick ziemlich gelangweilt. Er lächelte halbherzig, nickte ihnen beiden zu und ging, als wollte er auf eigene Faust seine Frau finden und heimbringen.

Callum hatte keine weiteren Neuigkeiten, als er sie zur Mittagszeit besuchte. Ihre Kündigungsschreiben lagen noch auf Sophies Küchentisch und verstärkten ihre Schuldgefühle.

»Gut, dass wir ihr die nicht gestern Nacht gegeben haben.« Sophie seufzte. »Dann würde ich mich noch schlechter fühlen.«

»Noch schlechter? Wie meinst du das? Es ist doch nicht deine Schuld, dass sie vermisst wird.«

»Woher willst du das wissen?«

»Moment mal, Sophie ...«

»Nein, Callum, hör zu. Selbst wenn ich nicht die Letzte war, die sie gesehen hat, selbst wenn Marcie sie noch nach mir gesehen hat, wäre Catherine immer noch aufgeregt gewesen. Und es wäre immer noch meine Schuld gewesen.«

»Wie kommst du denn darauf?«

»Marcie war höllisch wütend. Sie wollte gestern Nacht herausfinden, wer ihren Mann verführt hat, und sie hatte Catherine im Verdacht. Sie kam her, um sie zur Rede zu stellen, und Catherine – sonderbar genug – erzählte ihr eine andere Geschichte, eine, bei der sie die Kinder unterstützen konnten; dass ich mit Alex in einem Schrank gesehen wurde – auch wenn das zu dem unschuldigen Spiel Verstecken gehörte, jedenfalls was mich anbetrifft. So ist Marcie von der Fährte abgelenkt, Catherine ist aus dem Schneider, und ich bin das Dreckstück.«

Callum wirkte entgeistert. »Jeder konnte sehen, dass Catherine hinter Alex Carver her war. Und er ist kein Heiliger. Ich kann nicht verstehen, warum Marcie darauf hereinfällt, dass Catherine dir die Schuld anhängt.«

»Es läuft darauf hinaus, was Marcie glauben will. Aus ihrer Sicht wäre es dumm, einer Nachbarin sündiges Verhalten vorzuwerfen. Ich kann mir gut vorstellen, dass Marcie viel lieber Catherine glaubt, dass die Pferdepflegerin schuld ist. Diese Leute nehmen es mit der Wahrheit nicht so genau.«

»Das erklärt noch immer nicht, weshalb Catherines Verschwinden deine Schuld sein soll.«

»Ich habe mehr oder weniger gesagt, dass es Catherine war, die hinter ihrem Mann her war, und nicht ich.«

»Aber das ist doch die Wahrheit!«

»Aber Catherine stand an der Tür und lauschte.«

»Du meinst, sie ist in Panik geraten und weggelaufen, anstatt Marcie gegenüberzutreten? Nun, da irrst du dich. Ich weiß als Tatsache, dass Catherine früh an diesem Morgen weggefahren ist, nicht gestern Nacht.«

»Woher weißt du das?«

Callum blickte resigniert. »Sag keinem etwas. Es wäre James peinlich. Ich hörte ihn bei der Polizei aussagen, dass in ihrem Bett geschlafen worden ist.«

»Dann muss er sie als Letzte gesehen haben.«

»Anscheinend nicht. Laut James schlafen sie in getrennten Schlafzimmern.«

»Ah, ich verstehe.« Irgendwie war Sophie nicht überrascht, aber die Information half nicht viel.

»Ich nehme an, da ist mehr dran, als man auf den ersten Blick sieht«, sagte Callum und stand auf. »Ich bezweifle, dass Catherine etwas tun würde, was ihr nicht passt. Wenn sie irgendwohin gefahren ist, dann hat sie ihre Gründe.«

»James sagte, dass die Polizisten mit mir – uns – später reden wollen.«

»Du kannst ihnen nur die Wahrheit über diese Sache mit Catherine und Marcie sagen. Es könnte wichtig sein, aber ich bezweifle das.«

Sophie brauchte nicht lange zu warten, bis sie von der Polizei gerufen wurde. Sie und Gina waren im Stall bei den Pferden, als plötzlich ein junger Constable an der Tür auftauchte.

»Pass auf«, rief Gina heiter. »Es ist der Bulle!«

»Gina!« Sophie lächelte den Polizisten entschuldigend an. »Ich weiß nicht, woher sie das hat.«

»Ich bin schon schlimmer genannt worden«, sagte er, und sein rötliches Gesicht wurde eine Spur dunkler.

»Und wie?«, fragte Gina, die eine Chance witterte, ihr Vokabular zu erweitern.

»Äh, ich finde, ich sollte nicht . . .«

»Gina, geh zu Jean. Sag ihr, dass du kommen und hier weitermachen kannst, wenn ich mit dem Polizisten geredet habe. Nun lauf schon.«

Als das Kind gegangen war – und sich bitter beklagt hatte, dass es bei interessanten Dingen nie dabeibleiben konnte –, fing Sophie den Blick des jungen Constables auf und lächelte. Er wurde rot. Sophie sah amüsiert, dass sogar seine Ohren rosig schimmerten. Das wird ein Spaß werden, dachte sie.

»Nun«, fragte sie mit verschwörerischer Stimme, »wo wollen Sie mich?«

PC Day schien fast ohnmächtig zu werden. Er kramte nach seinem Notizbuch, ließ seinen Kugelschreiber fallen – er rollte unter eine Bank – und murmelte etwas Unverständliches. Sophie hob den Kugelschreiber auf und gab ihn ihm. Sie rückte auf der Bank zur Seite und klopfte auf den Platz neben sich.

»Setzen Sie sich hier hin. Und dann fragen Sie mich alles!«

Der PC sank auf die Bank. Obwohl es in der Sattelkammer nicht warm war, schien er zu schwitzen. Er bemühte sich sehr, die Situation in den Griff zu bekommen, starrte auf sein Notizbuch und blätterte eine neue Seite um.

»Ich brauche nur . . .« Er begann forsch und wurde dann vor Verlegenheit immer leiser. Sophie konnte sich gerade noch ein Lachen verkneifen.

Sie neigte sich näher und betrachtete ihn unter halb gesenkten Wimpern. »Was brauchen Sie?«, hauchte sie.

PC Day schien die Nerven zu verlieren. Sophie wusste, dass er jetzt noch mehr schwitzte. Der junge Constable war süß in seiner Verlegenheit. Er räusperte sich und setzte eine Amtsmiene auf.

»Ich muss Ihnen ein paar Fragen stellen«, sagte er mit fester Stimme.

Sophie ritt der Teufel. »Sie wollen mich also nicht festnehmen?«

»O nein!« Er wirkte schockiert und lachte. »Es sei denn, Sie hätten etwas getan, das . . . äh . . .«

»Unanständig?«, half sie aus.

Er ließ fast erneut seinen Kugelschreiber fallen, dann lachte er wieder, diesmal nervös. »Nein, nein, unanständig ist in Ordnung. Ich . . . äh . . . meine, das ist kein Grund, Sie zu verhaften.«

»Tatsächlich nicht?«

»O ja, nein. Äh ...«

»Kommt es darauf an, wie unanständig?«

PC Day fühlte sich unsicher. »Nun ja«, gab er zu, »ich nehme an, es kommt ... darauf an. Aber zur Sache ...«

»Weil ich sehr unanständig sein kann.« Sophie rutschte auf der Bank näher an ihn heran.

»Tastsächlich?« PC Day fragte sich, wie er in diese Situation geraten war.

»Erstaunlich, unglaublich, hemmungslos unanständig!«

Der junge Constable schluckte und schob sein Notizbuch auf die Hose, die verdächtig im Schritt spannte. »Ich bin sicher, Sie können das, Miss, äh ...?«

»Sophie.«

»Sophie. Ja. Ich bin sicher, Sie können so sein, äh ... ich meine ...« Jetzt war sein Gedankengang völlig durcheinander.

»Hemmungslos?«

Das Notizbuch hob sich gefährlich, und PC Day umklammerte es mit verzweifeltem Blick. Was auch immer geschah, das Notizbuch musste da bleiben. Er versuchte, seine Gedanken zu ordnen. »Wo waren wir stehen geblieben?«, murmelte er.

»Sie waren im Begriff, mich festzunehmen. Ich glaube wegen unanständiger Hemmungslosigkeit.« Sophie hielt ihm ihre schlanken Handgelenke hin.

»O nein! Dafür kann ich Sie nicht festnehmen ... äh ... ich meine, ich bin nicht hier, um Sie festzunehmen.«

»Schade.« Sophie kicherte. »Ich bin noch nie in Handschellen gewesen.« PC Day blickte sie einen Augenblick verständnislos an, dann wandte er seine Aufmerksamkeit wieder dem Notizbuch zu.

Sein Haar war kurz, und seine Haut hatte die Frische der

Jugend. Sophie schätzte, dass er etwa in ihrem Alter war, obwohl sein Verhalten eher an das eines pubertären Jünglings erinnerte.

»Wir nehmen an, dass Sie die letzte Person gewesen sind, die Mrs. McKinnerney gesehen hat«, sagte PC Day und hielt den Blick fest auf das Notizbuch gerichtet. »Wir müssen wissen, wie sie wirkte, was sie sagte, ob sie irgendeinen Hinweis gab, wohin sie wollte. Es ist im Augenblick nur Routine; wir haben keinen Grund, etwas ... äh ... ich meine ...«

»Kriminelles?«

»Genau! Aber wir müssen ...«

Sophie neigte sich vor, um ihren Pullover über den Kopf zu ziehen. »Es ist heiß hier, oder ist nur mir heiß?«

Der junge Mann fuhr sich mit dem Finger durch den Hemdkragen. »Ich nehme an, es ist ... äh ...«

»Was haben Sie gesagt?« Sophie wandte sich ihm zu, und ihre Bluse spannte sich, als sie sich vorneigte.

»Wir müssen unsere ... äh ...« Er suchte nach Worten. »Uns frei machen und zur Sache kommen.« Er war jetzt noch roter und durcheinander. Sophie entschloss sich, ernst zu bleiben.

»Ich habe Catherine McKinnerney gestern Abend gegen halb neun gesehen. Nur kurz; ich war auf dem Weg zurück zu meiner Wohnung.«

»War sonst noch jemand bei ihr?«

»Nein, aber Mrs. Carver war im Wohnzimmer, und ich nehme an, sie hat noch mit Catherine gesprochen, bevor sie ging.«

»Mrs. Carver? Wer ist das?«

»Eine Freundin der Familie. Mr. McKinnerney hat ihre Adresse. Da fällt mir ein, er hat vielleicht jetzt schon mit ihr telefoniert.«

»Wann verließen Sie das Haus?«

»Gegen halb neun. Nicht viel später.«

»Hat Mrs. McKinnerney Ihnen irgendeinen Hinweis ...«

»Sie hat kaum mit mir gesprochen. Nein, sie hat mir keinen Hinweis gegeben.«

»Und danach blieben Sie in Ihrer Wohnung?«

»Nein, wir gingen in den Pub. In den Bull's Head.«

»Wir?«

»Callum – der Gärtner – und ich. Wir gingen gegen halb zehn und waren zurück, nachdem die Kneipe geschlossen hatte.«

»Sie haben Mrs. McKinnerney nicht wegfahren sehen?«

»Nein, das habe ich nicht.«

»Und sie waren zurück ... um?«

»Um halb zwölf.«

»Haben Sie bemerkt, ob ihr Wagen noch dort war?«

»Nein.«

»Und sind Sie noch einmal ausgegangen?«

»Nein.« Sophie lächelte ihn an. »Ich ging ins Bett. Mit dem Gärtner.« Sie konnte nicht widerstehen, hinzuzufügen: »Und wir konnten nicht viel Schlaf finden.«

PC Day schluckte und entschied sich, ihre letzte Bemerkung zu ignorieren. Er neigte sich über sein Notizbuch. Es war nicht nur schwer zu schreiben, wenn sein Notizbuch auf einem eindrucksvollen Steifen balanciert wurde, sondern auch verdammt unbequem. »Letzte Frage, Miss ...«

»Sophie.«

»Danke, Sophie. Letzte Frage. Haben Sie in der vergangenen Nacht oder zu irgendeiner Zeit bis zu Mrs. McKinnerneys Verschwinden etwas Ungewöhnliches gesehen oder gehört?«

Sophie zögerte. Mit dieser Frage hatte sie nicht gerechnet. PC Day musterte sie, offensichtlich überrascht, dass sie nichts sagte. »Sophie? Irgendwas. Fremde Autos in der Nähe. Ungewöhnliche Geräusche. Fremde, die herumschlichen?«

Sophie fühlte plötzliche Kälte in sich aufsteigen. »Nun...«

»Ja?«

»Da war vermutlich etwas. Das muss aber nichts bedeuten...«

»Sagen Sie es mir trotzdem.«

»Da war ein Fremder.«

»Ein Fremder? Auf dem Grundstück? Beim Haus?«

»Auf dem Grundstück.«

Er neigte sich begierig vor. »Wo genau auf dem Grundstück?«

»Nun, beim Cottage.« Sophie spürte, wie ihr das Blut in die Wangen stieg. »In einer Nacht war er in meiner Wohnung.«

»Ein Einbruch?«

»Nein. Ich nehme an, er hatte einen Schlüssel.«

»Er?«

Sophie dachte an den herrlichen Penis, den sie in ihrer zweiten Nacht im Schlafzimmer der Hütte gesehen hatte. »Ein Er. Definitiv.«

»Kannten Sie diesen Mann?«

»Nein. Nun, vielleicht.«

»Vielleicht?«

»Er trug eine Maske.«

»Wie können Sie da sicher sein, dass es ein Mann war?«, fragte der PC. »Im Dunkeln? Wenn die fragliche Person eine Maske trug?«

»Weil«, Sophies Gesicht begann zu blühen, als sie sich sagte, dass sie ihm das erzählen musste, »weil er eine Erektion hatte – mindestens eine so große wie die, die Sie zu verbergen versuchen –, und weil er sie mir zeigte. Und weil ich ihn mehrmals wiedergesehen habe«, fügte sie weniger selbstsicher hinzu.

Der junge Constable starrte sie offenen Mundes an. Einen Augenblick schauten sie sich in gemeinsamer Verlegenheit an, und dann stand PC Day mit Amtsmiene und Schwierigkeiten auf.

»Ich glaube, Sie sollten zum Haus mitkommen, damit wir das klären«, sagte er.

Danach war Sophie froh, dass Callum nicht da war. Als der junge Constable erfahren hatte, dass Sophie einen Sittenstrolch in der Nachbarschaft des Hauses gesehen hatte, entwickelten sich die Dinge ziemlich schnell. Es wurde ihr klar, dass die halbe Geschichte, die sie dem durcheinandergekommenen PC Day hatte erzählen müssen, sehr verdächtig wirkte, und Sophie erkannte, dass wahrscheinlich eine volle Erklärung über die Ereignisse mit dem Fremden verlangt wurde.

James McKinnerney hatte verwirrt dreingeschaut und dann entgeistert, als er über die Wahrscheinlichkeit befragt wurde, dass irgendein Fremder sich illegal auf seinem Grundstück aufgehalten hatte.

»Nein, ich habe keine Wachleute angestellt, nicht zu dieser Jahreszeit. Callum ist mehr als fähig, um in den Wintermonaten aufzupassen, dass sich keine Unbefugten hier herumtreiben. Was hat das alles zu bedeuten?«

»Ein Fremder, Sir, hat sich hier rumgetrieben. Miss Ward hat ausgesagt, dass sie ihn gesehen hat.« Aus Sophie war schnell Miss Ward geworden, weil man nicht zu vertraut wirken wollte, wenn die Kriminalpolizei eintraf, die jetzt ermitteln würde.

»Auf dem Grundstück?«

»Und in der Stadt«, sagte Sophie. Sie fühlte sich miserabel und bedauerte bereits ihre Entscheidung, mit der Wahrheit herauszurücken. Aber, fragte sie sich, was ist, wenn der Sittenstrolch etwas mit Catherines Verschwinden zu tun hat? Dann konnte sie nicht schweigen.

»Auch in der Stadt?« PC Day war erleichtert, wieder auf vertrautem Boden zu sein. »Vielleicht ein Stalker? Wie oft haben Sie diesen Mann gesehen?«

»Ich weiß es nicht.«

»Können Sie den Mann beschreiben, Sophie?« Der Zorn in James Stimme war unüberhörbar.

»Nein, er . . .«

»Größe?« PC Day fasste wieder Fuß.

»Groß. Über einsachtzig. Vielleicht schon einsneunzig.«

»Haarfarbe?«

»Ich weiß es nicht.«

»Sie wissen es nicht?« James blickte sie besorgt an, und sein Tonfall war schärfer als zuvor. »Warum wissen Sie das nicht?«

»Ich habe es schon PC Day gesagt; der Kerl trug eine Maske. Und beim anderen Mal war es dunkel.« James starrte sie entsetzt an. Dann ließ er sich langsam auf einen Stuhl sinken und vergrub sein Gesicht in den Händen.

Sophie erinnerte sich plötzlich an die Briefe und Geschenke, die sie erhalten hatte, besonders an den pinkfarbenen Vibrator, der jetzt in ihrem Schlafzimmer lag; sie errötete. »Könnten wir nicht woanders weitersprechen?«, fragte sie PC Day ruhig.

Der junge Constable fühlte sich überfordert. »Ich halte das für eine gute Idee«, sagte er, »aber wir sollten die Befragung erst fortsetzen, wenn die Männer vom CID hier sind.«

James führte sie wortlos in sein Arbeitszimmer. Sein Gesicht war aschfahl, als er die Tür schloss; sein Blick wich

Sophie aus. Er setzte sich in seinen großen Chefsessel, und Sophie fühlte sich plötzlich sehr einsam. Warum hatte sie den Sittenstrolch nicht eher bei der Polizei gemeldet? Was sollte die Polizei jetzt denken? PC Day hatte – fast mit Panik in der Stimme – beim Polizeirevier angerufen und um Anweisung gebeten, was er als Nächstes tun sollte. Die Worte »Sittenstrolch« und »Maske« waren ein paar Mal bei diesem Gespräch gefallen, und man hatte zwei Kriminalbeamte angekündigt.

Sophie fühlte sich schlecht. PC Day, darauf bedacht, bei all den Peinlichkeiten die Hände in Unschuld zu waschen, verzichtete sogar während des Wartens darauf, mit Sophie zu sprechen. Gelegentlich, wenn er sich im Arbeitszimmer umblickte, trafen sich ihre Blicke, doch er schaute jedes Mal schnell weg.

Es war eine Erleichterung für sie beide, als ihm eine Idee kam. »Sagten Sie, Sie haben noch die Briefe und Geschenke, die Sie erhalten haben? Vielleicht wäre es hilfreich, wenn Sie sie holen könnten; es wird Zeit sparen, wenn die Kripo eintrifft. Es könnte uns helfen, Ihren Sittenstrolch zu identifizieren.«

»Er ist nicht mein Sittenstrolch«, fuhr sie ihn an, erhob sich jedoch trotzdem, um die Dinge zu holen, froh, einen Vorwand zu haben, der bedrückenden Atmosphäre zu entkommen.

Im Cottage steckte sie verschiedene Dinge in eine Tragetasche. Das Negligee, den Seidenschal, den Brief, der in ihrem Schlafzimmer gelegen hatte – der aus dem Geschäft in der Stadt war verschwunden –, und, mit einem grimmigen Lächeln, den Vibrator. Sie ärgerte sich sehr, weil sie diese Dinge völlig Fremden zeigen musste. Welche Schlüsse konnten sie denn aus einem pinkfarbenen Dildo ziehen? Sie stellte sich vor, wie der Plastikpenis im Gerichtssaal herumgereicht wurde. »Und hier ist Beweisstück A, Euer Ehren.« Sie musste laut lachen. Keineswegs würde sie zulassen, dass sie sich wegen ein paar hochnäsiger Jünglinge in Polizeiuniform ihres Sexlebens schämte.

Mit neuer Vitalität verließ sie die Wohnung und ging in die Schlacht.

Leider konnten die beiden Kriminalbeamten kaum als »hochnäsige Jünglinge« bezeichnet werden. Obwohl keiner von ihnen viel älter war als der glücklose PC Day, waren sie von anderem Kaliber, wie Sophie sofort erkannte.

Einer war groß und verschwitzt und hatte O-Beine. Sein Bürstenschnitt betonte seinen Kugelkopf, der ohne Hals auf seinem massigen Körper zu sitzen schien. Trotz seines alarmierenden Äußeren schien er darauf bedacht zu sein, den Leuten zu gefallen. Er sprang auf und lächelte breit, als begrüßte er den Höhepunkt seiner Woche.

Seine Anwesenheit schien den großen Raum plötzlich kleiner wirken zu lassen, als er herumwatschelte, um einen Sessel zu finden, in den er sich behaglich niederließ. Erst als er eine banale und unpassende Bemerkung über das Wetter machte – und dafür ein verächtliches Schnauben seines Kollegen erntete –, bemerkte Sophie den anderen Mann.

Dieser Beamte, offenbar von höherem Dienstrang, war im Gegensatz zu dem Dicken klein und drahtig. Er beobachtete seinen Partner mit kaltem, gelangweiltem Blick, sichtlich gereizt, weil er so viel Theater machte. Sein Anzug, sein Haarschnitt und seine Aktentasche wirkten teuer und schienen ausgewählt zu sein, um Eindruck zu machen.

Während der erste Mann Sophie an einen Labrador erinnerte – ein wenig hirnlos, aber gutmütig –, war dieser mehr wie ein Terrier – fix und angriffslustig. Sie kannte diesen Typ. Ihr Mangel an Statur verwandelte sie in aggressive Angreifer.

Das soll er nur versuchen, dachte Sophie; sie war nicht in der Stimmung, sich herumschubsen zu lassen.

»Hallo, Miss Ward«, strahle der große Dicke. »Ich bin DC Ashwell, und dies ist DS Bettridge. Wir möchten Ihnen ein paar Fragen über diesen Fremden stellen, wenn das okay ist.«

»Selbstverständlich.«

Ashwell grinste sie an. »Also, Miss Ward, reden wir über diesen Mann. Wie oft haben Sie ihn gesehen, sich mit ihm getroffen?«

»Ich weiß es nicht. Wie ich schon PC Day gesagt habe, habe ich nie sein Gesicht gesehen. Ich könnte ihn also unzählige Male gesehen und nicht erkannt haben.«

Bettridge, der von dem Gespräch schon jetzt gelangweilt schien, sah schnell auf. »Also gut, wie wäre es, wenn Sie uns von Anfang an all die Zeiten nennen, an denen Sie Kontakt mit ihm hatten«, sagte er übel gelaunt.

Sophie blickte ihn hart an. Du hast es nicht anders gewollt, dachte sie, holte tief Luft und begann. Sie erzählte ihnen vom ersten Mal, als der geheimnisvolle Mann in ihrem Schlafzimmer aufgetaucht war, und von ihrem Verdacht, dass er einen Schlüssel hatte, weil nicht eingebrochen worden war.

Sie spielte herab, was tatsächlich passiert war. Dann berichtete sie schnell von Geschenk und Brief in ihrem Schlafzimmer und schilderte ihr nächstes Rendezvous im Geschäft für Reitausstattung in der Stadt.

Sophie erzählte alles mit leidenschaftsloser Stimme, ließ nichts aus und erlaubte sich erst, in die Gesichter der beiden Kriminalbeamten zu blicken, als sie vom letzten Zwischenfall sprach – vom Päckchen vor der Tür.

Was sie an ihren Mienen sah, war sehr befriedigend. Ashwell war sprachlos. Seine Augen waren geweitet, sein Mund klaffte auf, und er kratzte sich ein paar Mal, als er sich zu konzentrieren versuchte. Sophie fragte sich kurz, wann ihm das gelingen würde, und dann sah sie DS Bettridge. Er hatte sich in seinem Sessel vorgeneigt. Der gelangweilte Gesichtsausdruck war verschwunden. Jetzt blickte er sie gespannt mit glänzenden Knopfaugen an. Mit einem Schock erkannte Sophie, dass es nicht die Geschichte war, die sein Interesse erregt hatte; sein Blick war nicht auf ihr Gesicht gerichtet, sondern schweifte über ihren Körper – er brauchte einen Augenblick, um zu bemerken, dass sie verstummt war.

Als er sich wieder gefasst hatte, sah Sophie ihn wütend an. »Haben Sie alles aufgeschrieben?«

Er nickte zu seinem Kollegen hin. »Das ist sein Job.«

Sophie blickte zu Ashwell, der sie immer noch anstarrte. Plötzlich wurde ihm klar, dass etwas von ihm erwartet wurde, und er schaute sich nervös um. »Was?«

»Hätten Sie das nicht aufschreiben sollen?«, fragte Sophie.

»Nun, äh ... eigentlich nicht«, stammelte er. »Wir versuchen immer noch festzustellen, ob dieser ... Sittenstrolch etwas mit Mrs. McKinnerneys Verschwinden zu tun haben könnte, nicht wahr?« Er blickte zu Bettridge.

»Natürlich versuchen wir das, Ron.« Bettridge lächelte ihn fast liebevoll an. Ashwell blickte erleichtert.

»Was ich nicht verstehe«, murmelte der dicke Mann, offenbar von der Unterstützung seines Vorgesetzten ermuntert, »warum haben Sie nicht früher von diesen ... Treffen erzählt, Miss Ward?«

»Ja«, schnaubte Bettridge, »das verstehe ich auch nicht.«

»Ich nehme an, dass es viele Dinge gibt, die Sie nicht verstehen«, gab Sophie zurück und betonte das ›Sie‹, »aber ich will Ihnen helfen: Ich dachte, es geht keinen was an.«

Ashwell lächelte herzlich, versuchte die Situation anscheinend zu entspannen. »Nun, es könnte etwas mit Mrs. McKinnerneys Verschwinden zu tun haben, aber vielleicht auch nicht. Wir wissen es nicht. Sie müssen uns weiter erzählen, was geschah. Wir müssen versuchen, so viel wie möglich über diesen Mann herauszufinden.«

»Was genau wollen Sie wissen? Ich habe PC Day gesagt, dass der Mann eine Maske trug, als er in mein Zimmer kam.«

»Aha.« Ashwell nickte weise, als sei es für ihn Routine, über maskierte Männer im Zimmer von Frauen zu sprechen. »Aber wir müssen die Beschreibung des Täters haben, wenn es geht.«

»Ich kann Ihnen nur sagen, dass er ungefähr einsachtzig bis einsneunzig groß war.«

»Was hat er angehabt?«

»Dunkle Kleidung. Eine Maske. Handschuhe.«

»Haarfarbe?«

»Keine Ahnung; es war zu dunkel.«

»Augen?«

»Ja, zwei, nehme ich an.«

Bettridges Kopf ruckte hoch. Er betrachtete sie kühl.

Ashwell lachte unsicher. »O ja. Zwei. Ich verstehe. Sehr gut. Nein, im Ernst, haben Sie zufällig die Farbe gesehen?«

Sophie starrte ihn wütend an. »Es war dunkel«, erwiderte sie. »Wie ich Ihnen gesagt habe.«

»Ist Ihnen etwas an seiner Stimme aufgefallen?«, fragte Bettridge. »Was hat er zu Ihnen gesagt? Haben Sie einen Akzent bemerkt? Welche Sprache hat er benutzt?«

»Er hat nicht gesprochen.«

»Was?«, entfuhr es Bettridge überrascht.

»Er hat nicht gesprochen«, erklärte Ashwell seinem Kollegen hilfreich.

»Das habe ich gehört«, blaffte Bettridge und sah aus, als wollte er Ashwell verprügeln.

Die Unterhaltung machte Sophie Spaß. Aus irgendeinem Grund musste sie an Dick und Doof denken.

»Also«, fuhr Ashwell fort, »wenn dieser Mann maskiert war und nicht sprach, hatten Sie Angst?«

»Dazu hatte ich keine Zeit«, sagte Sophie. »Er fesselte mich ans Bett, bevor ich wusste, wie mir geschah.« Sie befürchtete, Ashwell würden die Augen aus dem Kopf fallen.

»Fesselte Sie ...«

»... ans Bett, ja.« Plötzlich dachte Sophie an etwas, das nützlich sein konnte. »Ich könnte Ihnen eine genaue Beschreibung vom Penis dieses Mannes geben.«

Ashwells Gesicht wurde puterrot, und er begann, hilflos zu stottern. Bettridge blickte ihn gereizt an, nicht besorgt, und schließlich sprang er auf, um ihm auf den Rücken zu klopfen, härter als nötig.

»Reiß dich zusammen, Ron«, zischte er schließlich. Und Ashwell, mit wässrigen Augen und immer noch rotem Gesicht, versuchte seinem Vorgesetzten stumm zu versichern, dass er sich voll erholt hatte.

»Sagten Sie ...?«

»Ja?«

»Sein ...«

»Ja?«

»... Penis?« Ashwell flüsterte das Wort.

»Ja«, bestätigte Sophie laut. »Sein Penis. Ich habe ihn genau gesehen. Er war ...«

»Ich finde, mit dieser Information können wir nicht viel anfangen«, unterbrach Bettridge schnell. »Es sollte uns mehr interessieren, wie es kam, dass Sie das Glied dieses Mannes sahen.«

»Er holte es raus«, informierte Sophie sie.

»Und was«, fragte Ashwell nervös, »hat er damit getan?«

»Nun, eigentlich nicht viel«, musste Sophie zugeben. »Nur bei sich selbst. Aber danach setzte er sich zu mir aufs Bett und berührte mich.«

»In welcher Weise?«, fragte Ashwell, bevor er Zeit gehabt hatte, die Frage zu durchdenken.

»Sagen wir so«, sagte Sophie und neigte sich vertraulich vor. »Es hat nicht viel Sinn, dort nach Fingerabdrücken zu suchen.«

Bettridge bekam einen Wutanfall. »Wollen Sie uns sagen, dass ein völlig Fremder mit einer Maske in der Nacht in Ihr Schlafzimmer kam und Sie intim berührte und Sie niemandem ein Wort davon sagten?«

Sophie überlegte. »Ja, das stimmt.«

Ashwell schien sich erst jetzt von dem Schock zu erholen. »Sie sagten, dass er Sie . . . äh . . . berührt hat. Nun, das ist ein Sittlichkeitsdelikt.«

»Ich wollte nicht, dass er es tut. Und dann habe ich mir's selbst getan.«

Ashwell wurde rot, und Bettridge sah aus, als glaubte er seinen Ohren nicht.

»Das ist Ihre Sache«, sagte der arme Ashwell. »Niemand kann Sie dafür verurteilen.«

Sophie lächelte. »Welch eine Erleichterung.«

»Und das nächste Mal, im Reitergeschäft in der Stadt?« Ashwell hatte einen Schweißfilm auf der Stirn. »Als er . . .«

». . . als wir Sex hatten«, sagte Sophie.

»Sex?«

»Sex, ja. Das ist, wenn zwei Leute . . .«

»Ich weiß, was Sex ist!«, brauste Ashwell auf. Dann erinnerte er sich an seine Manieren und fügte mit gesenkter Stimme hinzu: »Ich meinte . . .«

»Wie, zum Teufel, Sie es schafften, Sex mit einem Mann zu haben, ohne sein Gesicht zu sehen«, warf Bettridge ein. »Das möchte ich auch gern wissen.«

»Es war stockdunkel.«

»Abermals? Sie scheinen in einer Welt der Dunkelheit zu leben, Miss Ward. Wie dunkel kann es in einem öffentlichen Geschäft sein?«

»Oh, sehr dunkel«, versicherte sie ihm. »Besonders, wenn man das Licht ausschaltet und ich den Seidenschal über die Augen gebunden hatte.«

»Seidenschal?«

»Den Schal, den er mir schenkte. Hier ist er.« Sophie nahm ihn aus der Tragetasche, und sie starrten beide darauf, als würde dadurch alles klarer.

Bettridge versuchte offensichtlich, sein Temperament zu zügeln. »Wie kam der Schal über Ihre Augen, ohne dass Sie in der Lage waren, den Mann zu identifizieren?«

»Ich habe ihn selbst umgebunden«, sagte Sophie, als müsse sie einem sehr dummen Kind etwas erklären. »Er hat mich dazu aufgefordert.«

»Tun Sie alles, wozu Sie von völlig Fremden aufgefordert werden?«, fragte Bettridge.

»O nein!« Sophie tat schockiert. »Wofür halten Sie mich?« Die beiden Männer tauschten Blicke.

»Vielleicht sehen wir uns mal die Dinge an, die er hinterlassen hat«, sagte Ashwell. Die Männer lasen den Brief. Keine Hinweise auf den Täter oder den Schal. Ashwell fragte höflich, ob sie den Brief behalten dürften. Sophie zuckte die Achseln; damit hatte sie kein Problem. Als sie ihn behutsam in einen Plastikbeutel verstauten, stellte sie sich plötzlich vor, wie sie das Gleiche mit dem Vibrator taten. Sie musste kichern.

Bettridge schaute schnell mit glitzernden Augen auf. »Stimmt was nicht, Miss Ward?«

»Das kann man wohl sagen.«

Sie betrachteten sie misstrauisch und warteten auf den nächsten möglichen Hinweis. In diesem Moment klopfte es an der Tür, und Jean trat mit einem Tablett mit gefüllten Kaffeetassen ein. Beim Hinausgehen tätschelte sie Sophie auf den Arm und lächelte aufmunternd.

Wenn sie nur wüsste, dachte Sophie und beobachtete, wie Ashwell mit der Porzellantasse fummelte. Als sie die Tassen abgestellt hatten, waren sie bereit fortzufahren. Sophie zog das Negligee aus der Tragetasche und hielt es hoch. Die Wirkung war so, wie sie erwartet hatte. Bettridge stieß einen Pfiff aus. Ashwell verschluckte sich fast an seinem Kaffee.

»Und das ist nicht alles.« Sophie zog grinsend den pinkfarbenen Dildo aus der Tasche. »Dies lag vor meiner Tür.«

Bettridge bekam beim Kaffeetrinken einen Hustenanfall, während Ashwell entgeistert auf das Objekt starrte.

»Er hat auch an Batterien gedacht«, sagte Sophie und schaltete den Dildo an. »Aber die sind jetzt ein bisschen schwach – ich hatte eine leidenschaftliche Nacht mit dem Gärtner.« Ashwell schlug die Hände vor den Mund und vergaß dabei seine Kaffeetasse, die ihren restlichen Inhalt ergoss.

»Um Himmels willen, Ashwell!« Bettridge verlor die Geduld. »Nehmen Sie sich zusammen. Und holen Sie ein Tuch zum Aufwischen. Ich weiß nicht, warum ich immer mit Ihnen arbeiten muss. Sie gehen mir verdammt auf die Nerven!«

Ashwell verließ den Raum. Bettridge wandte sich mit einem öligen und nicht überzeugenden Lächeln an Sophie.

»Also dann, Sophie.«

»Miss Ward«, korrigierte sie ihn ärgerlich.

»Ich bin Alan«, sagte er mit einem gezwungenen Lächeln.

»Und ich bin immer noch Miss Ward.«

»Prima, prima.« Er atmete tief durch und begann dann von neuem. »Nun, Miss Ward, was wir wirklich wissen wollen, ist Folgendes: Hat dieser Sittenstrolch irgendwelche Bedeutung bei Mrs. McKinnerneys Verschwinden?«

»Sie glauben doch nicht, dass ich Ihnen all dies erzählt hätte, wenn ich mir dessen nicht sicher wäre?«

Er lehnte sich zurück. »Nun, Sie könnten es auch aus einem anderen Grund erzählt haben.«

»Und warum?«

»Vielleicht mögen Sie die Aufmerksamkeit von Polizeibeamten.« Er setzte wieder sein unangenehmes Lächeln auf.

»Nein, die mag ich nicht«, sagte Sophie mit fester Stimme. »So viel zu Ihrer Theorie.«

Er wirkte, als hätte sie ihn geschlagen, doch er erholte sich schnell. »Sie meinen also, er könnte bei der unerwarteten Abreise Ihrer Arbeitgeberin eine Rolle gespielt haben?«

»Nein, das weiß ich nicht. Nun, das könnte er vielleicht … Sehen Sie, Sie sind der Detektiv; Sie müssen das herausfinden. Ich bin nur die Pferdepflegerin!« Ihre Stimme war schrill geworden, außer Kontrolle geraten, und sie bemühte sich, ruhiger zu werden.

»Regen Sie sich nicht auf, Miss Ward«, sagte Bettridge besänftigend. »Ich bin nicht hier, um Ihnen Stress zu machen. Wir wollen nur Mrs. McKinnerney finden. Erzählen Sie mir bitte noch einmal von diesem Reiterwarengeschäft in der Stadt.« Sophie erzählte die Geschichte noch einmal, und Bettridge machte sich Notizen.

»Sie können sich an nichts Besonderes an ihm erinnern? Was hatte er an?«

»Ein Baumwollhemd!«, fiel Sophie plötzlich ein.

»Ausgezeichnet! Und das behielt er an?«

»Ja, das habe ich Ihnen schon gesagt; offenbar wollte er danach schnell entkommen.«

»Und Sie konnten ihn nicht aufhalten, weil . . .?«

»Er hatte mich nackt ausgezogen . . .«

Bettridge nickte aufmunternd. »Und?«

»Und weil ich Strümpfe und Strapse trug«, vertraute ihm Sophie an. »Es ist so schwierig, sie auf die Schnelle in Ordnung zu bringen.«

»Und wo waren Sie?«

»Über einem Hocker. »Er hatte mich über dem Hocker, mit dem Rücken zu ihm, während er mich festhielt.

»Sie knieten, habe ich das richtig verstanden? Und er . . .«

»Er kniete auch. Er hob mich einfach auf sich . . .«

Ihr wurde plötzlich Bettridges benommener Gesichtsausdruck und die Wölbung in seiner teuren Anzughose bewusst.

»Weiter, Sophie, was geschah dann?«

Sophie sprang auf. »Warum? Macht Sie meine Story an? Sie Perversling. Sie sollen Catherine finden und sich keinen Kitzel verschaffen. Ich habe genug davon. Ich gehe.« Sie nahm ihre Tragetasche und schob den Seidenschal, das Negligee und den Vibrator hinein.

An der Tür prallte sie fast gegen Ashwell, der mit einem Eimer Wasser eintreten wollte. »Und Sie sind genauso schlimm!«, schrie sie ihn an.

»Warten sie, Sophie! Miss Ward! Kommen Sie zurück!« Bettridge rannte ihr auf dem Flur nach, was bei seiner Erektion schwierig war. In der Eingangshalle drehte sie sich um und sah ihm ins Gesicht.

»Keine weiteren Fragen«, schnarrte sie. »Belästigen Sie mich nie wieder.«

»Aber . . .«

»Gibt es ein Problem?« James McKinnerney schritt dazwischen, offenbar auf dem Weg irgendwohin, und sah Bettridge ärgerlich an. Sophie empfand einen Moment Dankbarkeit, doch dann durchfuhr sie ein Schreck. Sie hatte bei Bettridge und Ashwell vergessen, den Handschuh zu erwähnen, den sie gefunden hatte; ein echter Fehler, aber ein prophetischer. Denn dort, auf James McKinnerneys rechter Hand, steckte der andere Handschuh.

Sophie warf den Striegel in die Kiste für die Pferdepflege und tätschelte Fireflys glänzende Flanke. Er schnaubte und rollte die Augen, um nach ihr zu blicken. Sie führte ihn in seine Box und sah, dass Jasmine in der Nachbarbox nervös an die Trennwand trat.

Sophie seufzte. Alle Pferde waren nervös und aufgeregt. Das waren sie schon gewesen, als sie vom Haus zurückgekehrt war, offenbar von Sophies eigener Nervosität angesteckt. Sogar Jigsaw spielte verrückt. Seit Sophie sich über DS Bettridges Fragen geärgert hatte und sie schockiert gesehen hatte, dass James den anderen Handschuh des Eindringlings trug, war ihre Welt noch mehr aus den Fugen geraten.

Dominic war eingetroffen, um James der Grausamkeit gegenüber Catherine zu beschuldigen. Er hatte seinen Auftritt gekrönt, indem er der Polizei Unfähigkeit vorgeworfen hatte, weil sie seine Schwester nicht finden konnte. Telefonanrufe bei Freunden der Familie hatten ergeben, dass sie nicht weggefahren war, um jemanden zu besuchen. Nur der Anruf bei Marcie Carver hatte etwas Neues ergeben.

»Da war keiner zu Hause«, hatte James gesagt, »und auf der Arbeit war Marcie nicht. Das passt überhaupt nicht zu ihr.«

Marcies Sekretärin hatte James informiert, dass Mrs. Carver sich plötzlich ein paar Tage frei genommen hatte. James hatte seinen ganzen Charme gebraucht, um der Frau zu erklären, wie dringend es war, ihre Chefin zu erreichen, und sie hatte ihm eine Telefonnummer genannt. Es war die Nummer eines nahen Fitness-Centers.

Schließlich konnte James am Telefon mit Marcie sprechen. Sie bestätigte, dass sie und Catherine am vergangenen Abend miteinander gesprochen hatten, nachdem Sophie das Haus verlassen hatte.

»Wir haben gestritten«, hatte Marcie am Telefon schluchzend bekannt. »Ich habe mich zu schlimmen Beschimpfungen hinreißen lassen, meine Nerven waren am Ende. Sie versuchte, alles deiner Pferdepflegerin anzuhängen. Als ich heimkam, stellte ich Alex ein Ultimatum, und dann nahm ich mir ein Zimmer. Oh, James, es tut mir so leid; es ist alles meine Schuld.«

James hatte all dies seinem Personal berichtet. Sein Gesicht war dabei ausdruckslos gewesen. Sophie hatte nur die Hälfte davon gehört. Sie stand immer noch unter dem Schock der Erkenntnis, dass James ihr geheimnisvoller Liebhaber gewesen war. Einerseits wäre er ihr lieber gewesen als ein völlig Fremder, aber was sollte dann all sein Gerede von Loyalität? Und wie konnte er sich um seine vermisste Frau sorgen, wenn er erst in der Nacht mit wenig ehrenhaften Absichten das Cottage besuchen wollte? Sie wusste einfach nicht, was sie von James halten sollte, und so hatte sie ihren Blick gesenkt gehalten.

»Wir können immer noch nicht Alex Carver aufspüren«, hatte er gesagt, »Aber es ist möglich, dass er mit Catherine gesprochen oder sie wenigstens gesehen hat.« Oder – die Andeutung hing unausgesprochen in der Luft – er könnte mit ihr in diesem Augenblick zusammen sein.

Sophie verriegelte Buzz' Boxentür, ihre letzte Arbeit an

jedem Abend, bevor sie den Stall abschloss. Sie füllte Wassereimer in der entferntesten Ecke des Stalls, als sie nur schwach wahrnahm, dass die äußere Stalltür leicht klappte. Es kam ihr vor, als hätte sie sie nicht richtig gesichert und sie wäre vom Wind zugeschlagen worden.

Erst als Firefly schnaubte und unruhig wurde, blickte sie überrascht auf und sah den maskierten Mann zwischen sich und der Außentür sehen.

Angst und Aufregung stiegen in ihr auf und verwandelten sich schnell in Zorn.

Wie kann er es wagen!, dachte sie verbittert. Wie kann er denken, mich wieder zu besuchen; ausgerechnet heute, nachdem ich all die Fragen, die anzüglichen Worte – getarnt als Sorge – und die grinsenden Gesichter der Polizisten über mich ergehen lassen musste? Sie stand wie erstarrt da, die Füße leicht gespreizt, die Hände zu Fäusten geballt. Sie forschte in ihren Gefühlen nach der jähen Furcht, die sie zuerst empfunden hatte – und stellte fest, dass sie verschwunden war. Dieser Mann hatte eine Identität; er war James McKinnerney.

Ihr wurde klar, dass er nicht wissen konnte, dass sie Bescheid wusste. Zum ersten Mal war sie ihm einen Schritt voraus in diesem Spiel. Jetzt war sie die Wissende. Kannte das Gesicht hinter der Maske, kannte den Besitzer der Hände, die so gierig ihren Körper gestreichelt hatten. Sophie behielt diese Information über seine Identität bei sich wie eine versteckte Waffe, die sie ziehen würde, wenn und wann es nötig sein würde.

»Was willst du?«, fragte sie und freute sich, dass ihre Stimme laut und klar klang, ohne eine Spur von Nervosität. Der Mann bewegte sich auf sie zu.

»Bleib da!«, fuhr ihn Sophie an. Er zögerte. Hinter ihm stampfte eines der Pferde – Sophie konnte nicht sehen, welches – gegen die Boxentür, und sie knarrte in den Angeln.

»Wie kannst du es wagen?« Sophies Stimme klang jetzt gefährlich leise, war jedoch perfekt unter Kontrolle. »Weißt du, was ich heute deinetwegen durchgemacht habe? Hast du eine Ahnung, wie ich mich gefühlt habe, weil ich zwei geilen Blödmännern erklären musste, was ich mir von einem völlig Fremden habe antun lassen – was ich mir selbst kaum erklären kann?« Sie war jetzt wütend. »Sie wollten alles wissen. Zeiten. Orte. Positionen. Sogar – ihre Stimme brach leicht – was ich noch anhatte.« Die Gestalt trat wieder näher, die Arme ausgestreckt, und Sophie wich schnell zurück.

»Bleib von mir weg!«, schrie sie. »Ich kenne dich! Ich weiß, wer du bist!«

Der Mann erstarrte. Sophie konnte ihn deutlicher sehen als je zuvor. Er war groß, größer als Alex Carver. Das sah sie jetzt. Er war zu schwer gebaut, um mit dem schlanken, muskulösen Callum verwechselt zu werden. Die Kleidung war dunkel, anonym. Die Maske war dieselbe, die er beim ersten Mal getragen hat, als er in Sophies Schlafzimmer aufgetaucht war.

Sophie erinnerte sich an die Treffen. Sie rief sich die Aufregung und Erregung in Erinnerung – sie war noch nie so stark erregt gewesen –, wie sie sich später nach mehr gesehnt hatte. Der Zorn war verflogen. Stattdessen empfand Sophie eine Art widerwillige Dankbarkeit für den Mann, der so viel hemmungslose Sinnenfreude in ihr geweckt hatte.

»James«, sagte sie leise. »Ich weiß, dass du James bist.«

Die Gestalt hatte sich nicht bewegt. »Es muss aufhören«, sagte sie. »Ich habe der Polizei nicht gesagt, dass du es bist. Niemand weiß es; ich werde schweigen. Aber es muss aufhören.«

Der Mann stand immer noch wie erstarrt. Dann stützte er sich auf die nächste Boxentür. »Wie ...?« Das war das einzige

Wort, das er jemals gesagt hatte. Sophie wollte ihn nicht sprechen hören.

»Nichts mehr«, sagte sie. »Geh einfach.«

Er wandte sich um und stolperte fast zur Tür.

Sophie beobachtete leidenschaftslos, wie er in die Dunkelheit ging. Als sie ein paar Minuten später abschloss, war der geheimnisvolle Mann aus ihrem Leben verschwunden, als hätte es ihn nie gegeben.

Zehntes Kapitel

»Du kannst es versuchen«, sagte Jean zu Sophie, »aber ich warne dich; man kann nicht vernünftig mit ihm sprechen.«

»Papi ist betrunken«, informierte Gina heiter. »Er hat ganz allein eine Party gefeiert, und jetzt ist er blau.«

»Beeil dich und iss dein Frühstück«, befahl Jean. »Du hast heute Schule. Meine Nerven könnten keinen weiteren Tag vertragen, an dem du deine Geschwister verrückt machst.«

»Gut«, sagte Gina, »Ich kann es kaum erwarten, Fiona zu erzählen, dass Mami abgehauen ist und Papi sich betrunken hat, als die Polizei fort war.«

»Das tust du nicht!«, rief Jean empört. Sie wandte sich zu Sophie um und verdrehte die Augen. »Vielleicht solltest du noch einen Tag schulfrei haben.«

»Stimmt das mit Mr. McKinnerney?«, fragte Sophie leise.

»Voll wie tausend Mann«, bestätigte Jean. »Man kann nicht vernünftig mit ihm reden. Sonst ist alles gut, aber das Telefon klingelt ständig. Ich musste mit seinen Eltern, ihrem Boss und jeder Menge betroffener Freunde telefonieren ...« Jean wirkte völlig durcheinander.

»Kann ich irgendwie helfen?«

»Vermutlich nicht, meine Liebe, trotzdem Dank für das Angebot. Ich sage dir, es ist ein guter Job, und ich greife nicht beim ersten Anzeichen von Ärger zur Flasche. Aber das scheint schon eine natürliche Reaktion auf jedes Problem hier zu sein.« Sie winkte Sophie von den Kindern fort und sagte im Flüsterton: »Das war noch nicht das Beste. Ich musste gestern Nacht einen Faustkampf beenden!«

»Jean! Nein! Wer hat sich geschlagen?«

»Mr. McKinnerney und Mr. Hamilton.«

»James und Dominic? Warum?«

»Frag mich nicht. Für mich ergab das keinen Sinn. Mr. Hamilton war sehr wütend wegen des Verschwindens seiner Schwester – er gibt James die Schuld.«

»Der arme James.«

»Genau. Als ob er nicht schon genug am Hals hätte. Jedenfalls, mit etwas Glück sollten wir den anderen in den nächsten paar Tagen nicht sehen.«

»Wen? Dominic?«

Jean nickte. »Er darf irgendwo vorspielen, und so ist er uns für eine Weile aus den Augen.«

»Er ist nicht zu sehr von Catherines Verschwinden abgelenkt, um auf eine Rolle zu verzichten?« Sie lachten beide, und dann bemerkte Jean die beiden Briefe in Sophies Hand.

»Oh, Sophie. Sag mir nichts … lass mich raten – Kündigungsschreiben?«

»Leider, ja.«

»Oh, ich kann es dir nicht verdenken. Ich habe schon bei deinem Eintreffen angenommen, dass du nicht lange bleibst.« Sie ließ sich auf einen Stuhl sinken. »Und Callum auch? O Mann. Ich weiß nicht, was aus diesem Haushalt wird!«

»Er geht vor die Hunde«, sagte Gina.

»Gina! Iss dein Frühstück – sofort.«

»Habe ich nun einen freien Tag, oder erzähle ich Fiona alles, was hier los ist?«, fragte Gina und nahm sich einen Löffel Co-Co-Pops.

»Du böse kleine Kröte«, sagte Sophie und strich ihr übers Haar. »Sei nett zu Jean; sie muss sich schon genug gefallen lassen.«

»Geht das nicht allen so in diesem Haus?«, murmelte Jean.

Sophie machte sich auf die Suche nach ihrem Arbeitgeber.

James saß in seinem Arbeitszimmer zusammengesunken in seinem Sessel und starrte verdrossen in sein Whiskyglas.

»Mr. McKinnerney? Kann ich Sie sprechen?«

»Kommen Sie rein, Sophie.« Offensichtlich hatte er getrunken, doch er wirkte nicht sehr betrunken, und es schien ihm auch nicht peinlich zu sein, sie zu sehen, was sie erwartet hatte. »Ich würde Ihnen etwas zu trinken anbieten«, sagte er, »aber ich bin sicher, dass Sie mehr Verstand haben.«

Sophie sagte nichts. Sie trat näher und hielt die Kündigungsschreiben fest. Sie wusste, dass es kein guter Zeitpunkt war, um sie zu überreichen, aber James McKinnerney war, angesichts der Umstände, kaum in der Position, sie abzulehnen.

»Nehmen Sie Platz.« Er wies vage zu einem anderen Sessel, und Sophie setzte sich. Sie war neugierig: Würde er seine Rolle als ihr geheimnisvoller Liebhaber erwähnen oder nicht? Würde er sich entschuldigen, und wenn, wie würde er sich herausreden? Würde er sie um Verzeihung bitten oder wenigstens um ihr Vertrauen? Oder würde er alles als Albtraum abtun, der nie geschehen war? Das Letztere schien wahrscheinlich zu sein, denn er zeigte keinerlei Verlegenheit und wirkte in Gedanken vertieft. Er hatte anscheinend alles längst vergessen. Er hat doch mehr getrunken, als ich zuerst dachte, sagte sich Sophie.

Er schien sogar vergessen zu haben, dass sie da war. Sie nutzte die Gelegenheit, um verstohlen sein Gesicht zu mustern. Er wirkte heute um Jahre gealtert, aber immer noch auf die angenehme Art, die wirklich gut aussehende Männer haben. Sophie empfand die vertraute Loyalität zu ihm und

222

tadelte sich: Sie durfte nicht vergessen, dass jede Loyalität für diesen Mann völlig unangebracht war. Sie brauchte sich nur zu erinnern, was sie seinetwegen alles durchgemacht hatte. Wenn er so tun wollte, als hätte es nie den Sex zwischen ihnen gegeben, dann sollte es ihr recht sein.

Aber als sie auf die großen Hände sah, die das Kristallglas hielten, wusste Sophie, dass die Erinnerung, wie diese Hände sie gestreichelt hatten, für immer bleiben würde. Es war sonderbar zu wissen, dass seine Lippen diejenigen waren, die sich im dunklen Umkleideraum so voller Verlangen auf ihre gesenkt, und diese Finger ihre intimsten Stellen erkundet und erregt hatten.

Und jetzt, erkannte sie traurig, war das alles vorüber. Er schien nicht mal zu bemerken, dass sie noch da war.

»Mr. McKinnerney?«

Er zuckte zusammen, dann fasste er sie langsam ins Auge und lächelte verwirrt. »Es tut mir leid, Sophie, ich bin ein bisschen benommen.«

Sie wollte ihm die Kündigungsschreiben übergeben und gehen, doch stattdessen platzte sie heraus: »Ist alles in Ordnung? Kann ich irgendetwas tun, um zu helfen?«

»Ich wünschte, das könnten Sie, aber ich befürchte, da gibt es nichts. Würden Sie sagen, es ist meine Schuld, dass meine Frau verschwunden ist?«

Sophie starrte ihn an. »Ich weiß nicht«, sagte sie vorsichtig. »War es Ihre?«

Er blickte schnell auf. »Ich habe ihr nichts angetan, Sophie. Sie fuhr einfach weg. Ich habe nicht mal gesehen, wann. Ich meine, habe ich sie weggetrieben?«

Sophie wollte nein sagen, doch wie konnte sie das? Wenn es eines war, was sie mit Sicherheit wusste, dann die Tatsache, dass sie James McKinnerney nicht so gut kannte, wie sie geglaubt hatte.

»Ich weiß nicht. Keiner weiß wirklich . . .«

»Keiner weiß wirklich? Guter Gott, Sophie! Ich dachte, Sie wären auf meiner Seite. Sie haben doch erlebt, wie sie war! Sie haben doch auch unter ihrem Jähzorn gelitten.«

»Ich wollte sagen, dass keiner weiß, was in anderer Leute Ehe los ist«, sagte Sophie, und Zorn stieg in ihr auf. »Ich weiß nur, was Sie mir gesagt haben.« Unausgesprochen enthielt ihre Äußerung ihr neu gefundenes Misstrauen gegenüber allem, was er ihr in der Vergangenheit gesagt hatte.

»Sie haben ihre Wutanfälle erlebt. Immer hat sie mich angetrieben, doch ich konnte nie genug für sie tun. Ich konnte ihr nie Böses tun. Nie! Und jetzt ist sie weg, trotz meiner Geduld, die ich ihr die ganze Zeit geschenkt habe. Und jeder – anscheinend Sie inbegriffen – glaubt, dass es meine Schuld ist!« Sein Gesicht war jetzt rot vor Ärger, und er sank in seinem Sessel zurück.

Sophie fand es schwer, gegen ihren wachsenden Zorn anzukämpfen. War er wirklich so egoistisch, dass er vergessen hatte, was zwischen ihnen vorgefallen war? Wenn er seine Frau so sehr liebte, warum hatte er es dann nötig gehabt, sich bei ihr, Sophie, zu befriedigen?

»Ich schlage vor«, sagte sie vorsichtig, »dass Sie sich sehr genau überlegen, was Sie sagen. Catherine hat vielleicht geglaubt, dass sie sehr vernünftige Gründe hat, Sie zu verlassen.« Sie wollte, dass er ihre Affäre – wenn das die richtige Bezeichnung war – eingestand, doch immer noch war sie nicht in der Lage, es direkt auszusprechen.

»Was meinen Sie? Welche Gründe?«

Sophie konnte ihren Zorn nicht mehr unterdrücken. »Sie wissen sehr gut, was ich meine. Es hat keinen Sinn, den unverstandenen Ehemann zu spielen, nicht nach allem, was Sie getrieben haben, besonders mit mir! Das zieht nicht!«

»Sophie, wovon reden Sie?« Sein Gesicht war aschfahl, und er blickte sie entgeistert an.

»Sie wissen schon.« Sophie senkte den Blick. Sie spürte, dass sie errötete, trotz des Zorns, den sie auf James hatte. »Was Sie mit mir gemacht haben. Kein Wunder, dass Ihre Frau unfreundlich zu mir war. Wusste sie davon?«

»Wusste sie – was?«

»Ah, kommen Sie schon! Es ist zu spät für blöde Spielchen.«

»Sophie, verzeihen Sie mir, aber ich weiß wirklich nicht, wovon Sie reden.«

»Sie. Und ich. Im Cottage. Im Geschäft für Reiterei.« Ihr Gesicht glühte, und sie fand es schwer, ihn anzusehen. Warum sollte ich mich schämen?, dachte sie wütend und zwang sich, ihm in die Augen zu schauen.

»Sie und ich? Es tut mir leid ... ich weiß nicht ...«

Sophie sah Verwirrung, Unverständnis und fast schon Panik in seinem Gesicht und erkannte, dass sie einen schrecklichen Fehler begangen hatte.

»Sie waren es nicht?« Sie fühlte sich, als gebe der Boden unter ihr nach, und plötzlich stürzte alles ringsum zusammen. Schlimmer noch, James McKinnerney neigte sich zu ihr und betrachtete sie mit einer Mischung aus Neugier und Besorgnis. »Vielleicht nehme ich doch etwas zu trinken«, flüsterte sie.

James wirkte plötzlich stocknüchtern, als hätte die kalte Dusche von Sophies falscher Anschuldigung die Wirkung von Stunden schweren Trinkens ausgelöscht. Er schenkte einen großen Whisky ein und drückte ihr das Glas in die zitternden Hände.

»Ich finde, jetzt sollten Sie mir erzählen, was das alles zu bedeuten hat.«

»Ich dachte, es wären Sie gewesen.« Sophie fühlte sich

nach ihrem Bericht elend; ausgelaugt. Ein anderer, fast genauso beunruhigender Gedanke schrie in ihr: Wenn es nicht James war, wer dann?

»Sie hielten mich für diesen Kerl, Sophie?« Seine Stimme war freundlich, doch Sophie konnte ihm nicht in die Augen sehen.

Wie habe ich nur einen so furchtbaren Fehler machen können?, dachte sie und kämpfte gegen Tränen an.

Plötzlich begriff James die schreckliche Wahrheit.

»Oh, Sophie! Nicht dieser Sittenstrolch, von dem die Polizei geredet hat. Das kann doch nicht wahr sein! Wie haben Sie denken können, dass ich das gewesen sein könnte? Reden Sie mit mir, bitte. Ich will dies klären, für meinen Seelenfrieden ebenso wie für Ihren.«

Sophie hätte laut gelacht, wenn ihr nicht so elend zumute gewesen wäre. Sollte sie James um Hilfe bitten? Er konnte nicht mal sein eigenes Leben klären. »Es ist nicht mehr wichtig«, krächzte sie.

»Und ob es wichtig ist. Es ist sehr wichtig. Vor allem will ich wissen, warum Sie auf den Gedanken gekommen sind, dass ich dieser Sittenstrolch wäre.«

»Ihr Handschuh«, erwiderte sie. »Jemand war in meiner Wohnung und hat einen Handschuh verloren. Ich erkannte, dass es Ihrer war.«

»Sophie, ich kann Ihnen ehrlich nicht sagen, wann ich diesen Handschuh verloren habe«, versicherte er. »Ich habe diese Handschuhe seit Monaten nicht getragen, ich brauchte keine, weil es nicht kalt war. Ich mag ihn vor einem Jahr verloren haben, weiß es aber nicht mehr. Und wie kam dieser Handschuh jetzt in Ihre Wohnung?«

»Jemand hat ihn dort verloren. Nicht im Cottage selbst, aber jemand ist drinnen gewesen.«

»Wie hat er das geschafft?«

»Er hatte einen Schlüssel.«

»Einen Schlüssel. Den einzigen Schlüssel außer Ihrem habe ich.« Er überlegte angestrengt.

Sophie erklärte, dass der Ersatzschlüssel in der Halle aufbewahrt wurde und was Catherine ihr gesagt hatte, als sie um eine sichere Aufbewahrung gebeten hatte.

»Sie hat Sie wirklich auf dem Kieker, nicht wahr?«, sagte James. »Nun, Sophie, wenn Sie es nicht wollen, brauchen Sie es mir nicht zu erzählen, aber ich wüsste gern, was Sie mit diesem Mann hatten.«

Sophie schluckte hart. »Ich nehme an, alles.«

»Alles? Wie meinen Sie das?«

»Ich kann es kaum eine Beziehung nennen – wenn ich ehrlich bin, war es nur Sex.«

»Ah, ich verstehe.« Aber es war offensichtlich, dass es nicht der Fall war. Er versuchte, nicht zu verblüfft auszusehen. Sophie ahnte bereits die nächste Frage und fürchtete sich davor. »Haben Sie, wie soll ich das sagen, mitgemacht?«

»Ja«, hauchte sie.

»Warum, Sophie?«

»Weil« – sie zwang sich, ihm in die Augen zu sehen – »weil ich insgeheim immer hoffte, es wären Sie. Und weil ich es genossen habe«, fügte sie hinzu, ohne sich zu schämen.

Es dauerte einen Moment, bis James Überraschung zeigte. Dann sprang er aus seinem Sessel und schritt wild hinter seinem Schreibtisch auf und ab. »Ist das wahr? Haben Sie gemeint, ich könnte solche Dinge tun? Was müssen Sie nur von mir gedacht haben? Wir müssen der Sache auf den Grund gehen. Gibt es irgendwas über diesen Mann zu erzählen, was uns hilft, ihn zu finden?«

»Er trug eine Maske.«

James war entgeistert. »Eine Maske? Guter Gott. Aber da muss doch irgendwas sein … Hat er gesprochen?«

Sophie schüttelte den Kopf. »Er war immer völlig still.«

James sank in seinen Schreibtischsessel. »Ich verstehe das einfach nicht. Was müssen Sie von mir gedacht haben?«, wiederholte er, »wenn Sie angenommen haben, dass ich Ihnen solche Dinge antue?«

»Ich habe ›diese Dinge‹ genossen!«, sagte Sophie und vermied es, ihre Verlegenheit zu zeigen. »Ich habe gehofft, Sie genießen es genauso wie ich, und es schmeichelte mir, dass es Ihnen gefiel.«

»Oh, Sophie!« Er stützte den Kopf in die Hände. »Ich würde nie so etwas tun.« Er blickte ernst zu ihr auf. »Aber bitte denken Sie nicht, weil ich Sie unattraktiv finde. Ich liebe meine Frau sehr, immer noch. Sogar nach allem.« Er murmelte jetzt, fast wie im Selbstgespräch. »Aber es ist so. Ich liebe sie. Vielleicht zu sehr.«

»Das brauchen Sie nicht zu sagen, damit ich mich besser fühle«, sagte Sophie heftig und versuchte ihr Unbehagen zu verbergen. »Ich will und brauche Ihr Mitleid nicht.«

James blickte sie hart an, ohne eine Spur von Mitleid. Dann seufzte er. »Ich wünschte, ich hätte das aus diesem Grund gesagt. Aber Tatsache ist, dass Sie eine Frische und Ehrlichkeit in dieses Haus gebracht haben, die ich sehr schätze. Wenn ich ehrlich bin, muss ich Ihnen sagen, dass ich – wie soll ich das ausdrücken – Gefühle für Sie hatte. Als wir uns auf dem Balkon auf der Party der Newton-Smiths unterhielten, war es nur meine Feigheit und keine Loyalität Catherine gegenüber – ich empfand wenig Loyalität in dieser Nacht –, die verhinderte, das zu tun, was ich wollte.« Er lachte wehmütig. »Das und die Tatsache, dass ich Sie nicht erniedrigen wollte, wenn ich mich wie der geile alte Gutsherr verhalten hätte.« Beide lachten befangen.

»Es tut mir leid«, sagte Sophie leise, »weil ich Sie verdächtigt habe. Ich hätte es besser wissen sollen.«

»Und es tut mir leid«, sagte er galant, »dass Sie in mein Haus gekommen und so behandelt worden sind. Ich kann mich nur entschuldigen. Natürlich hilft uns das nicht herauszufinden, wer der Sittenstrolch ist.«

»War. Ich habe ihn gestern Nacht verabschiedet.«

»Wie das denn?«

Sophie berichtete von dem Zwischenfall im Stall, und James hörte genau zu. Sie sagte nachdenklich: »Ich beschuldigte den Mann, Sie zu sein, und aus seiner Reaktion sah ich keinen Grund, daran zu zweifeln, dass ich Recht hatte.«

»Nun«, sagte sie und überlegte angestrengt, »wer auch immer es war, er war glücklich, dass ich dachte, Sie steckten hinter dieser Maske.«

James musterte sie scharf und sprang dann auf.

»Wissen Sie, das ergibt tatsächlich Sinn, wenn ich's mir überlege. Sophie, macht es Ihnen etwas aus, wenn ich versuche, einige Dinge zu überprüfen? Ich versuche nicht, Sie loszuwerden, aber ich habe das Gefühl, dass wir der Sache erst auf den Grund kommen müssen.«

»Nein, das ist schon in Ordnung.« Sophie erhob sich. »Ich muss ohnehin gehen und einige Arbeit erledigen – die Pferde müssen versorgt werden. Nur eines noch: Meinen Sie, dass dieser Sittenstrolch irgendetwas mit Catherines Verschwinden zu tun haben könnte?«

»Ich weiß es nicht, Sophie. Aber ich bin entschlossen, es herauszufinden. Ich habe das Gefühl, dass ich bei alldem für dumm verkauft werde. Wenn jemand versucht, diesen Eindruck zu erwecken, dann will ich wissen, warum. Denken Sie nicht, dass ich das auf sich beruhen lassen werde. Ich will wissen, was gespielt wird.«

Er hatte eine Hand auf dem Türgriff. »Übrigens, Sophie, war mir ernst, was ich gesagt habe. In der Nacht bei den Newton-Smiths – erinnern Sie sich? Als wir Catherine zu

Bett brachten? Ich wollte Sie, Sophie, in dieser Nacht.« Er brachte die Worte nur schwer heraus, war aber entschlossen zu sagen, was ihm in den Sinn kam, und ihr so ein besseres Gefühl über das Missverständnis zu geben. »Ich habe von Ihnen in dieser Nacht geträumt; deshalb fuhr ich früh am nächsten Morgen fort.« Er lachte befangen. »Ich konnte Ihnen nicht gegenübertreten, nach dem, was wir in der Nacht in meinem Traum miteinander getan hatten.«

Sophie lachte ebenfalls. Wie konnte sie James so falsch eingeschätzt haben? »Das ist das, was ich einen Schuldkomplex nenne«, sagte sie.

Er war sofort wieder ernst. Er legte eine Hand auf ihren Arm. »Wir werden der Sache auf den Grund gehen, Sophie, das verspreche ich.«

Sie lächelte ihn an und ging. Sie dachte nicht daran, dass sie die Kündigungsschreiben immer noch in der Hand hielt.

»Oh, Sophie!« Callum war aufgebracht, als er die Briefumschläge immer noch in ihrem Zimmer liegen sah. »Was soll ich nur mit dir machen?« Er reichte ihr die Kaffeetasse und ging in die kleine Küche, um Milch und Zucker zu holen.

»Muss ich dir das wirklich erzählen?«, rief sie ihm provokativ nach und streckte sich vor dem Kamin aus. Sie fühlte sich sehr gut; die Mahlzeit, die sie für Callum gekocht hatte, war gut gelungen. Das klappte nicht immer so. Sie war in einer großen Familie aufgewachsen, bei der jeder hatte mit anpacken müssen. Diese erzwungene Hilfe in der Küche war der Fluch ihres Lebens gewesen. Obwohl Sophie zugeben musste, dass es etwas anderes war, für zwei Personen – eine davon Callum – zu kochen. Vielleicht werde ich mich bald freuen, Hausfrau zu sein, dachte sie.

»Wie hast du es geschafft zu vergessen, sie ihm zu geben?«

Sophie musste erst nachdenken, worüber sie gesprochen hatten, dann fiel es ihr ein, und sie zuckte die Achseln. »Ah, die Briefe.«

Sie hatte keinen Sinn darin gesehen, Callum zu erzählen, dass sie James fälschlich beschuldigt hatte, der Mann mit der Maske gewesen zu sein. In den letzten paar Tagen war so viel geschehen, dass Callum ohnehin nicht die ganze Geschichte kannte. Im Nachhinein fand Sophie es gut, dass sie ihn nicht ganz eingeweiht hatte. Es war eine Erleichterung für sie, keine weiteren Fragen beantworten zu müssen. So vielen Leuten hatte sie ihre intimsten Geheimnisse preisgeben müssen. Es reichte ihr.

»Ich konnte es einfach nicht tun«, bekannte sie. »Er ist so durcheinander wegen Catherine. Jean hat mir erzählt, dass er sich mit Dominic geprügelt hat. Wenn ich ihm die Briefe gegeben hätte, wäre es gewesen, als hätte ich ihn k.o. geschlagen, als er schon am Boden lag.« Sophie verschwieg, dass sie über dringendere Dinge gesprochen hatten als über ihre und Callums Kündigung.

»Du bist zu weich.«

»Das liebst du an mir.«

»Nein«, sagte er und brachte ein Tablett mit dem Milchkännchen und der Zuckerdose. »Ich mag dich aus vielen Gründen, aber das ist keiner davon.«

»Sag es mir.«

»Was soll ich dir sagen?«

»Einige der Gründe.«

»Nein, dann wirst du eingebildet.«

»Magst du mich, weil du soeben herausgefunden hast, dass ich, zusätzlich zu all meinen anderen Talenten, eine hervorragende Köchin bin?«

»Nein.«

»Nein?«

»Nun, ehrlich gesagt, nichts könnte mich weniger interessieren. Außerdem bist du keine gute Köchin.«

»Was?«

»Du hast etwas vergessen.«

Sophie überlegte. »Was denn?«

»Pudding«, sagte Callum mit schwerem Yorkshire Akzent. »Ein Essen ohne Pudding ist kein Essen, sagte mein Vater immer.«

»Und was hat deine Mutter dazu gesagt?«

»Für gewöhnlich hat sie ihn angeschnauzt, mit dem Stöhnen aufzuhören und weiter abzuspülen.«

»Nun, du kannst auch mit dem Stöhnen aufhören. Du kannst dich sehr geehrt fühlen, weil ich überhaupt für dich gekocht habe. Nach all diesen Jahren, in denen ich zu Hause kochen musste, habe ich nur noch am Bügeln weniger Spaß.«

»Nun, das ist zufällig kein Problem für mich.«

»Oh, wie gut.«

»Ich habe mir erlaubt, etwas für uns mitzubringen.« Er grinste sie verrucht an, und in Sophie stieg Vorfreude auf. Sie hatte das Gefühl, dass es kein normaler Abschluss eines Essens sein würde. Sie lächelte in sich hinein. Das musste man Callum lassen, er war immer für Überraschungen gut.

»Was ist es?« Sie konnte einen starken süßen Duft aus der Küche wahrnehmen.

»Warte es ab«, erwiderte er mit lüsternem Grinsen.

»Du bist so aufmerksam.« Sie schlang die Arme um seinen Nacken. »Kann ich auch irgendetwas tun?«

»Ja.« Callum schnüffelte. »Es ist fast fertig. Zieh dich aus.«

Sophie glaubte, sich verhört zu haben.

»Was?«

»Zieh dich aus; es ist fast fertig, nehme ich an.«

»Essen wir nicht erst?«

»Sozusagen.« Er grinste viel sagend. »Vertrau mir, ich bin Gärtner.«

Damit verschwand er in der Küche. Sophie tat, was er gesagt hatte, und rätselte, wovon der köstliche Duft stammte, der verlockend ins Wohnzimmer drang.

Was hat er jetzt vor?, überlegte sie, als sie sich nackt vor den Kamin legte. Schließlich kam Callum zurück. Er blieb stehen, um ihren sinnlichen Körper zu bewundern. Dann schaltete er die beiden kleinen Lampen aus und ließ das flackernde Kaminfeuer Schatten über ihre Kurven werfen. Als er das nächste Mal aus der Küche kam, hielt er etwas hinter dem Rücken. Der Duft hing jetzt so stark in der Luft, dass Sophie ihn fast schmecken konnte. Es roch wundervoll.

»Schokolade?«, fragte Sophie. »Schokoladenpudding? Mousse? Was ist es, Callum?«

Er zog einen kleinen Porzellantopf mit Griff und einen dicken, weichen Pinsel hervor. »Schokoladen-Sophie!«, kündigte er zu ihrer Verwirrung an. »Leg dich hin.«

Sie legte sich zurück, erkannte mit wachsender Freude, was er vorhatte, und beobachtete, wie er die braune Mixtur mit dem Finger umrührte. Dann zog er damit eine Linie ihren Bauch hinab und lud sie ein, den Rest davon abzulecken. Sophie tat es mit Wonne; es schmeckte so köstlich, wie der Duft versprochen hatte. Sie versuchte, einen Finger in den Topf zu tauchen, doch er schob sie auf den Teppich zurück.

»Nein. Das ist nicht das Dessert. Das bist du!«

»Aber ich will was davon haben.«

»Dann, befürchte ich«, sagte er und begann sein Hemd aufzuknöpfen, »wirst du es von mir schlecken müssen. So sind die Regeln.« Er zog sich im warmen Feuerschein aus, als

Sophie Schokoladenkrümel stahl, die am Rand des Topfs hängen geblieben waren, und ihn beobachtete.

Sie staunte immer wieder über Callums Körper. Es war der Körper eines Athleten, der sich mit harter Arbeit gestählt hatte, nicht der Körper der Männer, die Sophie in der Stadt sah, Schreibtischarbeiter, die ins Fitness-Studio gingen. Callum hatte die harten Muskeln und die gebräunte Haut eines Mannes, der viel in der Natur arbeitete. Seine Hüften waren schmal, und wenn er sich nackt mit ihr vereinigte wie jetzt vor dem Kaminfeuer, war seine glatte, straffe Haut warm.

Neben dem Goldbraun seines Körpers wirkte Sophies Haut elfenbeinfarben, und der weiche Schein des Feuers verlieh ihr einen reizenden zartrosa Schimmer, der Callums anerkennendem Blick nicht entging.

»Leg dich zurück«, wies er sie an, hielt den Topf mit der flüssigen Schokolade in einer Hand und den Pinsel in der anderen. Sophie kicherte und wand sich, als der Pinsel perfekte Kreise auf sie auftrug, die auf ihrem Leib wie warme Pennys wirkten.

Callum war entzückt, tat jedoch erschrocken. »Flecken!«, rief er. »Die gefürchtete Schokoladenseuche: Nur ich kann dich jetzt retten!« Und er neigte sich über sie, um seine begierige Zunge in die süße Schicht zu tauchen. Sophie schrie auf, als sich seine Zunge verirrte, doch Callum hielt sie an den Hüften fest und leckte Schokolade auf. Dann hob er den Kopf und grinste sie an. Sie musste lachen, als sie sein verrücktes schiefes Lächeln und die Schokolade um seinen Mund sah, was ihm das Aussehen eines zu groß gewordenen Kindes verlieh, das in einer Süßwarenfabrik Amok lief.

»Hungrig?«, fragte er. »Das bin ich!« Und schon war er wieder mit dem Schokotopf über ihr. Diesmal verwandelte er ihren Nabel in eine winzige Schokoladenquelle und bat sie, sich nicht zu bewegen. Sophie bemühte sich sehr, doch es fiel ihr schwer, als er die flüssige Schokolade mit seiner forschenden Zunge schleckte. Als sein Haar über ihren nackten Körper streichelte, wand sie sich wieder – und die Quelle sprudelte über.

»O nein! Sieh dir das an. Schnell!« Er neigte sich wieder hinab und fing hier und da Tropfen mit der Zunge von ihrer Haut auf. Als er schließlich innehielt, um zu Atem zu kommen, musste Sophie lachen, weil er sogar Schokolade im Haar hatte.

In gespielter Wut nahm er den Pinsel und malte kühne Muster auf ihre Brüste, und dann, bevor sie es ihm heimzahlen konnte, war er auf ihr und verschlang sie – so kam es Sophie vor, als er die Schokolade von ihrem Körper leckte und saugte.

Sie griff über seine Schulter, entschlossen, sich zu rächen, und nahm den Schokoladenpinsel und klatschte ihn auf seine Brust. Callum kreischte auf und nahm ihr den Pinsel ab.

»Dafür wirst du bezahlen«, versprach er. »Jetzt gleich kannst du erst mal das ablecken. Na los!« Und Sophie begann mit ihrem genüsslichen Schlecken an Callums Brust. Als sie den Kopf hob, sah sie, dass er sie lächelnd beobachtete.

»Steh auf«, drängte er, kniete sich vor sie und tauchte den Malerpinsel wieder in den Schokoladentopf. Er malte Kreise um ihre Nippel, und der Pinsel strich wie eine Feder über sie. Er malte eine Linie über ihren Bauch hinab, verharrte nur, um wieder ihren Nabel mit Schokolade zu überziehen. Dann tauchte er den Pinsel in den Topf mit der Schokolade und ließ ihn auf ihrem blonden Haarbusch abtropfen.

Sophie hielt sich an Callums Schultern fest, als er sanft ihre Schamlippen teilte und ihre Weiblichkeit mit Schokolade beschichtete. Sie stand sehr still, um nicht seine Konzentration zu stören, denn Callum war ganz darin vertieft, die klebrige süße Schokolade auf und in ihr zu verteilen.

»Sophie in Schokolade«, murmelte er und hockte sich auf die Hacken, um sein Werk zu betrachten.

Sophies Körper sah Aufsehen erregend aus – wie die enormen Zeichnungen, die exotische Schmetterlinge zieren, um Räuber abzuschrecken. Oder vielleicht, dachte Sophie, wie die Kriegsbemalung einer Kriegerin, die zu einem unentdeckten Stamm gehört. Was immer es war, es gab Sophie das Gefühl, urwüchsig und verwegen zu sein.

»Jetzt bin ich dran!«, sagte sie, schnappte sich den Pinsel und zog Callum auf die Beine. Als sie sich bewegte, spürte sie, wie die ungewohnte Substanz sie innerlich streichelte. Es war ein seltsam erregendes Gefühl.

Sie benutzte den mit Schokolade getränkten Pinsel, um Callums Muskeln nachzuzeichnen, strich über seine Brust und zauberte ein fantasievolles Muster aus Schokoladentupfern auf seinen Waschbrettbauch. Kichernd verpasste sie seinem Penis einen lustigen Schokoladenhut und leckte ihn ab. Dann bemalte sie ihn richtig, bis er vor ihr stand – glatt und braun.

Bevor sie seinen verlockenden Schokoladenpenis abschlecken konnte, legte Callum sich auf den Teppich und zog Sophie hinab, um sie rittlings auf sein Gesicht zu setzen. Ohne weitere Umstände tauchte er seine Zunge in ihre glänzende klebrig-süße Weiblichkeit und begann zu schlemmen.

Sophie neigte sich über ihn und nahm ihn in den Mund. Callums Zunge war tief in Sophie und schleckte, begierig darauf, sich keinen Tropfen der Schokolade entgehen zu lassen, und dann leckte er weiter aus purem Vergnügen, in ihr zu sein.

Sophie ihrerseits roch, berührte und schmeckte Schokolade – bis sie sich nicht mehr erinnern konnte, wie der Sex üblicherweise überhaupt roch und schmeckte. Die klebrigen Tropfen liefen an Callums Penis hinunter und auf seine Hoden, und Sophie bemühte sich, sie mit ihrer Zunge zu erreichen. Als die Schokolade fort war – nur die trocknenden Muster ihrer Bäuche hafteten noch aneinander –, war Sophie erleichtert; sie genoss das Gefühl und den Geschmack von Callum genauso gut im Naturzustand.

Sein harter Penis mit dem glatten Kopf und die prallen Eier waren jetzt sowohl erfrischend fremd als köstlich vertraut, und sie widmete sich ihnen mit der Festigkeit, die er genoss, wie sie wusste. Dies war nicht leicht, während das erregende Spiel seiner Zunge an ihrer Klitoris sie ablenkte. Sie bemühte sich, konzentriert zu bleiben. Callums Penis war hart, und sein Keuchen verriet, dass es ihm bald kommen würde.

Sophie öffnete sich für ihn, und ihre eigenen Säfte mischten sich mit den Resten der Schokolade auf seinen Lippen. Sie fühlte, dass ihre Knie weich wurden, als die Zunge weiter über ihre Klitoris strich. Dann fühlte sie sie tief in sich und wünschte, dass es nie aufhören würde, dass sie beide für immer vereint sein würden.

Callums Mund war mit ihren Pussylippen vereinigt, und sie spürte – statt es zu hören – dass sein Stöhnen der Lust in ihrem Körper widerhallte. Die Vibrationen schienen jeden Winkel ihres Körpers zu erreichen, und ihr Ich schien auf seine besondere Musik zu reagieren.

Er kam jetzt – und sein Stöhnen löste auch Sophies Höhepunkt aus. Sie waren im gemeinsamen Orgasmus vereint wie eine Kreatur mit zwei Köpfen.

Schließlich gingen sie ins Badezimmer. Ihre schrillen Freudenschreie hallten durch das Cottage, als sie Schokolade an Stellen ihrer Körper entdeckten, die sie bisher gar nicht als Versteck gekannt hatten.

Das Alltagsleben ist anders geworden, dachte Sophie, als sie sah, dass Callum Gina Jonglieren beibrachte. Es konnte nicht gut für die Kinder sein. Gina ging heute wieder nicht in die Schule, Ellie versäumte den Kindergarten, und Jean – sonst so tüchtig und organisiert – war darauf beschränkt, am Telefon Wache zu halten.

James schien nach dem gestrigen Besäufnis flachzuliegen, und Sophie fühlte sich nervös und unsicher. Sophie fragte sich, ob jemals wieder alles so sein konnte wie früher. Selbst die Pferde schienen auf Catherines Rückkehr zu warten. Firefly war scheu und gereizt, und Jasmine fraß nicht richtig. Das einzige Wesen, das von der gespannten Atmosphäre unbeeindruckt schien, war Buzz, und der war so schrecklich wie immer.

Komisch, dachte Sophie, wie Catherine die Stimmungen so drastisch beeinflussen kann, selbst wenn sie nicht da ist. Sie seufzte und machte mit dem Ausmisten im Stall weiter. Im Hof versuchte Gina – erfolglos – Callum zu überreden, mit ihr ins Kino zu gehen.

»Wie heißt der Film?«

»*101 Dalmatiner.*«

Callum zwinkerte Sophie zu. »Das sind mir ein paar Köter zu viel.«

»Oh, so süße Hunde«, maulte Gina und lief zum Mittagessen, weil Jean gerufen hatte.

»Sie wird mir fehlen«, vertraute Callum Sophie an, als er mit ihr allein war. »Sie ist ein liebes Mädchen. Bei all dem Ärger in der Familie ...«

»Denk nicht daran, sondern erledige lieber, was wir besprochen haben.«

»Warum muss ich es denn tun?«

»Wir waren einer Meinung.«

»*Du* warst einer Meinung!«

»Wir beide wollten gehen, Callum. Willst du nicht mehr kündigen?«

»Klar will ich das. Du doch auch.«

»Also, gut, wenn du die Briefe wirklich nicht bei James abliefern willst ...«

»Das ist schon okay. Ich gehe zu ihm.«

»Soll ich mitkommen?«

Bevor Callum etwas sagen konnte, hallte ein Freudenschrei durchs Haus: »Seht mal – Mami kommt nach Haus!«, rief Gina in der Küche.

Als Sophie aus dem Fenster zum Zufahrtsweg spähte, sah sie, dass das Mädchen Recht hatte. Ein Wagen, den Sophie nicht kannte, war vorgefahren, und jetzt stieg Catherine aus.

Sie sieht anders aus, dachte Sophie. Kleiner. Blasser. Wie eine verwirrte und weniger lebenssprühende Version ihres früheren Ichs.

Sophie beobachtete, wie die Fahrertür geöffnet wurde und Alex Carver heraussprang. Er öffnete schnell den Kofferraum, nahm Catherines Reisetaschen heraus und stellte sie auf dem Kiesweg ab. Er tat es, als hätte er sich daran verbrannt oder befürchtete, dass er das Risiko einging, sich eine schreckliche Krankheit zu holen, wenn er das Gepäck nicht schnell loswurde.

Catherine beobachtete ihn, die Augen groß und bestürzt, als er ihr das Gepäck mit wütendem Gesicht vor die Füße warf.

Sophie fand, dass sie den Kindern kein gutes Schauspiel boten. Catherine sah aus, als würde sie jeden Augenblick in Tränen ausbrechen, und Alex sah aus wie in dem Werbespot für ein Abführmittel, das gerade gewirkt hatte. Die kleine Ellie flitzte zur Tür und die Treppe hinunter und rief kreischend nach ihrem Vater. Alle waren aufgeregt, nur Gina war weniger begeistert.

»Ich nehme an, ich muss morgen wieder zur Schule?«, fragte sie kläglich. Jean ignorierte sie und eilte zur Tür, verharrte jedoch abrupt. James war oben auf der Treppe aufgetaucht. Callum stand hinter ihm und hielt immer noch die Kündigungsschreiben in der Hand.

»Ist sie das?«, fragte James, als könnte er die Enttäuschung nicht ertragen, dass seine Frau nicht vor ihm stand, wenn er die Haustür öffnete. Jean nickte bestätigend.

Jeder trat zurück, als er die Treppe hinunterging. Selbst Ellie war verstummt und eilte zu ihrem Vater, um sich an seine Hand zu klammern. James blickte auf sie hinab und lächelte kurz. Dann übergab er die Kleine an Jean.

»Jean, wären Sie so freundlich, die Kinder ins Spielzimmer zu bringen«, bat er und heiterte damit Gina sofort auf.

»Ich will nicht sehen, wenn sie sich streiten«, raunte sie Jean zu. Sophie sah, wie Jean hastig die Kinder aus der Küche nach oben trieb.

Sophie und Callum tauschten einen bedeutungsvollen Blick, als James die Haustür öffnete. »Ich habe es nicht geschafft, ihm die Briefe zu geben«, flüsterte Callum Sophie zu.

»Macht nichts, bleib aber hier, falls es Probleme gibt«, flüsterte Sophie zurück.

Ihre Sorge war unbegründet. James war durch und durch Gentleman. Er stieg fast gemächlich die Treppe vor der Haustür hinunter und nickte Alex Carver zu, als sei er nur ein Taxifahrer, der Catherine von einer Party heimgebracht hatte. Sie stand mit dem Rücken zu Alex und schaute James an. Ihre Augen füllten sich mit Tränen, und ihre Unterlippe zitterte.

»Catherine.« James sagte ihren Namen, als wäre er angenehm überrascht, dass sie unerwartet bei ihm vorbeischaute.

»Er will mich nicht«, jammerte sie, brach in Tränen aus und warf sich ihrem Mann in die Arme. Alex Carver blickte abwechselnd verlegen und trotzig drein, als sei er sich nicht sicher, ob er Mitleid oder Gewalt erwarten konnte.

James beruhigte seine Frau leise und wandte sich dann an Sophie. »Würden Sie so nett sein, Mrs. McKinnerney nach oben zu bringen, Sophie? Danke.«

Sophie, die innerlich fluchte, weil sie das Drama versäumen würde, legte mechanisch einen Arm um Catherines Schultern und führte sie nach oben.

»Er wollte mich nicht!« jammerte Catherine, als könne sie das Unfassbare nicht glauben. Sie sah Sophie mit Tränen in den Augen an, und ihre Wimperntusche war verlaufen. »Er sagte, ich sollte in ein Irrenhaus gehen!« Sie begann zu schluchzen. Sophie tätschelte ihren Rücken und versuchte eine Spur von Mitgefühl für diese Frau aufzubringen, die so viel Ärger verursacht hatte.

»Dann bat er mich, das Gepäck reinzubringen«, stöhnte Callum, als sie sich später trafen.

»O nein! Du hast also auch nicht gehört, was Alex gesagt hat?«

»Da irrst du dich. Ich brachte das Gepäck hoch, ging dann wieder an die Tür und bekam alles mit.«

»Das war gut, Callum. Was hat James gesagt?«

»Er war brillant!« Callums Augen leuchteten in der Erinnerung auf. »Alex Carver hat sich wirklich gewunden, und James stand nur ruhig da und ließ ihn schmoren. Schließlich versuchte Alex, ihm zu sagen, dass nichts zwischen Catherine und ihm gewesen war und dass er sie überredet hätte, sie heimzufahren. James sagte dazu kein Wort. Dann sagte Alex, er glaubte, dass Catherine professionelle Hilfe brauchte. James sagte: ›Ah, ich verstehe. Zum Beispiel einen Arzt wie Sie, meinen Sie.‹ Und Alex wurde knallrot.«

»Dann sagte James: ›Nun, ich bin sicher, dass wir alle Ihre berufliche Meinung zu schätzen wissen.‹ Und Alex wurde widerspenstig. Er sagte, er hätte Catherine nicht nach Hause bringen müssen, aber er wolle sich nicht an ihren Plänen beteiligen . . .«

»*Was* hat er gesagt?«

»Er würde nicht bei ihren Plänen mitspielen.«

»Was hat er denn damit gemeint?«

»Wer weiß? Die sind bekloppt, einer wie der andere. Jedenfalls hat James ihn nicht gefragt, also muss er es verstanden haben. James sagte nur: ›Nein, das würde auch nicht gut aussehen.‹ Und dann kam er ins Haus.«

»War das alles?«

»Nein, warte. Das ist mehr oder weniger das, was Alex sagte: ›War es das?‹ Und ich dachte, es kommt zu einem Kampf. Aber James wandte sich um und sagte: ›Wo sind meine Manieren? Danke dafür, dass Sie meine Frau heimgebracht haben!‹«

Callum und Sophie mussten darüber lachen.

»Ja«, sagte Sophie, »das ist typisch für James.«

Callum tat erschrocken, als erwarte er einen Schlag. »Aber ich habe es immer noch nicht geschafft, ihm die Kündigungen zu überreichen.«

»Oh, Callum!«

»Wie hätte ich das denn tun können? Es war einfach nicht der richtige Zeitpunkt.«

»Das kann ich verstehen. Manchmal denke ich, es wird nie der richtige Zeitpunkt sein. Wir werden ewig hier bleiben.«

»Nun, mit etwas Glück werden sich von jetzt an die Dinge etwas beruhigen.«

An diese Prophezeiung erinnerte sich Sophie später am Tag, als sie, Callum und Jean nervös im Wohnzimmer vom Prospect House warteten. Ihre Tagesarbeit war erledigt, und die Kinder waren früh zu Bett gebracht worden; Gina musste am nächsten Morgen wieder zur Schule gehen.

»Ich finde, dies kann eine gute Lektion für Catherine gewesen sein«, sagte Jean leise zu Sophie. »Es muss ein Schock für sie gewesen sein, dass Alex ihr einen Korb gegeben hat. Das hat ihr Ego verletzt; sie ist es gewohnt, zu bekommen, was sie will.«

Es hatte weniger den Anschein gehabt, als hätte er sie abgewiesen, sondern mehr, als hätte er sie zurückgebracht. Catherine hatte eher wie ein eingefangener Gefängnisflüchtling ausgesehen und nicht wie eine freudig zurückkehrende Frau und Mutter. Sophie hatte aus einer Bemerkung von Catherine gehört, dass Alex ihr eine Injektion verabreicht hatte. »Irgendein Tranquilizer«, hatte sie James später wütend berichtet.

»Das erklärt auch, warum er sie nicht einfach allein im Wagen heimgeschickt hat«, regte sich James auf. »Tranquilizer! Der verdammte Quacksalber! Dafür melde ich ihn bei der Ärztekammer!«

Er hatte sich schließlich beruhigt und sein Personal gebeten, am Abend ins Haus zu kommen, ohne den Grund zu nennen. Sophie war erstaunt über seine Fähigkeit, sich so liebevoll um seine Frau zu kümmern, obwohl sie so abgebrüht seine Gefühle verletzt hatte.

»Liebe«, sagte Callum, »macht aus den Besten von uns Idioten.«

»Du sprichst für dich selbst«, meinte Jean lachend.

In diesem Moment trat James ein und schloss leise die Tür hinter sich. Alle verstummten, und er stand nervös da, als erinnere er sich nicht, warum er sie herbestellt hatte.

Schließlich wurde ihm klar, dass sie ihn erwartungsvoll anschauten, und er begann mit dem, was er sagen wollte.

»Danke für Ihr Kommen. Ich weiß, wie viele Überstunden Sie für mich in den vergangenen Tagen geleistet haben, ohne zu klagen, und allein dafür bin ich Ihnen sehr dankbar. Ich möchte nicht, dass Sie heute Abend zu viel von Ihrem Feierabend opfern, aber lassen Sie mich ein paar Worte sagen.

»Es ist eine schreckliche Zeit für uns gewesen – für uns alle –, und ich bin sehr gerührt gewesen, wie Sie trotz allem unverdrossen und gewissenhaft weitergearbeitet haben. Gerne würde ich Ihnen sagen, dass Sie diese Art hektische Unannehmlichkeiten nicht noch einmal erleben müssen, aber ich befürchte, das kann ich nicht versprechen.« Er rieb sich müde über die Augen. »Unter uns – und ich möchte dies wirklich nicht vertiefen: Catherine braucht Hilfe. Ich rede nicht vom Krankenhaus«, fügte er schnell hinzu, »sondern von der individuellen Beratung eines erfahrenen Fachmanns.«

Sophie wunderte sich über seine Toleranz. Der arme Therapeut, der sich um Catherine kümmern muss, dachte sie.

»Jedenfalls ist das Wichtigste«, fuhr James fort, »dass sie jetzt zu Hause ist und hoffentlich bald gesund sein wird. Ich möchte Ihnen noch einmal für Ihre große Unterstützung danken. Ich bin froh, das dies keinen von Ihnen fortgetrieben hat.«

Sophie und Callum tauschten Blicke.

»Und jetzt beginnt das Aufräumen«, fuhr James fort. »Jean, vielleicht helfen Sie mir morgen, Kontakt zu all den Leuten aufzunehmen, mit denen ich wegen Catherine telefoniert habe? Um sie zu informieren, dass sie lebt und es ihr gut geht. Die Marshalls. Die Fields. Ich nehme an, dass Marcie Carver jetzt ihre eigene Version der Ereignisse hören wird.« Er lachte ohne Humor. »Da mache ich mir keine Sorgen. Ich habe bereits bei der ersten Gelegenheit mit Dominic telefoniert. Er sagte, dass er Catherine morgen besucht, bevor er nach London fliegt.«

»Das ist alles, was wir brauchen«, murmelte Jean. In diesem Augenblick schlug die Türglocke an, und sie ging zur Tür.

»Sophie«, sagte James ruhig, »es wäre schön, wenn Sie gleich noch Zeit für eine kleine Unterhaltung hätten. Es geht um etwas, das Sie wissen sollten.« Er hatte keine Zeit, es näher zu erklären, denn Jean trat mit DC Ashwell und DS Bettridge ein.

»Reizender Abend«, sagte Ashwell grinsend. Bettridge sah wie üblich desinteressiert und verdrossen aus, als könnte er sich tausend Gründe denken, die wichtiger als dieser Besuch waren.

Jean stellte sie vor, dann platzte Ashwell heraus: »Wir haben ihren Wagen gefunden!« Alle starrten ihn verblüfft an, bis James begriff, was er meinte.

»Ah! Catherines Wagen?«

»Mrs. McKinnerneys Wagen.« Ashwell zog wichtigtuerisch sein Notizbuch hervor und las eine Autonummer vor. »Aber leider war Ihre Gattin nicht darin.«

»Wir halten das für ein gutes Zeichen«, sagte Bettridge hastig.

»Es heißt, dass sie nicht in einen Unfall verwickelt war«, erklärte Ashwell.

»Ja, ich verstehe.« Sophie glaubte James anzusehen, dass er überlegte, wie er ihnen sagen sollte, dass Catherine zu Hause war. Callum kam ihm zuvor.

»Das wird sie freuen«, sagte er.

»Wie bitte?« Das Lächeln gefror auf Ashwells Gesicht.

»Mrs. McKinnerney«, sagte Callum langsam und deutlich, »wird erfreut sein, dass Sie ihren Wagen gefunden haben.«

»Und Sie sind ...« Bettridges Blick war fragend auf Callum gerichtet.

»Callum. Mr. McKinnerneys Gärtner.«

»Ah!« Bettridge blickte zu Sophie, versuchte sich offensichtlich zu erinnern, in welchem Zusammenhang er den Namen des Gärtners schon gehört hatte.

»Oh!«, rief Ashwell, der sich als Erster erinnerte.

Callum blickte von einem zum anderen und sagte sich, dass sie komplett verrückt sein mussten.

»Eigentlich«, sagte James, »habe ich hinsichtlich meiner Frau einige wichtige Neuigkeiten zu berichten.«

»Reizend!«, sagte Ashwell und schlug sein Notizbuch auf.

»Sie ist oben.«

»Oben! Reizend! Ausgezeichnet!«

»Es ist nicht ›reizend‹ oder ›ausgezeichnet‹«, blaffte Bettridge. »Warum erfahren wir das erst jetzt?«

»Weil er es Ihnen jetzt sagt«, Callum raufte sich die Haare. Dann wandte er sich an Sophie. »Treffen wir uns später im Pub?«

»Klar«, sagte sie und versuchte, nicht über die komischen Mienen von Bettridge und Ashwell zu lachen.

James bemühte sich – wie Sophie – ein ausdrucksloses Gesicht zu behalten, aber er hatte sich mehr unter Kontrolle. »Bleibt mir nur, Ihnen für all die Besorgnis, die Sie wegen meiner vermissten Frau gehabt haben mögen, zu danken«, sagte er höflich.

Ashwell sah geknickt aus. »Gern geschehen, Mr. McKinnerney, Und, Miss Ward, wenn Sie mit uns über diese andere Sache sprechen möchten ...«

»Danke, das möchte ich nicht.«

»Wie Sie wollen. Es war ein reizender Abend.«

Jean komplimentierte sie hinaus.

James schloss die Tür hinter allen und setzte sich dann Sophie gegenüber auf das Sofa.

»Nun«, begann er nervös, »ich habe mit Catherine geredet, und mit etwas Überredung bestätigte sie meinen Verdacht, der mir gekommen war. Sie sollten sich wappnen, Sophie – es sind ziemlich beunruhigende Nachrichten, befürchte ich.«

Elftes Kapitel

»Dominic?« Sophies Aufschrei hallte durch das Zimmer, und sie schlug schnell die Hand vor den Mund, als hätte sie zu spät erkannt, dass die Information geheim gehalten werden sollte.

Catherine – die entschieden hatte, dass ihr Verhalten in den letzten paar Tagen auf Krankheit zurückgeführt werden konnte, war zu Bett gegangen, erfreut, dass sie dafür einen so guten Vorwand hatte. Sie ließ Jean die Treppe rauf- und runterlaufen, während sie im Bett saß und Befehle erteilte.

»Nun, er ist nicht so schlecht«, sagte Catherine gereizt. Sophie hätte sie schlagen können.

James hockte neben Catherines Bett und sah abwechselnd verlegen und ärgerlich aus. »Ich finde«, sagte er vorsichtig, »dass wenigstens Sophie eine volle Erklärung erhalten muss. Und ich meine, du solltest dein Bestes tun, um sie ihr mit Takt und Bescheidenheit zu geben.« Catherine schien zur Abwechslung einmal genau zuzuhören.

James ging zur Tür und wandte sich dort noch einmal um. »Du solltest daran denken, dass die Konsequenzen von Sophies Gutmütigkeit abhängen. Sophie, ich werde unten sein, wenn Sie mich brauchen.«

Sophie setzte sich auf einen Rohrstuhl, und ihre Gedanken rasten. »Dominic? Warum? Und woher wissen Sie das?«

Catherine hatte den Anstand, sie mitfühlend anzublicken. Ob es aus ihrem Herzen kam oder an James' kaum verhüllter Drohung lag, wusste Sophie nicht.

»Es tut mir leid, Sophie. Ich weiß, dass dies ein schrecklicher Schock für Sie gewesen sein muss. Ihr geheimnisvoller Mann, Sittenstrolch – wie auch immer Sie ihn nennen wollen – war in Wirklichkeit Dominic. Wir planten es zusammen.«

Sophie glaubte zu träumen. Sie blickte sich im Schlafzimmer mit den weißen Spitzenvorhängen und der bestickten Bettdecke und den Kuscheltieren auf der Fensterbank um. Es ist wie ein Kinderzimmer, dachte sie, doch wir sind keine Kinder mehr. Wir sind erwachsen, und die Spiele, die wir gespielt haben, waren Erwachsenenspiele.

Ihr Blick schweifte immer noch durchs Zimmer, nahm die pastellfarbenen Kissen und die silberne Haarbürste auf dem Toilettentisch wahr. »Warum?«, fragte sie schließlich. »Warum haben Sie mir das angetan?«

»Es ging nicht um Sie. Wir haben nicht versucht, Ihnen was anzutun«, sagte Catherine und lachte, als sei alles ein dummes Missverständnis gewesen. »Das wahre Opfer sollte James sein.«

»James?«

»Ja, James, mein Ehemann.« Catherine sprach zu Sophie wie zu einem dummen Kind, doch dann erinnerte sie sich an James' Worte und schaltete um. Sie seufzte. »Es ging um Geld.«

»Um Geld?«, wiederholte Sophie ungläubig.

»Um viel Geld«, sagte Catherine und lächelte entschuldigend. »Das heißt, es hätte viel Geld sein können.« Sie seufzte, als trauerte sie der vergebenen Chance nach.

Sophie hatte keine Probleme, ihr jetzt in die Augen zu sehen. »Es ging also um Geld?«

Catherine nickte. »Ich hätte einiges gebraucht – wenn ich James verlassen hätte«, erklärte sie, wie um alles vernünftiger klingen zu lassen.

»Und wie passte ich in dieses Spiel?«

Catherine wirkte jetzt nervös. »Wir dachten – Dominic und ich –, wenn wir es aussehen ließen, als hätte James eine Affäre mit Ihnen, könnte ich mich von ihm scheiden lassen und würde mir vor Gericht die Hälfte seines Besitzes zugesprochen.«

Sophie umklammerte die Lehnen des Rohrstuhls. Ihre Knöchel traten weiß hervor, und sie presste die Zähne zusammen. »Und es kam Ihnen nicht in den Sinn«, zischte sie, »dass jemand dabei schlimmen seelischen Schaden erleiden könnte?«

Catherine zuckte die Achseln. »Das war ein Risiko, das wir eingehen mussten. Wir planten es sehr sorgfältig.«

»Und dadurch soll ich mich jetzt besser fühlen, wie?«

Catherine ignorierte sie. »Natürlich wollten wir versuchen, Sie und James ohne Dominic zusammenzubringen, doch wir wussten, dass dies ein langwieriger Prozess sein würde. Sie wissen, wie James ist, ein wirklich anständiger Spießer, voller Bedenken bei einem Seitensprung. Eigentlich fragten wir uns, ob Ihr Charme und Ihre Reize ausreichten, um ihn scharf zu machen.«

Sophie war entsetzt. Sie konnte kaum glauben, dass Catherine so kalt über die Gefühle anderer Menschen hinwegging. Sie war die egoistischste, unmoralischste Person, die ihr je unter die Augen gekommen war.

»Außerdem«, fuhr Catherine fort, begierig, Sophie mit ihrer Raffinesse zu beeindrucken, »dachten wir auch, es wäre eine gute ... Übung für Dominic.«

»Für Dominic?«

»Um seine schauspielerischen Fähigkeiten zu testen.« Sie kicherte. »Er versuchte so angestrengt, James' Stimme zu imitieren, aber letzten Endes schaffte er es nicht. So kamen wir auf die Idee der stummen Verführung.« Sie klang jetzt ganz aufgeregt.

Sophie stand langsam auf, schritt zum Fenster und blickte hinaus. »Haben Sie eine Ahnung, was ich Ihretwegen durchmachen musste?«, fragte sie schließlich. »Können Sie sich vorstellen, wie es ist, völlig Fremde anzuschauen und sich zu fragen, ob sie es sind? Nicht zu wissen, ob sie die Person jeden Tag sehen, ohne sie zu erkennen?«

Catherine blickte entgeistert, als sei ihr dies nie in den Sinn gekommen. Für Sophie war das keine Überraschung. Catherine sah immer alles nur von ihrem Standpunkt, aus ihrer egoistischen Sicht.

»Ich habe gesagt, dass es mir leidtut«, sagte Catherine gereizt.

»Es tut Ihnen nur leid, weil Sie erwischt worden sind«, sagte Sophie. »Weil Alex Carver Ihren Plan verraten hat und nicht mitmachen wollte. Es hätte Ihnen nie leidgetan, wenn Ihr verkommener Plan geklappt hätte.«

Catherine blickte auf ihre Hände. Als sie den Kopf wieder hob, sah Sophie überrascht Tränen in ihren Augen. »Er wollte mich nicht«, sagte sie leise.

»Und ob er sie wollte«, versicherte ihr Sophie. »Er wollte nur nicht all die Fallstricke. Ihr Pech war, dass er Vergnügen ohne Bindungen haben wollte. Als er herausfand, dass Sie planten, James zu verlassen, geriet er in Panik; das war nicht das, was er im Sinn hatte. Wissen Sie, im Grunde ist er glücklich mit Marcie. Sie versteht ihn. Und sie verzeiht ihm, wenn er hinter den Weibern her ist, im Gegensatz zu den meisten Frauen . . .«

»Sie ist schrecklich zu ihm!«

»So schrecklich wie Sie zu James sind, meinen Sie?«

Catherine blickte wieder auf ihre Hände. »Trotzdem verstehe ich nicht, weshalb Sie die Polizei eingeschaltet haben.«

»Meinetwegen ist die Polizei nicht hier aufgetaucht – sondern weil Sie verschwunden sind!«, sagte Sophie heftig.

»Also geben Sie nicht mir die Schuld! Und Sie hatten Glück, dass ich nicht die Polizei eingeschaltet habe, nachdem Dominic zum ersten Mal seine geile Schau bei mir abgezogen hatte. Woher wussten Sie, dass ich nicht gleich die Polizei rufen würde?«

Catherine zuckte mit den Schultern. »Das wussten wir nicht. Aber als uns klar wurde, dass Sie nach dem ersten Mal auf eine Anzeige verzichteten, dachten wir, jetzt hätten wir Sie. Und wenn Sie zur Polizei gegangen wären, was hätten sie ihr denn erzählen können? Nicht viel. Es gab nicht viele Indizien, und die wenigen machten eher James verdächtig.«

»Sie waren also darauf vorbereitet, James auch bei der Polizei zum Sündenbock zu machen! Sie sind wirklich unglaublich! Ich kann nur sagen, dass es eine gute Idee war, einfach zu verschwinden. Wer weiß, wie das alles sonst geendet hätte.«

Catherine begann zu weinen. »Ich habe es versaut, nicht wahr? Ich kann nicht glauben, dass ich den schönen Plan so versaut habe!«

Wenigstens so etwas wie Reue, dachte Sophie. »Vielleicht haben Sie ihn nicht völlig versaut«, sagte sie und blickte auf die weinende Frau hinab. »James redet sich offenbar ein, dass Sie seelisch krank sind, eine vorübergehende Bewusstseinsstörung oder Nervenkrankheit. Er ist so froh, dass Sie wieder da sind. Er muss Sie wirklich lieben«, fügte sie hinzu, »denn die meisten Männer hätten jetzt einen mörderischen Hass auf Sie.«

»Ich meinte, ich habe das mit Alex versaut«, sagte Catherine weinerlich.

Sophie verließ fluchtartig das Zimmer, denn die Versuchung, Catherine zu schlagen, wurde einfach zu groß; sie konnte sich gerade noch beherrschen.

In der Halle versuchte sie, einen klaren Kopf zu bekommen. Jetzt wusste Sie, wer ihr maskierter Verführer war und warum alles geschehen war.

Dominic, der Bruder von Catherine. Ein unmoralisches Paar! Und sie waren nahe daran gewesen, ihren gemeinen Plan umzusetzen.

Sie stellte sich vor, wie er seiner Schwester von seinen heimlichen Besuchen erzählt hatte und wie die beiden sich auf ihre Kosten amüsiert hatten – und heißer Zorn stieg in ihr auf. Warum sollten sie damit davonkommen? Nur weil James seiner Frau wie einem verwöhnten Kind verzieh und die Augen vor ihrer Gemeinheit schloss, musste sie das nicht so halten. Was Dominic anbetraf, so war Sophie entschlossen, es damit nicht enden zu lassen. Aber was sollte sie tun? Es war jetzt zu spät, zur Polizei zu gehen; und sie musste zugeben, dass sie eine bereitwillige Komplizin gewesen war.

Irgendwie, ich weiß noch nicht wie, dachte sie, werde ich ihm gegenübertreten. Als sie das Wohnzimmer passierte, wurde die Tür geöffnet, und James steckte den Kopf heraus.

»Sophie, ich wollte Ihnen nur sagen . . .«, rief er ihr nach. Sie wandte sich um und blieb stehen.

»Ich will es wirklich nicht hören«, erwiderte sie.

Er schluckte und senkte den Kopf. »Es tut mir leid, Sophie.«

»Allen tut es leid. Ihnen tut es leid, Catherine tut es leid. Mir tut es leid – ich bereue, dass ich überhaupt hergekommen bin.«

Er trat näher auf sie zu. »Ich fühle mich, als hätte ich Sie im Stich gelassen.«

Sie war wütend auf ihn. Er hätte sie im Stich gelassen, wenn er tatsächlich hinter der Maske gewesen wäre. Wenn er nicht immer so bereit gewesen wäre, Catherines Verhalten zu akzeptieren und zu verzeihen . . .

»Sie müssen sich fragen, warum ich ihr verzeihe«, sagte James, als ob er ihre Gedanken erraten hätte, »aber ich liebe sie. Manchmal – eigentlich sogar oft – wünsche ich, es wäre nicht so. Aber ich kann nicht dagegen an.«

Sophie fühlte sich plötzlich müde; sie wollte von all dem nichts mehr hören. »Es wird Sie nicht überraschen, dass ich mir eine andere Arbeitsstelle suche«, sage sie. »Aber es könnte Sie überraschen, dass Callum ebenfalls kündigt und mit mir geht.«

Einen Augenblick hatte es den Anschein, als wollte er etwas dagegen einwenden, doch dann besann er sich anders. »Das überrascht mich gar nicht«, gab er zu. »Ich werde Ihnen beiden natürlich ausgezeichnete Referenzen geben. Und Sie können gerne im Cottage bleiben, bis Sie etwas anderes gefunden haben.« Sie nickte. »Noch eines, Sophie.«

Sie sah ihn trotzig an.

»Es tut mir wirklich leid. Catherine hat alles zugegeben. Ich nehme an, sie glaubt, dass Alex Carver ihren Plan verraten hätte. Ich wusste nicht, was ich machen sollte. Und wenn ich ehrlich bin, muss ich sagen, dass ich versucht war, die ganze Sache zu ignorieren. Als ich erfuhr, was sie und Dominic geplant hatten, musste ich mit Ihnen reden, allein schon, damit Sie die Identität des Mannes erfahren konnten. Ich hoffe, ich habe das Richtige getan.«

Sophie wusste nicht, was sie dazu sagen sollte, und so nickte sie nur und wandte sich zum Gehen. An der Türschwelle verharrte sie noch einen Augenblick. »Um welche Zeit kommt Dominic heute her?«, fragte sie.

»Gegen zwei Uhr, nehme ich an. Aber, Sophie, ich halte es für keine gute Idee, wenn Sie . . .«

Sie ging aus dem Haus, und die Tür knallte zu.

»Aha«, sagte Callum, als er Sophie zum Mittagessen in seine Hütte einließ. »Ich wusste, dass du meinem Versprechen auf meine Champignoncremesuppe nicht widerstehen kannst. Damit kann man Frauen immer ködern. Sie rechnen insgeheim mit einem ganz besonderen Nachtisch.«

Sophie lachte. »Ich kann nicht ganz verstehen, warum wir uns in deinem alten Schuppen treffen, wenn wir meine perfekt schöne Wohnung mit Zentralheizung nur einen Steinwurf entfernt zur Verfügung haben.«

»Weil mein Schuppen Stil hat und, äh, Spinnen«, informierte er sie. »Während deine Wohnung nur Wärme, Komfort und Kochmöglichkeiten hat ... okay, aber heiß wird es hier auch.«

Ich freue mich schon darauf, dachte Sophie. »Aber jetzt könntest du mir erst diese Jobanzeige zeigen, von der du gesprochen hast.« Callum gab ihr die Zeitung mit der Anzeige, und sie las, während sie die Suppe löffelten. »Klingt gut«, sagte sie.

Er nickte. »Das habe ich auch gedacht. Hast du James um die Referenzen gebeten?«

»Das habe ich vergessen«, log sie. In Wirklichkeit war sie auf dem Weg zum Prospect House gewesen, als sie Dominics Wagen entdeckt hatte und zu den Ställen abgebogen war. Sie war noch nicht bereit, Dominic gegenüberzutreten.

»Wir werden sie uns heute holen«, sagte Callum. »Ich will sie dann gleich abschicken. Ich kann sie auch holen, wenn du willst.«

»Wie auch immer.«

»Ist alles in Ordnung, Sophie?«

Sie lächelte. »Entschuldige, ich war in Gedanken.«

Es folgte eine Weile Schweigen. Dann sagte er: »Es war wegen des Handschuhs, nicht wahr?«

»Du weißt, wer ihn zurückgelassen hat?«

»Ja.«

»Willst du es mir erzählen?«

»Nein.«

Jetzt seufzte er. Er neigte sich zu ihr, um ihre Wange zu streicheln. »Je eher wir von hier wegkommen, desto besser.«

Sie plauderten noch eine Weile, bis Callum aufstand. »Ich habe heute Nachmittag einen netten Job. Muss den Swimmingpool säubern und alles für den Winter klarmachen. Was ist mit dir?«

»Ich muss mir einen Hammer und Nägel holen – ich will diese gebrochenen Hürden reparieren. Ich frage mich, ob Gina sie sabotiert hat, um sich die Reitstunde zu ersparen.«

»Mach dir deswegen keine Sorgen. Ich kann das in Ordnung bringen, wenn du magst.«

Sophie schüttelte den Kopf. »Nein, ich mache das heute. Außerdem ist es nicht viel Arbeit.« In Wirklichkeit waren die Hürden schon einige Zeit gebrochen, und ihre Reparatur war nicht dringend. Sophie dachte, dass sie allen aus dem Weg gehen konnte, besonders Dominic. Callum sortierte die notwendigen Werkzeuge für sie aus und fragte, ob sie Hilfe brauchte.

»Nein, das wird nicht nötig sein, danke. Was machen wir mit diesen Referenzen? Haben wir uns entschieden?« Sie verließen den Schuppen, und Callum schloss die Tür hinter ihnen ab.

»Ich könnte jetzt zu James gehen und ihn fragen«, sagte er. »Wenn er sie mir gibt, könnte ich sie morgen abschicken.«

Sophie verharrte jäh. Dominics Wagen war noch da! Sie drehte sich um und blickte wie Hilfe suchend zu Callum. »Morgen?«

»Die Empfehlungsschreiben. Ich könnte sie morgen abschicken. Du hast nicht zugehört. Ich werde jetzt hingehen und ihn fragen. Bist du sicher, dass mit dir alles in Ordnung ist?«

»Ja! Nein! Du brauchst jetzt nicht hinzugehen.«

»Was? Warum nicht? Sei nicht albern, Sophie. Je früher wir sie abschicken, desto eher wissen wir, ob wir den Job bekommen.«

»Geh jetzt nicht ins Haus.«

»Warum nicht?«

»Dominic ist dort.«

»Dominic? Nun, den sehe ich so oft hier, dass ich sagen kann, es überrascht mich wirklich nicht. Was hast du denn plötzlich gegen Dominic?« Er schaute sie neugierig an.

»Er ... er ist einfach ...«

»Nun, er ist nur Dominic.« Er hielt sie sanft an den Schultern. »Warum gehst du nicht ins Cottage zurück, Sophie? Ich werde James sagen, dass du dich nicht so gut fühlst. Ich kann gehen und diese kaputten Hürden reparieren und ...«

»Nein!«, protestierte sie. Sie wollte auf keinen Fall, dass Callum James erzählte, dass sie krank sei. Dann hätten Catherine und Dominic wirklich einen Grund zum Lachen. »Nein, ich kann die Hürden selbst reparieren. Mir geht es prima.«

»Wenn du meinst.«

»Klar meine ich das.«

Sie gingen um die Rückseite des Hauses herum, Sophie mit gesenktem Kopf. Callum warf ihr gelegentlich einen Blick zu und schaute dann zum Haus hinauf, als könne er dort Hinweise auf Sophies seltsames Verhalten finden.

Sophie fühlte sich noch nicht in der Lage, Dominic entgegenzutreten. Sie konnte auf dem ganzen Weg vom Haus aus gesehen werden und stellte sich vor, dass Catherine von einem oberen Fenster auf sie wies und mit ihrem Bruder über sie tuschelte. Wie demütigend musste es gewesen sein, wenn die beiden sich amüsiert hatten, wie sie auf Dominics Schau reagiert hatte!

Sophie hatte das Gefühl, durch Wasser zu waten. Der Weg schien endlos zu sein. Nur noch ein paar Schritte, dann werden sie mich nicht mehr sehen können, machte sie sich Mut.

In diesem Moment kamen zwei Personen schnellen Schrittes um die Hausecke: James und Dominic. Sophie brach in Schweiß aus. Ihr Gesicht war auf einmal heiß wie im Fieber.

Callum blickte sie alarmiert an. »Sophie, was ist los?«

Sie brachte keinen Laut heraus.

Dominic sah heute anders aus. Er hatte den ausgebeulten Pullover und die Freizeithose gegen ein gestreiftes Hemd und eine Lederjacke getauscht. Er verströmte noch mehr als sonst Zuversicht und Arroganz.

»Sophie«, sagte er salbungsvoll, und seine selbstzufriedene Stimme ließ sie erschauern. »Und wie geht es Ihnen?«

»Steig schon in deinen Wagen, Dominic«, fuhr James ihn an. Callum blickte ungläubig von Sophie zu Dominic und wieder zurück.

»Ich wollte nur mit Sophie sprechen«, sagte Dominic und baute sich vor ihr auf. »Wie geht es dir, Sophie? Wünschst du mir Glück? Für mein Vorsprechen?«

Sophie konnte nicht aufblicken. Sie wollte ihn nicht sehen, nicht hören und riechen.

Dominic neigte sich vor, um ihr ins Gesicht zu sehen. »Scheu, Sophie?« Er lachte gemein. »Bist du doch sonst nicht, oder?«

Ihre Wangen brannten, als sie zu ihm aufblickte. Es kostete sie Mühe, ihm in die Augen zu sehen, doch sie schaffte es und sagte ruhig: »Dreckskerl.«

Dominic lachte wieder. »Das ist die gute Sophie, wie ich sie kenne und liebe«, sagte er. Er trat einen Schritt zurück, und seine Haltung straffte sich. »Nun, Sophie, was meinst du? Werde ich die Rolle bekommen?« Er neigte sich vor und zwinkerte ihr vertraulich zu. »Die Frage ist, bin ich gut genug als Schauspieler? Warst du zufrieden mit mir?«

»Steig in deinen Wagen!«, bellte James. »Meinst du nicht, dass es reicht? Fahr weg und komm nie wieder!«

Dominic ignorierte ihn und wandte sich noch einmal an Sophie. »Weißt du, Sophie, das war der leichteste Job, den ich jemals gehabt habe. Ich brauchte kaum mein schauspielerisches Können herauszukitzeln.« Er neigte sich zu ihr und sagte verschwörerisch. »Eigentlich habe ich manchmal sogar vergessen, dass ich schauspielerte.«

Mehrere Dinge passierten gleichzeitig. James trat vor und packte Dominic am Arm, vermutlich, um ihn zum Wagen zu ziehen. Catherine öffnete oben im Haus ein Schlafzimmerfenster, blickte melodramatisch hinaus und rief irgendetwas Unverständliches. Und Callum, der wie eine gespannte Feder gewirkt hatte, schnellte über den Kiesweg auf Dominic zu. Sophie sah wie in einem Traum, wie Callums Faust auf Dominics frisch rasiertes Kinn knallte. Es folgte ein Geräusch – nicht unähnlich dem Knacken einer Nuss –, und Dominics Gesicht war plötzlich voller Blut. Er taumelte zurück und krachte auf den Kiesweg. Sein Gesicht spiegelte mehr Überraschung als Schmerz wider.

Sophie, Callum und James starrten ihn in fasziniertem Entsetzen an, als er stöhnend seinen Mund betastete, Catherines Stimme klang schrill über den Hof.

»Was ist da los? Was tun sie dir an, Dominic?«

Dominic versuchte zu antworten, konnte es jedoch nicht. Er war zu beschäftigt, etwas zu betrachten, das er zwischen Daumen und Zeigefinger hielt. »Mein Zahn!«, stieß er weinerlich hervor. »Mein Gott, man hat mir den Zahn ausgeschlagen!«

Callum nickte. »Sieht so aus.«

»Ich habe heute einen wichtigen Vorsprechtermin«, jammerte Dominic.

Callum hob die Augenbrauen. »Ist das wahr?«

Sophie bemühte sich um ein ausdrucksloses Gesicht. James versuchte, seine Belustigung zu verbergen, was ihm jedoch nicht ganz gelang.

»Es ist ein Schneidezahn!«, jammerte Dominic.

»Kann sein. Ich hab ja auch mitten aufs Maul getroffen«, sagte Callum. »War ein Volltreffer.«

Dominic rappelte sich auf, machte einen Schritt auf Callum zu, besann sich dann jedoch anders. »Ich kann nicht mal richtig sprechen«, lispelte er weinerlich. »Wie soll ich dann vorsprechen?«

James nahm ihn am Arm und führte ihn zu seinem Wagen. »Ich schlage vor«, sagte er ernst zu seinem Schwager, »du hältst einfach die Klappe. Wer weiß, vielleicht brauchst du gar nicht zu sprechen.« Er öffnete die Wagentür und schob den immer noch protestierenden Dominic auf den Sitz, wobei er – völlig untypisch für ihn – höhnisch grinste.

»Ich habe gehört, dass du ziemlich gut bei stummen Rollen sein sollst«, sagte er ruhig, knallte die Autotür zu und trat zurück.

Dominic fummelte herum und versuchte mit zitteriger Hand den Schlüssel ins Zündschloss zu schieben. Als der Motor ansprang, ließ er die Fensterscheibe hinunterfahren, um etwas zu sagen, vergaß, was er hatte sagen wollen, fuhr die Scheibe wieder hoch und brauste mit kreischenden Reifen über den Zufahrtsweg davon. Sie schauten ihm nach, und jeder war in Gedanken versunken. Schließlich wandte sich James an Callum.

»Das war ziemlich nett, Callum. Hab es sehr genossen.« Er schüttelte Callum herzlich die Hand, ein bisschen zu heftig, denn Callum zuckte zusammen.

»Ich war auf dem Weg zu Ihnen«, sagte Callum und rieb sich über die gequetschten Finger. »Wollte um Empfehlungsschreiben bitten. Ich nehme an, das hab ich jetzt versaut.«

»Versaut? Bestimmt nicht! Das war eine gute Empfehlung wert! Kommen Sie jetzt mit mir ins Haus, und Sie können mir sagen, was Sie brauchen.«

Sophie sah erstaunt, wie sie zum Haus gingen, beide so in Hochstimmung über Dominics Abfahrt, dass sie sie anscheinend vergessen hatten.

Auf halbem Weg über den Hof wandte sich Callum lächelnd an sie. »Kommst du mit, oder sehen wir uns später?«

Sie schüttelte den Kopf, und ein glückliches, verheißungsvolles Lächeln spielte um ihre Lippen. »Ich werde mich um die Reparatur der Hürden kümmern«, sagte sie benommen.

Er nickte und blies ihr einen Kuss zu.

Sophie ging zum Stall. Der Hammer und die Nägel klirrten in ihrer Tasche aneinander, als sie zur Koppel ging, mehrmals von dem Drang überwältigt, laut und befreit aufzulachen.

Kapitel 12

Der Wagen fuhr über die gewundene Küstenstraße in den kleinen Ort im Tal und hielt bei einem weißen Landhaus, dessen Grundstück von einer niedrigen Steinmauer umgeben war.

Im Haus erschien eine Frau am Fenster und winkte aufgeregt, während die Haustür von einer anderen, jüngeren Frau aufgestoßen wurde.

Sophie sprang aus dem Wagen und rannte über den Pfad zum Haus. »Wir haben die Jobs bekommen!«, rief sie.

Jean zog sie ins Haus. »Komm und erzähl uns alles.«

Callum blieb zurück, um den Wagen abzuschließen, sehr zur Belustigung von Jeans Schwester, die am Fenster beobachtete. »Wer wird schon den weiten Weg herkommen, um dein Auto zu stehlen?«, fragte sie spöttisch. »Besonders so eine alte Klapperkiste.«

Callum tat empört. »Wie kannst du es wagen, so über die Karosse zu reden? Ich hatte gedacht, dass du eine nette Lady bist. Da muss Jean aber geschwindelt haben!«

Die ältere Frau nahm ihn am Arm und lachte. »Das befürchte ich auch, wenn Sie mich als nette Lady bezeichnet hat!«

In der Küche plauderten Jean und Sophie angeregt. Jean verstummte, als sie die beiden anderen sah. »Hallo, Callum, mein Lieber. Und Glückwünsche für den Job. Ich sehe, du hast Norma, meine Schwester, kennen gelernt.«

»Oh, wir sind jetzt schon alte Freunde«, sagte Norma. »Und dies ist Sophie, nicht wahr? Ich freue mich, Sie kennen zu lernen. Gut, dass ihr einen Ersatz für Jean gefunden habt. Ich dachte schon, ich könnte sie niemals von diesen McKinnerneys loseisen.«

»Es war nicht so leicht, dort wegzukommen«, sagte Jean. »Ich konnte ja kaum die Kinder allein lassen, bevor sie andere Betreuung hatten.«

»Ich weiß nicht«, seufzte Norma. »Zu meiner Zeit war es üblich, dass sich die Mütter selbst um ihre Kinder kümmerten. Du hättest sie einfach verlassen sollen. Sie hätte sich schnell an ihre Aufgabe gewöhnt.«

»Aber das wollte sie ja nicht, das ist ja die Krux. Die armen Würmchen hatten genug Umwälzungen zu erleiden, ohne auch noch der Gnade ihrer Mutter ausgeliefert zu sein. Ehrlich, Norma, du hast keine Ahnung, was in diesem Haus los war.«

Callum stimmte zu. »Es war und ist immer noch ein Irrenhaus«, versicherte er Norma.

»Aber deine Schwester«, sagte Sophie, »war entschlossen genug, noch vor uns wegzugehen.«

Jean lachte. »Jetzt will ich alles über euren neuen Job hören«, sagte sie und schenkte Tee aus einer großen Kanne ein. »Und dann könnt ihr mir erzählen, wie sich das neue Kindermädchen macht.«

Norma brachte eine große Obsttorte, schnitt sie an und bestückte ihre Teller. »Selbstgemacht«, sagte sie stolz zu Callum. »Es gibt immer noch einiges, was eine ältere Frau am besten kann.« Sie zwinkerte Callum zu.

»Dessen bin ich sicher«, pflichtete ihr Callum bei und zwinkerte zurück.

»Die sind ein richtiges Paar«, meinte Jean lachend, als sie alle ins Wohnzimmer gingen. »Pass auf sie auf, Sophie! Sie hat nicht so oft Gelegenheit, mit einem jungen Mann zu flirten, wie sie gern hätte.«

Jean wirkte verändert, entspannt und freundlicher, als Sophie sie erlebt hatte. Sophie dachte, unter welchem Stress sie alle gestanden hatten und wie sehr sie sich für Jean gefreut hatte, als die Freundin gegangen war. Sie erzählte Jean über den neuen Job, und Callum machte Bemerkungen dazu.

»Das Haus war ziemlich heruntergekommen«, berichtete Sophie den Schwestern. »Vergammelt, als sei jahrelang nichts instand gehalten worden. Der Besitzer – er ist über siebzig – hatte sich nach dem Tod seiner Frau nicht mehr darum gekümmert.«

Jean schüttelte den Kopf. »Es ist doch nicht zu viel Arbeit für euch beide, oder?«

»O nein.« Sophie nippte an ihrem Tee. »Wir haben so viel Zeit, wie wir brauchen, ehrlich.« Sie blickte zu Callum, und sie lachten beide. »Es stellte sich heraus, dass der alte Chef eine neue Liebe in seinem Leben hat, und sie will, dass das Haus zu seinem früheren Glanz aufpoliert wird.«

»Er hat Firmen beauftragt, die zuerst unsere Unterkunft renovieren«, sagte Callum. »Damit wir ziemlich schnell einziehen können und ich mich um den Garten kümmern kann. Ich glaube, alles ist bald fertig. Die Unterkunft ist eines der neuesten Gebäude auf dem Grundstück.«

»Die Quartiere für das Personal sind toll«, sagte Sophie. »Ziemlich separat vom Hauptgebäude und größer als mein Cottage beim Prospect House.«

Callum nickte bekräftigend. »Da gab es nur ein Problem«, sagte er und blickte lächelnd zu Sophie. »Hast du es Jean schon erzählt?«

»Nein, noch nicht.« Sophie lachte und wandte sich an ihre Freundin. »Als wir die Stellenanzeige sahen, verlangte der Arbeitgeber darin ein Paar, und so sagten wir uns, dass er natürlich erwartete, dass wir verheiratet sind. Einige Leute können sehr pingelig in diesen Dingen sein. Also beschlossen wir, diesen Punkt erst nach dem Vorstellungsgespräch zu erwähnen. Wir sagten uns, wenn sie uns wirklich wollten, wäre es vielleicht nicht so schlimm, dass wir noch nicht verheiratet sind.«

»Oh, ist das albern«, rief Norma. »In der heutigen Zeit!«

»Jedenfalls war er sichtlich beeindruckt von den Referenzen«, fuhr Callum fort. »James hatte uns hervorragende Empfehlungsschreiben gegeben, und das Vorstellungsgespräch verlief prima.«

»Man bot uns die Jobs an«, sagte Sophie. »Und dann mussten wir es ihm sagen.« Sie kicherte.

»Und er war überhaupt nicht altmodisch.« Callum versuchte, ernst zu bleiben. »Er stellte uns seiner Freundin, der Dame des Hauses, vor. Wir bekamen einen Schock! Sie ist gerade in Sophies Alter! Und er erzählte uns, dass sie seine sechste ›Frau‹ sei. Anscheinend sind sie selbst nicht verheiratet. ›Meinen Sie ehrlich, dass ich in meinem Alter eine bereitwillige Zwanzigjährige frage, ob sie mich heiraten will?‹, fragte er mich augenzwinkernd.«

Norma lachte empört auf. »Oh, dieser alte Teufel. Das klingt nach einem Mann, der mir gefällt.«

»Und ich dachte«, sagte Callum lachend, »bei einem älteren Mann würden die Dinge weniger hektisch mit Seitensprüngen und Affären wie im Prospect House sein! Das zeigt nur, wie man sich irren kann!«

»Dieses Mädchen, auf das er scharf war, entpuppte sich als seine frühere Haushälterin«, warf Sophie ein. »Ich nehme an, das erklärt, warum das Haus so vergammelt ist!«

Sie lachten wieder, und dann neigte sich Jean vor und tippte auf Sophies Knie. »Du wirst vorsichtig sein müssen, weil sie vorher seine Haushälterin war.«

»In welcher Hinsicht?«

»Das sind immer die Schlimmsten, Pedanten, die immer alles genau so haben wollen, als hätten sie es selbst getan.«

»Ich bezweifle, dass sie viel Zeit für den Haushalt hatte«, sagte Sophie und zwinkerte Norma zu. »Jedenfalls werde ich die meiste Zeit woanders gebraucht werden. Die neue Hausherrin träumt von Reitställen, und ich soll alles managen, wenn sie in Betrieb sind. Sie scheint viel Geschäftssinn zu haben. Sie will das Haus öffnen und zu einem Zentrum für Reitferien machen, wenn die Renovierungen abgeschlossen sind. Ein Ferienparadies für Familien.«

Alle hingen eine Zeitlang ihren Gedanken nach. Dann lehnte sich Jean vor. »Also, erzähl mir von den Kindern, Sophie. Wie geht es ihnen? Vermissen Sie mich, oder haben sie sich beruhigt?«

»Es geht ihnen prima«, versicherte Sophie. »Natürlich vermissen sie dich. Und sie reden viel und wehmütig von dir, aber das ist nur natürlich. Und Gina spielt immer noch verrückt, also gibt es da keine Veränderungen.«

»Und was ist mit Jo? Gefällt es ihr? Ist sie glücklich?«, frage Jean besorgt. »Mag sie die Kinder?«

Sophie lächelte. »Sie liebt sie. Und sie kommt sehr gut mit ihnen zurecht. Nachdem sie all die Jahre die Verantwortung für Jem und Tara Newton-Smith hatte, ist Gina selbst an ihren Zickentagen wie eine frische Brise für Jo. Gina versuchte gestern ihren üblichen Trick, du weißt schon ›Ich mag heute keinen Hackfleischauflauf mit Kartoffelbrei. Gestern hat er mir geschmeckt, aber heute finde ich ihn igitt!‹ Jo zuckte mit keiner Wimper. ›Mach dir keine Sorgen, Gina. Ich habe einen leckeren Rote Beete-Eintopf im Ofen – den kannst du stattdessen haben!«

Sie alle lachten. »Ich habe Gina nie so schnell ihren Teller leer essen sehen«, sagte Sophie.

»Trotzdem tut mir Jo leid«, sagte Jean. »Sie ist noch so

jung. Sie sollte wirklich mit Leuten in ihrem eigenen Alter zusammen sein. Neue Freunde haben.«

»Mach dir da nicht zu viel Sorgen«, sagte Sophie verschwörerisch. »Ich habe die Bewerber für Callums Stelle beim Vorstellungsgespräch im Prospect House gesehen. Das waren tolle Typen! Eigentlich habe ich schon bereut, dass ich die nicht mehr kennen lernen kann.«

»So, hast du?« Callum kniff in gespieltem Misstrauen die Augen zusammen. »Davon wusste ich ja gar nichts. Na, Jo wird schon gut zurechtkommen. Sie hat diese Klausel in ihrem Vertrag, die ihr freie Wochenenden garantiert. Sie und Rosie werden sich bei der Uni amüsieren. Ich weiß ehrlich nicht, was sie da treiben.«

Sophie hielt den Kopf gesenkt. Sie brauchte sich nur Jos Gesicht – mit ihrem entrückten Lächeln – vorzustellen, um genau zu wissen, was sie und Rosie an den Wochenenden treiben würden. »Ja, sagte sie beiläufig, »Rosie hat ihr eine Menge neuer Leute vorgestellt. Du brauchst dir um Jo keine Sorgen zu machen – sie ist viel fähiger, als die Newton-Smiths ihr je zugetraut haben.«

»Oh, ich habe keinen Moment an ihren Fähigkeiten gezweifelt«, sagte Jean. »Es ist nur, dass Gina manchmal so schwierig sein kann – es ist schön, wenn sie jetzt mitspielt. Ellie brauchte immer viel Selbstbestätigung. Und Peter, der ist ja noch ein Baby ...«

»Jean! Es geht ihnen prima! Wenn du mir nicht glaubst, dann besuche sie mal. Aber ich schwöre dir, sie sind wirklich glücklich. Es war ein Gottesgeschenk, dass die Newton-Smiths sich entschieden, ihre Kinder aufs Internat zu schicken. Das war für Jo ebenso gut wie für die Kinder. Sieh mal, Gina hat dir einen Brief geschickt – jedenfalls so etwas Ähnliches – und Ellie hat etwas gemalt.«

Jean nahm Brief und Bild mit in die Küche, und sie hörten

sie beim Lesen und Betrachten ein paar Mal wehmütig seufzen.

»Sie weiß, dass sie das Richtige getan hat«, versicherte Norma ihnen. »Aber es wird für sie noch eine Weile schwer sein, sich von allem zu lösen. Sie hat sie praktisch aufzogen.« Sie senkte die Stimme zum Flüsterton. »Ich weiß, was sie braucht; eine Freundin von mir schenkt mir eine ihrer Hundewelpen. Das wird mein Weihnachtsgeschenk für Jean sein.«

Sophie hatte auf der Zunge zu sagen, dass ein junger Hund Jean kaum über den Verlust von drei Kindern hinwegtrösten konnte, doch sie sagte es nicht. Sie erinnerte sich an ihre Kindheit; und besonders an den Geburtstag, an dem ihr ein junger Hund geschenkt worden war. Sie erinnerte sich an die schlaflosen Nächte und an die Geduld, die nötig gewesen war, um das Tier stubenrein zu machen.

»Ich glaube«, sagte sie und lächelte Norma an, »das könnte genau das sein, was sie braucht.«

Ende

Ein neuer Band erotischer Geschichten von der Autorin von LUSTSPIELE

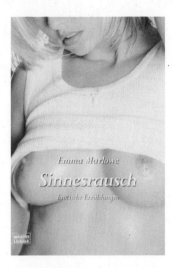

Emma Marlowe
SINNESRAUSCH
Erotische Geschichten
304 Seiten
ISBN 978-3-404-15922-2

Ein sinnlicher Mix erotischer Augenblicke, ergriffener Gelegenheiten und lustvoller Überraschungen:
Die Frisöse Lilli erlebt ein überraschendes Abenteuer mit einem sonst so biederen Geschäftsmann ...
Selma gibt sich in einem verlassenen Haus einem furiosen Feuerwerk ungehemmter Leidenschaft hin ...
Ein Orkan sperrt Raya unvermittelt in ein Hotel und sorgt für die stürmischste Nacht in ihrem Leben...
Emma Marlowe hat sich mit ihren Kurzgeschichten in die Herzen von vielen Fans geschrieben. Lassen Sie sich in einen prickelnden Sinnesrausch versetzen und entdecken Sie die Lust am kurzen Intermezzo!

Bastei Lübbe Taschenbuch

*Herrin und Mätresse – das aufregende
Leben einer unersättlichen Frau*

Vivienne LaFay
DIE MÄTRESSE
Erotischer Roman
272 Seiten
ISBN 978-3-404-15921-5

Lady Emma Longmore genießt ihre Rolle als Mätresse des gut
aussehenden wohlhabenden Daniel Forbes. In seiner Londoner
Villa gründet sie eine Schule für höhere Töchter, die sie in die
Künste der Liebe einführen will. Doch bald steckt Lady Emma in
Schwierigkeiten. Hals über Kopf flieht sie zurück nach Paris, wo es
viele Erinnerungen an nächtliche Abenteuer aufzufrischen gilt.

Der zweite Roman aus der erotischen Reihe um Lady Emma

Bastei Lübbe Taschenbuch

*Eine prickelnde Dreierbeziehung und ein
Rausch der Sinne*

Tesni Morgan
DIE SINNLICHE ERBIN
Erotischer Roman
288 Seiten
ISBN 978-3-404-15920-8

Lorna erbt Hinton Priory, ein altes Haus in der englischen Provinz.
Sie verspricht sich endlich Ruhe in ihrem bisher so hektischen
Leben. Größer hätte ihr Irrtum nicht sein können. Ein ruchloser
Geschäftsmann hat Lornas Grundbesitz im Blick. Er will sie ver-
führen, aber das will auch der geheimnisvolle Architekt, der ihr
Haus renovieren soll. Und ihr Nachbar Tyrell ist nicht der Gentle-
man, für den er sich ausgibt ...

Bastei Lübbe Taschenbuch